逐条解説 シリーズ

逐条解説

公益通報者保護法
〔第2版〕

消費者庁参事官（公益通報・協働担当）室
編

商事法務

●第 2 版はしがき

　公益通報者保護法の施行後も、企業の内部通報制度が十分に機能せず、国民生活の安全・安心を大きく損なう不祥事に発展した事例や、通報を受けた行政機関において不適切な対応が行われた事例が発生したことなどを踏まえ、公益通報者保護制度の実効性の向上を図るべく、令和 2 年 6 月に公益通報者保護法の一部を改正する法律（令和 2 年法律第 51 号）が成立し、令和 4 年 6 月 1 日に施行されました。当該法改正を踏まえ、この度、第 2 版を発刊することにしました。

　本書が、労働者、事業者、行政機関の職員等にとって、公益通報者保護法へのご理解の一助となれば幸いです。

　令和 5 年 3 月

　　　　　　　消費者庁参事官（公益通報・協働担当）　楢橋　康英

●はしがき

　国民の生命や身体の保護、消費者の利益の擁護等に関わる事業者の不祥事の多くが、事業者内部からの通報を契機として明らかになったことなどから、通報者の保護を図るとともに、事業者等の法令遵守を図り、もって国民生活の安定及び社会経済の健全な発展に資することを目的として、公益通報者保護法が制定されました（平成 16 年 6 月成立、平成 18 年 4 月施行）。

　公益通報者保護法の制定及び現行の逐条解説の作成から約 10 年が経過しましたが、その間、引用している法律やガイドラインの改正、本制度に関連する裁判例が出されたこと、また、分かりやすさ等を向上させる観点から構成や記述を改め、この度、本書を発刊することにしました。

　本書が、労働者、事業者、行政機関の職員等にとって、公益通報者保護法へのご理解の一助となれば幸いです。

平成 28 年 3 月

　　　　　　　　　　　　消費者庁消費者制度課長　　加納　克利

●本書について

　公益通報者保護法の施行に当たっては、本法の内容が労働者や事業者等に十分理解され、また、事業者及び行政機関において実効性のある通報処理の仕組みの整備・運用が行われることが必要である。

　このため、消費者庁では、公益通報者保護法についての詳しい解説資料として、本書を作成したものである。

　また、本書のほかにも、公益通報者保護制度についてわかりやすく解説したハンドブックや動画DVDも作成・配布し、制度が十分理解されるよう努めている。

●執筆者一覧

【第2版】

楢橋　康英	消費者庁参事官（公益通報・協働担当）
和瀬幸太郎	消費者庁企画官（公益通報担当）
戸塚　亮太	消費者庁参事官（公益通報・協働担当）付参事官補佐
三澤　正実	消費者庁参事官（公益通報・協働担当）付参事官補佐
稲垣　利彦	消費者庁参事官（公益通報・協働担当）付政策企画専門官
金山　貴昭	消費者庁参事官（公益通報・協働担当）付政策企画専門官
蜂須明日香	消費者庁参事官（公益通報・協働担当）付政策企画専門官
横山　拓哉	消費者庁参事官（公益通報・協働担当）付政策調査員

（肩書は、令和4年6月現在）

【初版】

加納　克利	消費者庁消費者制度課長
金谷　雅也	消費者庁消費者制度課企画官
望月　知子	元消費者庁消費者制度課企画官
大友　伸幸	消費者庁消費者制度課課長補佐
大森　景一	元消費者庁消費者制度課課長補佐
川野　洋治	消費者庁消費者制度課政策企画専門官
佐藤　元紀	消費者庁消費者制度課政策企画専門官
渡邊　貴大	消費者庁消費者制度課政策企画専門職
梅津　　希	消費者庁消費者制度課政策調査員
中野　　真	消費者庁消費者制度課政策調査員

（肩書は、平成28年3月現在）

●凡例

〔法令等〕

改正法	公益通報者保護法の一部を改正する法律（令和2年法律第51号）
原始法	改正法による改正前の公益通報者保護法（平成16年法律第122号）
法／本法	改正法による改正後の公益通報者保護法
八号政令	公益通報者保護法別表第八号の法律を定める政令（平成17年政令第146号）
法定指針	公益通報者保護法第11条第1項及び第2項の規定に基づき事業者がとるべき措置に関して、その適切かつ有効な実施を図るために必要な指針（令和3年内閣府告示第118号）
指針の解説	公益通報者保護法に基づく指針（令和3年内閣府告示第118号）の解説（令和3年10月消費者庁）
原子炉等規制法	核原料物質、核燃料物質及び原子炉の規制に関する法律（昭和32年法律第166号）
男女雇用機会均等法	雇用の分野における男女の均等な機会及び待遇の確保等に関する法律（昭和47年法律第113号）
労働者派遣法	労働者派遣事業の適正な運営の確保及び派遣労働者の保護等に関する法律（昭和60年法律第88号）
育児・介護休業法	育児休業、介護休業等育児又は家族介護を行う労働者の福祉に関する法律（平成3年法律第76号）
個人情報保護法	個人情報の保護に関する法律（平成15年法律第57号）

vi　凡例

一般社団・財団法人法	一般社団法人及び一般財団法人に関する法律（平成18年法律第48号）

〔用語〕

事業者内部	法第2条第1項柱書に定める「役務提供先等」をいう。
権限を有する行政機関	法第2条第1項柱書に定める「当該通報対象事実について処分（命令、取消しその他公権力の行使に当たる行為をいう。以下同じ。）若しくは勧告等（勧告その他処分に当たらない行為をいう。）をする権限を有する行政機関」をいう。
権限を有する行政機関等	権限を有する行政機関又は当該行政機関があらかじめ定めた者をいう。
その他の外部通報先	法第2条第1項柱書に定める「その者に対し当該通報対象事実を通報することがその発生又はこれによる被害の拡大を防止するために必要であると認められる者（当該通報対象事実により被害を受け又は受けるおそれがある者を含み、当該役務提供先の競争上の地位その他正当な利益を害するおそれがある者を除く。）」をいう。
内部公益通報／1号通報	法第3条第1号及び第6条第1号に定める役務提供先等への公益通報をいう。
2号通報	法第3条第2号及び第6条第2号に定める権限を有する行政機関等への公益通報をいう。
3号通報	法第3条第3号及び第6条第3号に定めるその他の外部通報先への公益通報をいう。
外部公益通報	2号通報及び3号通報をいう。
役員	法第2条第1項柱書に定める「役員」をいい、事業者内部への通報が内部公益通報となり得る者をいう。

公益通報対応業務	法第11条第1項に定める「公益通報対応業務」をいい、内部公益通報を受け、並びに当該内部公益通報に係る通報対象事実の調査をし、及びその是正に必要な措置をとる業務をいう。
内部公益通報対応体制	法第11条第2項に定める、事業者が内部公益通報に応じ、適切に対応するために整備する体制をいう。
公益通報対応義務等	法第11条第2項に定める、事業者が、公益通報を活用して国民の生命、身体、財産その他の利益の保護に関わる法令の規定の遵守を図るため、内部公益通報に応じ、適切に対応するために必要な体制の整備その他の必要な措置をとる義務をいう。

viii　もくじ

逐条解説　公益通報者保護法〔第2版〕

も　く　じ

第1編　概　　論

第1章　原始法制定の経緯　　2

1　原始法制定の背景　　2

2　政府における検討　　2

3　国会での審議経過　　3

4　関係政令等の制定　　4

　(1)　公益通報者保護法関係政令の制定　　4
　(2)　ガイドラインの作成　　4

第2章　改正法制定の経緯　　6

1　改正法制定の背景　　6

2　政府における検討　　6

3　国会での審議経過　　7

4　関係政令等の制定等　　7

　(1)　公益通報者保護法関係政令の制定　　7
　(2)　法定指針等の策定　　8
　(3)　ガイドラインの改正等　　9

第3章　総　　論　　11

1　本法の趣旨　　11

2　他法令との関係　　12

　(1)　労働契約法との関係　　12
　(2)　信義則・権利濫用・公序良俗・不法行為との関係　　14
　(3)　名誉毀損の違法性阻却との関係　　18
　(4)　他の個別法における通報者保護規定との関係　　20

3　事業者の自主的な取組との関係　　22

　　4　通報に関する秘密及び通報者の個人情報の保護　　23

　　5　通報対応の仕組みの整備　　33

　　6　刑事責任・民事責任の免責　　34

　　7　適用範囲・準拠法　　36

第2編　逐条解説

第1章　総則　　40

第1条（目的）　　40

　1　本条の概要　　40

　2　本条の趣旨　　40

　　⑴　公益通報と事業者による不利益な取扱い　　40
　　⑵　公益通報と法令の規定の遵守　　42
　　⑶　本法の目的　　44

第2条第1項（「公益通報」の定義）　　45

　1　本項の概要　　46

　2　本項の趣旨　　46

　3　本項の解釈　　46

　　⑴　通報の主体　　46
　　⑵　通報の目的　　59
　　⑶　犯罪行為やその他の法令違反行為の行為主体　　64
　　⑷　通報の内容　　68
　　⑸　通報先　　70
　　⑹　通報行為　　79
　　⑺　基準時　　81

　4　立証責任　　82

x　もくじ

第 2 条第 2 項（「公益通報者」の定義）　83

1　本項の概要　83

2　本項の趣旨　83

3　本項の解釈　83

　⑴　「公益通報をした者」　83

第 2 条第 3 項（「通報対象事実」の定義）　84

1　本項の概要　84

2　本項の趣旨　85

　⑴　原始法制定時の経緯　85
　⑵　改正法制定時の経緯　87

3　本項の解釈　88

　⑴　対象法律　88
　⑵　対象行為　95

第 2 条第 4 項（「行政機関」の定義）　105

1　本項の概要　105

2　本項の趣旨　105

3　本項の解釈　105

　⑴　国の行政機関　105
　⑵　「地方公共団体の機関」　109

第 2 章　公益通報をしたことを理由とする公益通報者の解雇の無効及び　不利益な取扱いの禁止等　110

第 3 条（解雇の無効）　110

1　本条の概要　110

2　本条の趣旨　110

　⑴　保護要件に差を設ける理由　110
　⑵　無効とする理由　111
　⑶　罰則が設けられていない理由　111

もくじ　xi

3　労働契約法との関係　113
⑴　労働契約法第16条（解雇）と公益通報　113
⑵　本条（解雇の無効）の趣旨　115
4　立証責任　115

第3条第1号（役務提供先等への公益通報（内部公益通報／1号通報）の保護要件）　118

1　本号の概要　118
2　本号の趣旨　118
3　本号の解釈　118
⑴　「生じ、又はまさに生じようとしている」　118
⑵　「思料する場合」　119
⑶　役務提供先との間に資本関係がある事業者　120

第3条第2号（権限を有する行政機関等への公益通報（2号通報）の保護要件）　122

1　本号の概要　122
2　本号の趣旨　122
3　本号の解釈　123
⑴　「信ずるに足りる相当の理由」　123
⑵　「通報対象事実が生じ、若しくはまさに生じようとしていると思料し、かつ、次に掲げる事項を記載した書面を提出」　124
⑶　「当該通報対象事実について処分又は勧告等をする権限を有する行政機関等」　127
4　告発との関係　127

第3条第3号（その他の外部通報先への公益通報（3号通報）の保護要件）　130

1　本号の概要　130
2　本号の趣旨　131

xii　もくじ

3　本号の解釈　132

　⑴　「信ずるに足りる相当の理由」　132

　⑵　「次のいずれかに該当する場合」　133

4　役務提供先等への公益通報の保護要件（本条第1号）及び権限を有する
　行政機関等への公益通報の保護要件（本条第2号）との関係　149

第4条（労働者派遣契約の解除の無効）　150

1　本条の概要　150

2　本条の趣旨　150

3　本条の解釈　151

　⑴　「無効とする」　151

第5条（不利益取扱いの禁止）　152

1　本条の概要　152

2　本条の趣旨　152

　⑴　労働者に対する不利益取扱いの禁止（第1項）　152
　⑵　派遣労働者に対する不利益取扱いの禁止（第2項）　153
　⑶　役員に対する不利益取扱いの禁止（第3項）　153

3　本条の解釈　153

　⑴　「使用していた公益通報者」　153
　⑵　「不利益な取扱い」　153
　⑶　「してはならない」　155

4　他法令との関係　157

　⑴　労働契約法第14条（出向）及び第15条（懲戒）との関係　157
　⑵　労働者派遣法第49条の3（厚生労働大臣に対する申告）との関係　158

第6条（役員を解任された場合の損害賠償請求）　160

1　本条の概要　161

2　本条の趣旨　161

3　本条の解釈　163

もくじ　xiii

⑴　役務提供先等に対する公益通報（本条第 1 号）　163
⑵　権限を有する行政機関等への公益通報（本条第 2 号）　163
⑶　その他の外部通報先への公益通報（本条第 3 号）　167

第 7 条（損害賠償の制限）　173

1　本条の概要　173

2　本条の趣旨　173

3　本条の解釈　174

⑴　損害賠償の請求の主体（不利益な取扱いの主体との差異）　174
⑵　「公益通報によって損害を受けたことを理由として」　175
⑶　「当該公益通報をした公益通報者に対して」　176
⑷　「賠償を請求」　176
⑸　「することができない」　176

4　損害賠償請求の要件との関係　177

⑴　損害賠償請求の要件　177
⑵　違法性に関する裁判例　177
⑶　公益通報の検討　178

第 8 条（解釈規定）　184

1　本条の概要　184

2　本条の趣旨　185

⑴　解雇の無効及び不利益な取扱いの禁止に関する解釈規定（本条第 2 項及び第 3 項）　185
⑵　役員を解任された場合の損害賠償請求に関する解釈規定（本条第 4 項）　186

3　本条の解釈　188

⑴　「他の法令の規定」　188

4　その他　197

⑴　同様の解釈規定を置いている例　197
⑵　公益通報者保護法案附帯決議　198

第 9 条（一般職の国家公務員等に対する取扱い）　199

1　本条の概要　199

xiv　もくじ

2　本条の趣旨　199

3　本条の解釈　206

⑴　「第二条第一項第一号に定める事業者」　206
⑵　公益通報と公務員の守秘義務との関係　208
⑶　公益通報と刑事訴訟法の告発義務との関係　209

4　その他　210

⑴　公務員による通報対象行為　210

第10条（他人の正当な利益等の尊重）　215

1　本条の概要　215

2　本条の趣旨　215

3　その他　216

第3章　事業者がとるべき措置等　218

第11条（事業者がとるべき措置）　218

1　本条の概要　218

2　本条の趣旨　219

⑴　背景　219
⑵　事業者がとるべき措置の義務（本条第1項及び第2項）　222
⑶　事業者がとるべき措置の努力義務（本条第3項）　223
⑷　法定指針（本条第4項から第7項まで）　225

3　本条の解釈　228

⑴　「（公益通報対応業務従事者）を定めなければならない」　228
⑵　「公益通報の内容の活用により」　229

4　法定指針　229

⑴　法定指針等の策定経緯　229
⑵　法定指針及び指針の解説の概要　230

第12条（公益通報対応業務従事者の義務）　232

1　本条の概要　232

もくじ　xv

2　本条の趣旨　232

3　本条の解釈　233

⑴　主体　233

⑵　客体　234

⑶　行為　235

⑷　「正当な理由」　236

第13条（行政機関がとるべき措置）　238

1　本条の概要　238

2　本条の趣旨　239

⑴　行政機関の調査義務等（第1項）　239

⑵　行政機関の体制整備義務等（第2項）　239

⑶　犯罪の捜査及び公訴についての特則（第3項）　239

3　本条の解釈　242

⑴　「その他適当な措置」　242

⑵　「必要な調査を行い、……法令に基づく措置その他適当な措置をとらなければ
　　ならない」　243

⑶　行政不服審査法上の不服申立ての可否　244

⑷　本条第1項及び第2項の措置の主体　244

4　法に基づく指針を策定しないこととされた理由　245

第14条（教示）　246

1　本条の概要　246

2　本条の趣旨　246

第4章　雑則　248

第15条（報告の徴収並びに助言、指導及び勧告）　248

1　本条の概要　248

2　本条の趣旨　248

⑴　報告の徴収　248

⑵　助言、指導及び勧告　249

xvi　　もくじ

3　権限の主体　249

第16条（公表）　254

1　本条の概要　254

2　本条の趣旨　254

第17条（関係行政機関への照会等）　255

1　本条の概要　255

2　本条の趣旨　255

第18条（内閣総理大臣による情報の収集、整理及び提供）　256

1　本条の概要　256

2　本条の趣旨　256

⑴　原始法の概要　256

⑵　通報対象事実を知った者に対して法の運用状況等に関する情報の提供等を行う必要性　256

⑶　事業者に対して法の運用状況等に関する情報の提供等を行う必要性　257

⑷　内閣総理大臣による情報の収集、整理及び提供に関する規定を設ける必要性　258

第19条（権限の委任）　260

1　本条の概要　260

2　本条の趣旨　260

3　本条の解釈　260

⑴　「政令で定めるものを除く」　260

第20条（適用除外）　262

1　本条の概要　262

2　本条の趣旨　262

第5章　罰則　264

第21条　264
1　本条の概要　264
2　本条の趣旨　264

第22条　265
1　本条の概要　265
2　本条の趣旨　265

原始附則第1条（施行期日）　266
1　本条の概要　266
2　本条の趣旨　266
3　本条の解釈　267
⑴　「政令で定める日」　267
⑵　「この法律の施行後にされた公益通報」　267

原始附則第2条（検討）　268
1　本条の概要　268
2　本条の趣旨　268
3　その他　269
⑴　公益通報者保護法案附帯決議　269
⑵　原始法の施行状況の検討及び講じられた措置　269

改正法附則第1条（施行期日）　271
1　本条の概要　271
2　本条の趣旨　271
3　本条の解釈　271
⑴　「政令で定める日」　271

xviii　　もくじ

改正法附則第 2 条（経過措置）　272

1　本条の概要　272

2　本条の趣旨　272

3　本条の解釈　272

(1)　適用関係の具体例　272

改正法附則第 3 条（経過措置）　274

1　本条の概要　274

2　本条の趣旨　274

改正法附則第 4 条（政令への委任）　276

1　本条の概要　276

2　本条の趣旨　276

改正法附則第 5 条（検討）　277

1　本条の概要　277

2　本条の趣旨　277

3　本条の解説　278

(1)　「公益通報者に対する不利益な取扱いの是正に関する措置の在り方」　278
(2)　「裁判手続における請求の取扱い」　278

改正法附則第 6 条（消費者庁及び消費者委員会設置法の一部改正）　279

1　本条の概要　279

2　本条の趣旨　279

(1)　本条による改正前の消費者庁及び消費者委員会設置法の概要　279
(2)　改正の必要性　280

もくじ　xix

第 3 編　資　　料

資料 1　公益通報者保護法の主な経緯　　284

資料 2　公益通報者保護法（平成 16 年 6 月 18 日法律第 122 号）　　290

資料 3　公益通報者保護法第 11 条第 1 項及び第 2 項の規定に基づき事業者が
　　　　とるべき措置に関して、その適切かつ有効な実施を図るために必要
　　　　な指針　　303

資料 4　公益通報者保護法に基づく指針（令和 3 年内閣府告示第 118 号）の
　　　　解説　　307

資料 5　公益通報者保護法を踏まえた国の行政機関の通報対応に関するガイ
　　　　ドライン（外部の労働者等からの通報）　　331

資料 6　公益通報者保護法を踏まえた国の行政機関の通報対応に関するガイ
　　　　ドライン（内部の職員等からの通報）　　340

資料 7　公益通報者保護法を踏まえた地方公共団体の通報対応に関するガイ
　　　　ドライン（外部の労働者等からの通報）　　349

資料 8　公益通報者保護法を踏まえた地方公共団体の通報対応に関するガイ
　　　　ドライン（内部の職員等からの通報）　　358

資料 9　対象法律一覧　　367

事項索引　　381

概　論

第1章 原始法制定の経緯

1 原始法制定の背景

　平成 12 年頃から、消費者の信頼を裏切る企業不祥事が続発し、一部の事業者は市場からの撤退を余儀なくされた。食品の偽装表示事件や自動車のリコール隠し事件に見られるように、これらの犯罪行為やその他の法令違反行為の多くは、事業者内部の労働者等からの通報を契機として明らかにされた。

　そもそも犯罪行為やその他の法令違反行為は許されるものではなく、事業者による法令遵守を確保し、国民の生命、身体、財産などへの被害を防止していく観点から、公益のために通報する行為は、正当な行為として評価されるべきと考えられ、また、通報を理由とした解雇を無効とした裁判例も徐々に増えてきていたところであった。しかし、公益のために労働者が通報を行った場合に、どのような内容の通報をどこへ行えば解雇などの不利益な取扱いから保護されるのかは、当時、必ずしも明確でなかった。一方、諸外国では、例えば、英国においては包括的な通報者保護法である「公益開示法（Public Interest Disclosure Act 1998）」が制定され、米国においても連邦の公的部門を対象とする「内部告発者保護法（Whistleblower Protection Act of 1989）」のほか、「上場企業会計改革及び投資家保護法（Public Company Accounting Reform and Investor Protection Act of 2002、通称 Sarbanes–Oxley Act)」など個別分野において通報者の保護に関する立法が進められてきていた。

2 政府における検討

　このような企業不祥事の現状等を踏まえて、平成 14 年 12 月 26 日、第 18 次国民生活審議会消費者政策部会（部会長：落合誠一東京大学大

院教授（当時））に公益通報者保護制度検討委員会（委員長：松本恒雄一橋大学大学院教授（当時））が設置され、翌年1月から5月にかけて制度の具体的内容についての検討が行われ、報告書として「公益通報者保護制度の具体的内容について」が取りまとめられた。

その後、平成15年5月28日、消費者政策部会は部会報告「21世紀型の消費者政策の在り方について」を取りまとめ、その中に公益通報者保護制度の整備に関する提言も盛り込まれた。内閣府は、同部会報告を踏まえ、「公益通報者保護法案（仮称）の骨子（案）」を策定し、同年12月10日、第19次消費者政策部会に報告するとともに、意見募集に付した。寄せられた意見等を踏まえ、平成16年3月9日、政府は「公益通報者保護法案」を閣議決定し、第159回国会に提出した。

3　国会での審議経過

公益通報者保護法案は、平成16年4月27日、衆議院本会議において趣旨説明・質疑が行われた後、内閣委員会に付託され、5月12日から提案理由説明に引き続いて審議が開始された。14日に質疑、19日に参考人意見陳述及び質疑が行われ、21日に質疑の後、民主党及び日本共産党からそれぞれの修正案の提出及び採決が行われ、修正案は否決となった後、政府案が原案通り採決され、25日の衆議院本会議において可決された。

参議院においては、6月2日、本会議において趣旨説明・質疑が行われた後、内閣委員会に付託され、3日に提案理由説明が行われた。10日に参考人意見陳述及び質疑が行われ、11日に質疑の後、民主党及び日本共産党からそれぞれの修正案の提出及び採決が行われ、修正案は否決となった後、政府案が原案通り採決され、14日の参議院本会議において可決・成立し、18日に公布された（なお、参議院においては、民主党、日本共産党及び社会民主の野党3党共同提出の「国の行政運営の適正化のための公益通報に関する法律案」と一括して審議された。）。

このように、衆議院、参議院ともに、参考人質疑も含め合わせて約28時間の審議が行われた。なお、委員会採決に当たっては、衆議院9

項目、参議院6項目の附帯決議が付された。

4 関係政令等の制定

(1) 公益通報者保護法関係政令の制定

その後、原始法の成立を受け、法律において政令で定めることとされた①公益通報者保護法別表第八号の法律及び②原始法の施行期日について、内閣府において作業が進められた。

政令で定めることとされた別表第八号の法律に関しては、「政令で定める公益通報者保護法の対象法律（案）」を平成16年12月22日、第19次国民生活審議会消費者政策部会に報告するとともに、意見募集に付した。寄せられた意見等を踏まえ、平成17年3月29日、八号政令が閣議決定され、同年4月1日に公布された。

また、原始法の施行期日に関しては、法律において「公布の日から起算して二年を超えない範囲内において政令で定める日」と定められていることから、制度の周知等の期間を踏まえ、施行期日を平成18年4月1日とする「公益通報者保護法の施行期日を定める政令」（平成17年政令第145号）が平成17年3月29日に閣議決定され、同年4月1日に公布された。

(2) ガイドラインの作成

民間事業者や行政機関の通報受付体制の整備等を図るために、附帯決議でガイドラインを作成する旨が盛り込まれたことを踏まえ、通報を受けた民間事業者や国の行政機関の対応の指針となるガイドラインを作成することとした。

国の行政機関においては、平成16年9月2日に関係行政機関を構成員とする公益通報関係省庁連絡会議が設置され、国の行政機関が通報を適切に処理するためのガイドライン案の作成が進められた。

また、民間事業者が事業者内部の労働者からの通報を適切に処理するために、平成16年11月から、内閣府に有識者からなる「民間事業者向

けガイドライン研究会」（委員長：田中宏司立教大学大学院教授（当時））
が開催され、ガイドライン案の作成が進められた。

　こうして、三つのガイドライン案（①「公益通報者保護法に関する民間
事業者向けガイドライン案」、②「国の行政機関の通報処理ガイドライン案
（内部の職員等からの通報）」、③「国の行政機関の通報処理ガイドライン案
（外部の労働者からの通報）」）が作成され、平成17年6月7日から7月6
日まで意見募集に付した後、寄せられた意見等を踏まえ、②及び③につ
いては、平成17年7月19日に公益通報関係省庁連絡会議において申合
せがなされ、同日、①と併せて公表された。

　なお、平成23年3月18日に、「国の行政機関の通報処理ガイドライ
ン（外部の労働者からの通報）」が改正され、労働者でない者からの通報
であっても、当該通報が権限を有する行政機関への公益通報についての
他の要件を満たして通報するものである場合には、当該行政機関は必要
な調査及び適当な措置をとるよう努める旨が定められた。

　また、平成26年6月23日に、「国の行政機関の通報処理ガイドライ
ン（内部の職員等からの通報）」及び「国の行政機関の通報処理ガイドラ
イン（外部の労働者からの通報）」が改正され、通報等を受けた行政機関
における通報等に関する個人情報保護の徹底を図るための規定が整備さ
れた。

　その後、平成29年7月31日に、地方公共団体向けのガイドラインと
して、「公益通報者保護法を踏まえた地方公共団体の通報対応に関する
ガイドライン（内部の職員等からの通報）」及び「公益通報者保護法を踏
まえた地方公共団体の通報対応に関するガイドライン（外部の労働者等
からの通報）」を公表した。なお、これらのガイドラインは、地方自治
法第245条の4第1項の規定に基づく技術的な助言として位置付けられ
るものである。

第2章 改正法制定の経緯

1 改正法制定の背景

　原始法の施行後、大企業等を中心に内部公益通報制度の整備が進み、コンプライアンス経営・消費者志向経営への取組が強化されるなど、一定の成果を挙げてきた。他方、中小企業等における整備状況や労働者等における原始法の認知度は必ずしも十分ではなく、近年においても、企業の内部公益通報制度が十分に機能せず、国民生活の安全・安心を大きく損なう不祥事に発展した事例や、通報を受けた行政機関において不適切な対応が行われた事例が発生するなど、公益通報者保護制度の実効性の向上を図ることが重要な課題となっていた。また、原始法の枠組みについても、原始法の適用範囲が狭く、保護の対象となるための要件も厳しすぎるのではないか、民事的な効果だけでは不利益な取扱いを抑止するための効果が不十分なのではないか、といった指摘がなされており、これらの課題への制度的な手当てを講ずることも求められていた。

2 政府における検討

　以上を背景として、「消費者基本計画」(平成27年3月閣議決定) において、公益通報者保護制度の「見直しを含む必要な措置の検討を早急に行った上で、検討結果を踏まえ必要な措置を実施する」ことが盛り込まれ、その検討を行うことを目的として、平成27年6月に「公益通報者保護制度の実効性の向上に関する検討会」が設置された。同検討会では、同月から翌年12月にかけて公益通報者保護制度の実効性向上の方向性や課題等について審議を行い、「最終報告書」が取りまとめられた。

　その後、平成30年1月に内閣総理大臣の諮問を受け、消費者委員会において「公益通報者保護専門調査会」が開催され、同年1月から12

月にかけて、①公益通報者保護法を使いやすいものにすること、②通報を受ける側における体制整備、③公益通報者の保護救済の充実及び不利益な取扱いの抑止に関して審議した。その結果、平成30年12月に「公益通報者保護専門調査会報告書」が取りまとめられ、消費者庁は、平成31年1月から3月にかけて、同報告書を意見募集に付した。寄せられた意見等を踏まえ、令和2年3月6日、政府は「公益通報者保護法の一部を改正する法律案」を閣議決定し、第201回国会に提出した。

3 国会での審議経過

「公益通報者保護法の一部を改正する法律案」は、令和2年5月15日、衆議院本会議において趣旨説明・質疑が行われた後、消費者問題に関する特別委員会に付託され、同日、提案理由説明が行われた。同月19日及び21日に質疑が行われ、同月21日の質疑の後、野党からの修正案の提出及び採決が行われ、修正案が可決され、修正部分を除く改正法案についても可決され、同月22日の衆議院本会議において可決された。

参議院においては、令和2年6月3日、本会議において趣旨説明・質疑が行われた後、地方創生及び消費者問題に関する特別委員会に付託され、同日、提案理由説明が行われた後、参考人意見陳述及び質疑が行われた。その後、同月5日の質疑の後、採決が行われ、原案通り可決され、同月8日の参議院本会議において可決・成立し、同月12日に公布された。

このように、衆議院では約6時間30分、参議院では約8時間の審議が行われた。なお、委員会採決に当たっては、衆議院8項目、参議院13項目の附帯決議が付された。

4 関係政令等の制定等

(1) 公益通報者保護法関係政令の制定

その後、改正法の成立を受け、公益通報者保護法別表第8号への法律の追加並びに政令で定めることとされた改正法の施行期日及び消費者庁

長官に委任されない権限について、消費者庁において検討が進められた。

公益通報者保護法別表第8号への法律の追加に関しては、「公益通報者保護法別表第八号の法律を定める政令の一部を改正する政令案」を令和3年11月12日に意見募集に付した。その後、同年12月24日に「公益通報者保護法別表第八号の法律を定める政令の一部を改正する政令」（令和4年政令第10号）が閣議決定され、令和4年1月4日に公布された。

改正法の施行期日に関しては、改正法において公布の日から起算して2年を超えない範囲内において政令で定める日と定められていることから、制度の周知等の期間を踏まえ、令和3年12月24日、施行期日を令和4年6月1日とする「公益通報者保護法の一部を改正する法律の施行期日を定める政令」（令和4年政令第8号）が閣議決定され、令和4年1月4日に公布された。

消費者庁長官に委任されない権限に関しては、指針の重要性に鑑み、法第11条第4項に規定する指針を定める権限（第11条第4項並びに同条第5項及び第6項（これらの規定を同条第7項において準用する場合を含む。））を消費者庁長官に委任する権限から除外することとし、「公益通報者保護法第十九条の規定により消費者庁長官に委任されない権限を定める政令案」を令和3年11月12日に意見募集に付した。その後、令和3年12月24日に「公益通報者保護法第十九条の規定により消費者庁長官に委任されない権限を定める政令」（令和4年政令第9号）が閣議決定され、令和4年1月4日に公布された。

⑵　法定指針等の策定

法第11条第4項は、事業者における、公益通報対応業務従事者を定める義務（同条第1項）及び内部公益通報に応じ、適切に対応するために必要な体制の整備その他の必要な措置をとる義務（同条第2項）に関し、その適切かつ有効な実施を図るために必要な指針を定めるとされているところ、消費者庁は、令和2年10月に「公益通報者保護法に基づ

く指針等に関する検討会」を設置し、同月から令和3年3月にかけて法第11条第4項の規定に基づく指針の内容等について検討し、同年4月に「公益通報者保護法に基づく指針等に関する検討会報告書」を取りまとめた。同報告書には指針案が盛り込まれており、消費者庁は、同年4月28日から同年5月31日まで、同指針案を意見募集に付した。また、指針を定めようとするときは、あらかじめ消費者委員会の意見を聴くこととされているところ（法第11条第5項）、同年7月28日に同委員会に対し意見を求め、翌29日、同委員会から指針案について妥当であるとの回答を得た。以上の手続を経て、同年8月10日、「公益通報者保護法第11条第1項及び第2項の規定に基づき事業者がとるべき措置に関して、その適切かつ有効な実施を図るために必要な指針」（令和3年内閣府告示第118号。法定指針）が策定された。

　また、「公益通報者保護法に基づく指針等に関する検討会報告書」では、法定指針の策定に加えて、事業者が指針に沿った対応をとるに当たり参考となる考え方や、想定される具体的取組事項等を示す解説を作成することを提言していることを踏まえ、消費者庁は、令和3年10月13日に「公益通報者保護法に基づく指針（令和3年内閣府告示第118号）の解説」（指針の解説）を公表した。

(3)　ガイドラインの改正等

ア　民間事業者向けガイドライン

　「公益通報者保護法に基づく指針等に関する検討会報告書」において、「既存のガイドラインは指針の解説に統合するなど必要な整理をすること」と提言されたことを踏まえ、「公益通報者保護法を踏まえた内部通報制度の整備・運用に関する民間事業者向けガイドライン」（平成28年12月9日）を、指針の解説に統合した。

イ　国の行政機関向けガイドライン及び地方公共団体向けガイドライン

　改正法の施行以前から、国の行政機関向けガイドラインとして、①

「公益通報者保護法を踏まえた国の行政機関の通報対応に関するガイドライン（内部の職員等からの通報）」（平成 29 年 3 月 21 日一部改正）及び②「公益通報者保護法を踏まえた国の行政機関の通報対応に関するガイドライン（外部の労働者等からの通報）」（平成 29 年 3 月 21 日一部改正）、地方公共団体向けガイドラインとして、③「公益通報者保護法を踏まえた地方公共団体の通報対応に関するガイドライン（内部の職員等からの通報）」（平成 29 年 7 月 31 日）及び④「公益通報者保護法を踏まえた地方公共団体の通報対応に関するガイドライン（外部の労働者等からの通報）」（平成 29 年 7 月 31 日）が作成されていた。

　これら①〜④のガイドラインについては、改正法により通報者の範囲及び通報対象事実が拡張されたこと等に伴い、これらの改正点を反映する改定を行うとともに、内部公益通報への対応体制について規定している①及び③については、法定指針により新たに義務付けられた事項を付記する等、法定指針との整合性を確保するよう改正することとし、①及び②の改正については令和 4 年 1 月 21 日に公益通報関係省庁連絡会議において申し合わせ、③及び④の改正については同年 3 月 31 日に公表した。

第3章 総論

1 本法の趣旨

　平成 12 年頃から、事業者による食品偽装事件、リコール隠し事件などが相次ぎ、国民生活に対する安心や信頼を損ない、国民生活の安定や社会経済の健全な発展を阻害していた。

　このような事業者の違法行為によって実際に国民の生命、身体、財産等に被害が発生した場合には、その性質上、被害が広範囲に及んだり、回復し難い被害が生じたりするなど、事後的な損害賠償請求等によっては効果的な救済とならないことが考えられ、被害の未然防止・拡大防止の観点から違法行為を抑止していく必要性が高いと考えられた。

　また、規制緩和が進展し、市場メカニズムの活用が進む中で、市場において自由で公正な取引が成立するためには、市場の主体である各事業者が、その社会的責任を自覚し、自ら法令を遵守して消費者等に正確な情報を提供していくことが重要となってきており、日本経済団体連合会・経済同友会等の事業者団体においても、企業倫理の確立に向けて、内部通報窓口（ホットライン）の設置を推進する自主的な取組を始めていた。

　公益通報者の保護は、このような経済社会の変化に対応しつつ、
　　・　事業者内部の風通しを良くし、組織の自浄能力を高め、まじめに
　　　　努力することが報われる社会の実現に資する
　　・　国民が安全で安心して暮らせる社会の実現に資する
ものである。

　他方、通報を理由とした解雇その他不利益な取扱いについて判断した裁判例も徐々に増えてきていたものの、信義則（民法第1条第2項、労働契約法第3条第4項）、権利濫用（民法第1条第3項、労働契約法第3条

第5項）、公序良俗違反（民法第90条）、不法行為責任（民法第709条）等の一般原則のみでは、どのような内容の通報をどこへ行えば不利益な取扱いから保護されるのかは、必ずしも明確ではなく、公益のために通報をする者の保護として十分ではないと考えられた。そこで、公益のために通報をしたことを理由とする通報者の解雇その他不利益な取扱いについて、一定の法的な制限を加える必要があった。

本法は、このような観点から、解雇を無効とする要件を明確に定めるなどして、国民の生命、身体、財産その他の利益の保護に関わる通報をする労働者の負担の軽減を図るものである。

○　原始法制定当時の意見

［参考］総合規制改革会議「規制改革の推進に関する第2次答申―経済活性化のために重点的に推進すべき規制改革―」（平成14年12月12日）

　「また、特に公益性の高い事案（国民の健康・安全にかかわる事案、環境破壊等）については、速やかに国民に周知し、被害等の未然・拡大防止を図ることが重要であることから、内部通報者等がそれを理由とした不利益を被ることのないような仕組みの構築に向け、国民生活審議会における検討を踏まえ、内閣府は所要の措置を講ずべきである。【平成15年度までに措置】」

2　他法令との関係

⑴　労働契約法との関係

ア　解雇

労働契約法第16条では、どのような内容の通報をどこへすれば解雇その他不利益な取扱いを受けないのかに関する要件が必ずしも明確でなく、公益通報に関する裁判例も豊富とはいえないため、公益に関わる通報という正当な行為を行おうとする労働者が一方的に解雇その他不利益な取扱いを受けるおそれを抱えることとなる。

このため、公益通報者の解雇が無効となる要件を具体化・明確化した規定を設け、公益通報をする労働者の負担の軽減を図る必要がある。

○　**参照条文**

[参考] 労働契約法（平成 19 年法律第 128 号）

　　（解雇）

　第十六条　<u>解雇</u>は、客観的に合理的な理由を欠き、社会通念上相当である
　　と認められない場合は、その権利を濫用したものとして、<u>無効とする</u>。

○　**解雇権の濫用について判断した判例**

[参考] 最高裁第二小法廷昭和 50 年 4 月 25 日判決（日本食塩製造事件）

　　「使用者の解雇権の行使も、それが客観的に合理的な理由を欠き社会通念
　上相当として是認することができない場合には、権利の濫用として無効に
　なると解するのが相当である。」

イ　解雇以外の不利益な取扱い

　解雇以外の不利益な取扱いについては、例えば、懲戒について、労働
契約法第 15 条において、客観的に合理的な理由を欠き、社会通念上相
当であると認められない場合は、その権利を濫用したものとして、当該
懲戒は、無効とするとされているが、配置転換等の人事上の措置や業務
に従事させないなどの労働契約法に規定のない事実上の措置について、
公益通報を理由とするこれらの不利益な取扱いを制限する明文の規定は
存在しない。

　このため、一定の要件に該当する公益通報をしたことを理由とする不
利益な取扱いについても、禁止規定を設け、これらの不利益な取扱いが
違法であることを明確化する必要がある。

○　**参照条文**

[参考] 労働契約法（平成 19 年法律第 128 号）

　　（懲戒）

　第十五条　使用者が労働者を懲戒することができる場合において、当該懲
　　戒が、当該懲戒に係る労働者の行為の性質及び態様その他の事情に照ら
　　して、客観的に合理的な理由を欠き、社会通念上相当であると認められ
　　ない場合は、その権利を濫用したものとして、<u>当該懲戒は、無効とする</u>。

○　**懲戒権の濫用について判断した判例**

[参考] 最高裁第二小法廷昭和 58 年 9 月 16 日判決（ダイハツ工業事件）

　　「使用者の懲戒権の行使は、当該具体的事情の下において、それが客観的

14　第1編　概　　論　第3章　総　　論

に合理的理由を欠き社会通念上相当として是認することができない場合に
初めて権利の濫用として無効になると解するのが相当である。」

(2)　信義則・権利濫用・公序良俗・不法行為との関係

ア　信義則（民法第1条第2項、労働契約法第3条第4項）

　労働者は、労働契約における付随義務として、事業者の秘密、名誉、
信用などの利益を不当に害しないようにする義務（誠実義務）を負って
おり、公益通報者はこうした誠実義務違反を理由として解雇その他不利
益な取扱いを受けるおそれがある。

　この場合、誠実義務の根拠となるのは一般条項である信義則（民法第
1条第2項、労働契約法第3条第4項）のみなので、どのような通報であ
れば誠実義務違反を問われないのかが通報者にとって不明確である。

○　参照条文

［参考］民法（明治29年法律第89号）

　　（基本原則）

　第一条　（略）

　2　権利の行使及び義務の履行は、信義に従い誠実に行わなければならな
　　い。

　3　（略）

［参考］労働契約法（平成19年法律第128号）

　　（労働契約の原則）

　第三条　（略）

　2・3　（略）

　4　労働者及び使用者は、労働契約を遵守するとともに、信義に従い誠実
　　に、権利を行使し、及び義務を履行しなければならない。

　5　（略）

○　通報者に対する不利益な取扱いが信義則に反するとした裁判例

［参考］富山地裁平成17年2月23日判決（トナミ運輸事件）

　　「従業員は、雇用契約の締結・維持において、上記……のとおり人事権が
　　公正に行使されることを期待し、使用者もそのことを当然の前提として雇
　　用契約を締結・維持してきたものと解される。そうすると、使用者は、信
　　義則上、このような雇用契約の付随的義務として、その契約の本来の趣旨

に則して、合理的な裁量の範囲内で配置、異動、担当職務の決定及び人事考課、昇格等についての人事権を行使すべき義務を負っているというべきであり、その裁量を逸脱した場合はこのような義務に違反したものとして債務不履行責任を負うと解すべきである。このことは、使用者の人事権に広範な裁量が認められることによって否定されるものではなく、また、人事権の行使が手続的に適正になされているとしても、そのことが実体的な裁量逸脱の有無を左右するものではないから、やはり債務不履行責任を免れるものではない。

　本件では、原告の内部告発は正当な行為であるから、被告がこれを理由に原告に不利益な配置、担当職務の決定及び人事考課等を行う差別的な処遇をすることは、その裁量を逸脱するものであって、正当な内部告発によっては人事権の行使において不利益に取り扱わないという信義則上の義務に違反したものというべきである。したがって、被告は原告に対し債務不履行に基づく損害賠償責任を負う。」

イ　権利濫用（民法第1条第3項、労働契約法第3条第5項）

　民法では期間の定めのない雇用における解約申入れはいつでもすることができるものとされているが（民法第627条第1項）、権利濫用となるようなものは許されず（民法第1条第3項）、また、労働契約法により、「使用者は、労働契約に基づく権利の行使に当たっては、それを濫用することがあってはならない。」（労働契約法第3条第5項）とされ、「解雇は、客観的に合理的な理由を欠き、社会通念上相当であると認められない場合は、その権利を濫用したものとして、無効とする。」（労働契約法第16条）などとされている。

　したがって、公益通報者に対する解雇についても、使用者の権利の行使が客観的に合理的な理由を欠き、社会通念上相当であると認められない場合などは、権利濫用として無効となる。

　しかし、権利濫用を判断する要件は抽象的な基準であるため、民法や労働契約法の規定する権利濫用禁止条項のみでは、公益のために通報をする労働者が一方的に解雇を受けるおそれを払拭できないこととなる。

16　第1編　概　論　第3章　総　論

○　参照条文

[参考] 民法（明治29年法律第89号）

　　（基本原則）

　第一条　（略）

　2　（略）

　3　権利の濫用は、これを許さない。

　　（期間の定めのない雇用の解約の申入れ）

　第六百二十七条　当事者が雇用の期間を定めなかったときは、各当事者は、いつでも解約の申入れをすることができる。この場合において、雇用は、解約の申入れの日から二週間を経過することによって終了する。

　2・3　（略）

[参考] 労働契約法（平成19年法律第128号）

　　（労働契約の原則）

　第三条　（略）

　2～4　（略）

　5　労働者及び使用者は、労働契約に基づく権利の行使に当たっては、それを濫用することがあってはならない。

　　（解雇）

　第十六条　解雇は、客観的に合理的な理由を欠き、社会通念上相当であると認められない場合は、その権利を濫用したものとして、無効とする。

ウ　公序良俗（民法第90条）

　公序良俗に反する解雇は民法第90条によって無効となるが、これに当たるか否かの判断は、現在の社会の認識として成立している公序良俗が何であるかによって判断するほかない。

　仮に事業者による犯罪行為やその他の法令違反行為などの公益を害する行為が公序良俗に反するとしても、公益通報が労働者の誠実義務違反に当たるとの理由による解雇その他不利益な取扱いが一概に公序良俗に反するとまではいえないとも考えられる。また、公益通報者の解雇を公序良俗違反として無効とした裁判例も見当たらない。

　このため、公序良俗違反を根拠に公益通報者を保護することは困難と考えられる。

○　参照条文

[参考] 民法（明治 29 年法律第 89 号）

（公序良俗）

第九十条　公の秩序又は善良の風俗に反する法律行為は、無効とする。

○　通報者に対する不利益な取扱いが公序良俗に反すると認めた裁判例

[参考] 富山地裁平成 17 年 2 月 23 日判決（トナミ運輸事件）

「従業員の配置、異動、担当職務の決定及び人事考課・査定、昇進・昇格等は、使用者が、企業主体の立場で事業の効率的遂行や労働の能力・意欲を高めて組織の活性化を図るなどの観点から、人事権の行使として行うものである。このような人事権の性質上、その行使は相当程度使用者の裁量的判断に委ねられる。しかし、このような裁量権もその合理的な目的の範囲内で、法令や公序良俗に反しない限度で行使されるべきであり、これらの範囲を逸脱する場合は違法であるとの評価を免れない。また、従業員は、雇用契約の締結・維持において、配置、異動、担当職務の決定及び人事考課、昇格等について使用者に自由裁量があることを承認したものではなく、これらの人事権が公正に行使されることを期待しているものと認められ、このような従業員の期待的利益は法的保護に値するものと解される。

これを本件に即していえば、原告の内部告発は正当であって法的保護に値するものであるから、人事権の行使においてこのような法的保護に値する内部告発を理由に不利益に取り扱うことは、配置、異動、担当職務の決定及び人事考課、昇格等の本来の趣旨目的から外れるものであって、公序良俗にも反するものである。また、従業員は、正当な内部告発をしたことによっては、配置、異動、担当職務の決定及び人事考課、昇格等について他の従業員と差別的処遇を受けることがないという期待的利益を有するものといえる。

そうすると、被告の上記……の行為は、人事権の裁量の範囲を逸脱する違法なものであって、これにより侵害した原告の上記期待的利益について、不法行為に基づき損害賠償すべき義務があるというべきである。」

エ　不法行為（民法第 709 条）

公益通報をしたことを理由とする解雇その他不利益な取扱いによって損害が生じた場合に、不法行為（民法第 709 条）が成立するためには、その不利益な取扱いの違法性が認められる必要がある。

18 　第1編　概　論　第3章　総　論

　しかし、公益通報をしたことを理由とする解雇その他不利益な取扱い
を制限する明文の規定がなければ、その違法性を主張立証することは容
易ではないと考えられる。

○　**参照条文**
〔参考〕民法（明治29年法律第89号）
　　（不法行為による損害賠償）
　第七百九条　故意又は過失によって他人の権利又は法律上保護される利益
　　を侵害した者は、これによって生じた損害を賠償する責任を負う。

(3) 名誉毀損の違法性阻却との関係

　刑法第230条の2第1項は、名誉毀損の罪について、
　①　公共の利害に関する事実について
　②　専ら公益を図る目的でなされ
　③　真実であることが証明された場合
の免責について定めており、③につき最高裁判所は「たとえ真実性の証
明がない場合でも、行為者がその事実を真実であると誤信し、その誤信
したことについて確実な資料・根拠に照らし相当の理由があるときは、
犯罪の故意がなく、名誉毀損罪は成立しない」（最高裁大法廷昭和44年
6月25日判決）としている。
　民事上の不法行為たる名誉毀損についても、最高裁判所は、これと同
様の要件に該当する場合には不法行為は成立しないとしている（最高裁
第一小法廷昭和41年6月23日判決）。
　公益通報をした労働者についても、これらの要件に該当する場合には、
刑法上・民法上の名誉毀損の責任は問われない。
　しかし、労働者は、一般市民と異なり、事業者に労働契約関係に基づ
く誠実義務（営業秘密の保持義務、事業者の名誉・信用を毀損しない義務な
ど）を負い、これに基づく表現の自由の制約を受けるため、公益通報を
した場合には、名誉毀損の責任が問われないときであっても、この誠実
義務違反として、解雇その他不利益な取扱いを受けることが考えられる。

また、公益通報をする者は様々な事情につき悩んだ末に通報をすることが多く、「専ら公益を図る目的」（刑法第230条の2第1項）で通報がされることを期待するのは現実的ではないと考えられる（なお、詳細については法第2条第1項の解説を参照。）。

本法は、このような観点から、公益通報をしたことを理由とする解雇その他不利益な取扱いから公益通報者を保護することを定めるとともに、保護される通報を「専ら公益を図る目的」よりも拡大して、「不正の目的でない」場合についても保護することとするものである。

○　参照条文

［参考］刑法（明治40年法律第45号）

　　　（名誉毀損）

　第二百三十条　公然と事実を摘示し、人の名誉を毀損した者は、その事実の有無にかかわらず、三年以下の懲役若しくは禁錮又は五十万円以下の罰金に処する。

　2　（略）

　　　（公共の利害に関する場合の特例）

　第二百三十条の二　前条第一項の行為が公共の利害に関する事実に係り、かつ、その目的が専ら公益を図ることにあったと認める場合には、事実の真否を判断し、真実であることの証明があったときは、これを罰しない。

　2・3　（略）

○　名誉毀損の刑事上の違法性阻却事由について判断した判例

［参考］最高裁大法廷昭和44年6月25日判決（夕刊和歌山時事事件）

　　「刑法二三〇条ノ二の規定は、人格権としての個人の名誉の保護と、憲法二一条による正当な言論の保障との調和をはかつたものというべきであり、これら両者間の調和と均衡を考慮するならば、たとい刑法二三〇条ノ二第一項にいう事実が真実であることの証明がない場合でも、行為者がその事実を真実であると誤信し、その誤信したことについて、確実な資料、根拠に照らし相当の理由があるときは、犯罪の故意がなく、名誉毀損の罪は成立しないものと解するのが相当である。」

○　名誉毀損の民事上の違法性阻却事由について判断した判例

［参考］最高裁第一小法廷昭和41年6月23日判決

　　「民事上の不法行為たる名誉毀損については、その行為が公共の利害に関

20 第1編 概 論 第3章 総 論

する事実に係りもっぱら公益を図る目的に出た場合には、摘示された事実
が真実であることが証明されたときは、右行為には違法性がなく、不法行
為は成立しないものと解するのが相当であり、もし、右事実が真実である
ことが証明されなくても、その行為者においてその事実を信じるについて
相当の理由があるときには、右行為には故意もしくは過失がなく、結局、
不法行為は成立しないものと解するのが相当である（このことは、刑法
二三〇条の二の規定の趣旨からも十分窺うことができる。）。」

⑷ 他の個別法における通報者保護規定との関係

本法は、

- ・ 国民の生命、身体、財産等の利益の保護に資するため、権限を有
  する行政機関への通報のみならず、役務提供先等やその他の外部通
  報先への通報も対象とし
- ・ 労働法に関する民事ルールとして通報者保護を図る

ものであるのに対し、労働基準法、労働安全衛生法、鉱山保安法、原子
炉等規制法など他の個別法における通報者保護規定（詳細については法
第8条の解説を参照。）は、

- ・ 個別法令それぞれの必要性から、行政機関への通報制度を設け
- ・ 通報者に対する不利益な取扱いを禁止し、通例これを罰則によっ
  て担保する

ものである。

そして、このような個別法における通報者保護規定が適用されるのは
限られた場面においてのみであり、一般的に適用される通報者保護制度
とはなっていない。

なお、これら労働基準法、労働安全衛生法、鉱山保安法、原子炉等規
制法などは、本法にいう「国民の生命、身体、財産その他の利益の保護
に関わる法令」に該当すると考えられ、本法の対象法律とすることとし
ているが、本法は、これらの法令に係る公益通報に共通する基本的事項
を定めるものであって、他の個別法令のそれぞれの必要に応じた通報者
保護規定の適用を排除するものではない。

2　他法令との関係　　21

　この趣旨を明確にするため、本法第8条第1項に、「通報対象事実に係る通報をしたことを理由として第二条第一項各号に掲げる者に対して解雇その他不利益な取扱いをすることを禁止する他の法令の規定の適用を妨げるものではない。」との規定が置かれている。

○　**参照条文**

［参考］労働基準法（昭和22年法律第49号）

　　　（監督機関に対する申告）

　第百四条　事業場に、この法律又はこの法律に基いて発する命令に違反する事実がある場合においては、労働者は、その事実を行政官庁又は労働基準監督官に申告することができる。

　②　使用者は、前項の<u>申告をしたことを理由として</u>、労働者に対して<u>解雇その他不利益な取扱</u>をしてはならない。

　第百十九条　次の各号のいずれかに該当する者は、六箇月以下の懲役又は三十万円以下の罰金に処する。

　　一　第三条、（中略）又は<u>第百四条第二項</u>の規定に違反した者

　　二～四　（略）

［参考］労働安全衛生法（昭和47年法律第57号）

　　　（労働者の申告）

　第九十七条　労働者は、事業場にこの法律又はこれに基づく命令の規定に違反する事実があるときは、その事実を都道府県労働局長、労働基準監督署長又は労働基準監督官に申告して是正のため適当な措置をとるように求めることができる。

　2　事業者は、前項の<u>申告をしたことを理由として</u>、労働者に対し、<u>解雇その他不利益な取扱いをしてはならない</u>。

　第百十九条　次の各号のいずれかに該当する者は、六月以下の懲役又は五十万円以下の罰金に処する。

　　一　第十四条、（中略）、<u>第九十七条第二項</u>、（中略）の規定に違反した者

　　二～四　（略）

［参考］鉱山保安法（昭和24年法律第70号）

　　　（経済産業大臣等に対する申告）

　第五十条　この法律若しくはこの法律に基づく経済産業省令に違反する事実が生じ、又は生ずるおそれがあると信ずるに足りる相当の理由があるときは、鉱山労働者（第二条第二項及び第四項に規定する附属施設における労働者を含む。次項において同じ。）は、その事実を経済産業大臣、

22　第1編　概　論　第3章　総　論

産業保安監督部長又は鉱務監督官に申告することができる。

2　鉱業権者は、前項の<u>申告をしたことを理由として</u>、鉱山労働者に対して<u>解雇その他不利益な取扱いをしてはならない</u>。

第六十一条　次の各号のいずれかに該当する者は、一年以下の懲役又は百万円以下の罰金に処する。

一～五　(略)

六　第二十七条第三項又は第五十条第二項の規定に違反して解雇その他不利益な取扱いをした者

七　(略)

[参考] 核原料物質、核燃料物質及び原子炉の規制に関する法律(昭和32年法律第166号)

(原子力規制委員会に対する申告)

第六十六条　原子力事業者等(外国原子力船運航者を除く。以下この条において同じ。)がこの法律又はこの法律に基づく命令の規定に違反する事実がある場合においては、原子力事業者等の従業者は、その事実を原子力規制委員会に申告することができる。

2　原子力事業者等は、前項の申告をしたことを理由として、その従業者に対して解雇その他不利益な取扱いをしてはならない。

第七十八条　次の各号のいずれかに該当する者は、一年以下の懲役若しくは百万円以下の罰金に処し、又はこれを併科する。

一～二十七の四　(略)

二十八　<u>第六十六条第二項</u>の規定に違反した者

二十九～三十二　(略)

3　事業者の自主的な取組との関係

本法は、公益通報対応業務従事者の指定(法第11条第1項)や内部公益通報対応体制の整備等(法第11条第2項)を義務付ける(常時使用する労働者の数が300人以下の事業者においては努力義務(法第11条第3項))等、公益通報者保護のためのルールを定めているが、個々の事業者が自主的な取組として、本法が定める範囲を超えて通報対象の拡大や通報者保護の拡大をすること等を妨げるものではない。

4 通報に関する秘密及び通報者の個人情報の保護

　原始法は、通報に関する秘密や通報者の個人情報の保護について、特段の定めを置いていなかった。本法は、公益通報対応業務従事者又は公益通報対応業務従事者であった者は、公益通報対応業務に関して知り得た事項であって公益通報者を特定させる事項を漏らしてはならず（法第12条）、当該規定に違反した者は30万円以下の罰金に処するとしている（法第21条）。加えて、法定指針は、事業者に対し、事業者の労働者及び役員等が範囲外共有（公益通報者を特定させる事項を必要最小限の範囲を超えて共有する行為）や通報者の探索を行うことを防ぐための措置をとることを義務付けている（法定指針第4．2．(2)）。

　なお、行政機関においては、通報に関する秘密や個人情報（例えば、行政機関に通報した者の氏名、通報内容など）を当該行政機関が保護すべきことについては、行政機関の保有する情報の公開に関する法律や個人情報保護法、公務員の守秘義務を定めた国家公務員法などからして当然のことである。

　また、原始法制定時の国会での法案審議の際、衆・参双方の内閣委員会において本法に対する附帯決議が行われ、いずれの決議でも、事業者及び行政機関による公益通報者の個人情報の保護が求められた。当該附帯決議を踏まえ、各ガイドライン（及び「公益通報者保護法を踏まえた内部通報制度の整備・運用に関する民間事業者向けガイドライン」を統合した指針の解説）において、通報に関する秘密及び通報者の個人情報の保護について定められている。

○　行政機関における個人情報保護に関する規定

［参考］行政機関の保有する情報の公開に関する法律（平成11年法律第42号）

　　（行政文書の開示義務）

　第五条　行政機関の長は、開示請求があったときは、開示請求に係る行政文書に次の各号に掲げる情報（以下「不開示情報」という。）のいずれかが記録されている場合を除き、開示請求者に対し、当該行政文書を開示しなければならない。

24　第1編 概　論　第3章 総　論

一　個人に関する情報（事業を営む個人の当該事業に関する情報を除く。）であって、当該情報に含まれる氏名、生年月日その他の記述等（文書、図画若しくは電磁的記録に記載され、若しくは記録され、又は音声、動作その他の方法を用いて表された一切の事項をいう。次条第二項において同じ。）により特定の個人を識別することができるもの（他の情報と照合することにより、特定の個人を識別することができることとなるものを含む。）又は特定の個人を識別することはできないが、公にすることにより、なお個人の権利利益を害するおそれがあるもの。ただし、次に掲げる情報を除く。

イ～ハ　（略）

一の二～六　（略）

［参考］個人情報の保護に関する法律（平成15年法律第57号）

（個人情報の保有の制限等）

第六十一条　行政機関等は、個人情報を保有するに当たっては、法令の定める所掌事務又は業務を遂行するため必要な場合に限り、かつ、その利用目的をできる限り特定しなければならない。

2　行政機関等は、前項の規定により特定された利用目的の達成に必要な範囲を超えて、個人情報を保有してはならない。

3　行政機関等は、利用目的を変更する場合には、変更前の利用目的と相当の関連性を有すると合理的に認められる範囲を超えて行ってはならない。

（安全管理措置）

第六十六条　行政機関の長等は、保有個人情報の漏えい、滅失又は毀損の防止その他の保有個人情報の安全管理のために必要かつ適切な措置を講じなければならない。

2　（略）

（従事者の義務）

第六十七条　個人情報の取扱いに従事する行政機関等の職員若しくは職員であった者、前条第二項各号に定める業務に従事している者若しくは従事していた者又は行政機関等において個人情報の取扱いに従事している派遣労働者（労働者派遣事業の適正な運営の確保及び派遣労働者の保護等に関する法律（昭和六十年法律第八十八号）第二条第二号に規定する派遣労働者をいう。以下この章及び第百七十一条において同じ。）若しくは従事していた派遣労働者は、その業務に関して知り得た個人情報の内

容をみだりに他人に知らせ、又は不当な目的に利用してはならない。

（利用及び提供の制限）

第六十九条　行政機関の長等は、法令に基づく場合を除き、<u>利用目的以外の目的のために保有個人情報を自ら利用し、又は提供してはならない。</u>

2〜4　（略）

［参考］国家公務員法（昭和 22 年法律第 120 号）

（秘密を守る義務）

第百条　職員は、職務上知ることのできた<u>秘密を漏らしてはならない。</u>その職を退いた後といえども同様とする。

②〜⑤　（略）

○　関連決議

［参考］衆議院内閣委員会　公益通報者保護法案に対する附帯決議（平成 16 年 5 月 21 日）

二　公益通報を受けた事業者及び行政機関は、公益通報者の個人情報を漏らすことがあってはならないこと。

［参考］参議院内閣委員会　公益通報者保護法案に対する附帯決議（平成 16 年 6 月 11 日）

三　公益通報者の氏名等個人情報の漏えいが、公益通報者に対する不利益な取扱いにつながるおそれがあることの重大性にかんがみ、公益通報を受けた者が、公益通報者の個人情報の保護に万全を期するよう措置すること。

○　関連ガイドライン等

［参考］公益通報者保護法第 11 条第 1 項及び第 2 項の規定に基づき事業者がとるべき措置に関して、その適切かつ有効な実施を図るために必要な指針（令和 3 年内閣府告示第 118 号）

第4．2．⑵　範囲外共有等の防止に関する措置

イ　事業者の労働者及び役員等が範囲外共有を行うことを防ぐための措置をとり、範囲外共有が行われた場合には、適切な救済・回復の措置をとる。

ロ　事業者の労働者及び役員等が、公益通報者を特定した上でなければ必要性の高い調査が実施できないなどのやむを得ない場合を除いて、通報者の探索を行うことを防ぐための措置をとる。

ハ　範囲外共有や通報者の探索が行われた場合に、当該行為を行った労働者及び役員等に対して、行為態様、被害の程度、その他情

26 第1編 概 論 第3章 総 論

　　　　　状等の諸般の事情を考慮して、懲戒処分その他適切な措置をとる。

［参考］公益通報者保護法に基づく指針（令和3年内閣府告示第118号）の解
　　　説

　第3.Ⅱ.2.(2)③　指針を遵守するための考え方や具体例

　　●　範囲外共有を防ぐための措置として、例えば、以下のようなもの等
　　　が考えられる。

　　　➢　通報事案に係る記録・資料を閲覧・共有することが可能な者を必
　　　　要最小限に限定し、その範囲を明確に確認する

　　　➢　通報事案に係る記録・資料は施錠管理する

　　　➢　内部公益通報受付窓口を経由した内部公益通報の受付方法として
　　　　は、電話、FAX、電子メール、ウェブサイト等、様々な手段が考え
　　　　られるが、内部公益通報を受け付ける際には、専用の電話番号や専
　　　　用メールアドレスを設ける、勤務時間外に個室や事業所外で面談す
　　　　る

　　　➢　公益通報に関する記録の保管方法やアクセス権限等を規程におい
　　　　て明確にする

　　　➢　公益通報者を特定させる事項の秘匿性に関する社内教育を実施す
　　　　る

　　●　公益通報に係る情報を電磁的に管理している場合には、公益通報者
　　　を特定させる事項を保持するため、例えば、以下のような情報セキュ
　　　リティ上の対策等を講ずる。

　　　➢　当該情報を閲覧することが可能な者を必要最小限に限定する

　　　➢　操作・閲覧履歴を記録する

［参考］公益通報者保護法を踏まえた国の行政機関の通報対応に関するガイド
　　　ライン（内部の職員等からの通報）

　2.　通報対応の在り方

　　(4)　範囲外共有等の防止、秘密保持及び個人情報保護の徹底

　　　①　各行政機関は、職員等（法第2条第1項に定める「代理人その他
　　　　の者」を含み、退職者は除く。②においても同じ。）が公益通報者を
　　　　特定させる事項を必要最小限の範囲を超えて共有すること（以下
　　　　「範囲外共有」という。）を防ぐための措置をとり、範囲外共有が行
　　　　われた場合には、適切な救済・回復の措置をとる。

　　　②　各行政機関は、職員等が、公益通報者を特定した上でなければ必
　　　　要性の高い調査が実施できないなどのやむを得ない場合を除いて、

公益通報者を特定しようとする行為（以下「通報者の探索」という。）を行うことを防ぐ措置をとる。

③　①及び②に加え、各行政機関は、秘密保持及び個人情報の保護のために次の事項を徹底する。

ア．通報又は相談への対応に関与した者（通報又は相談への対応に付随する職務等を通じて、通報又は相談に関する秘密を知り得た者を含む。以下同じ。）は、通報又は相談に関する秘密を漏らしてはならないこと。

イ．通報又は相談への対応に関与した者は、知り得た個人情報の内容をみだりに他人に知らせ、又は不当な目的に利用してはならないこと。

④　各行政機関は、通報又は相談に関する秘密保持及び個人情報保護の徹底を図るため、通報対応の各段階（3.に規定するもののほか、相談及び通報対応終了後の段階を含む。以下同じ。）において遵守すべき事項をあらかじめ取り決めて、通報又は相談への対応に関与する者に対して十分に周知する。

3．通報への対応

⑴　通報の受付

②　各行政機関において通報を受け付けたときは、通報に関する秘密保持及び個人情報の保護に留意しつつ、通報者の氏名及び連絡先（匿名による通報の場合を除く。）、通報の内容となる事実等を把握するとともに、通報者に対して不利益な取扱いは行われないこと、通報に関する秘密は保持されること、個人情報は保護されること、通報受付後の手続の流れ等を、通報者に対し説明する。ただし、通報者が説明を望まない場合、匿名による通報であるため通報者への説明が困難である場合その他やむを得ない理由がある場合はこの限りでない（以下、⑴③及び④、⑵①及び④、⑷①及び②に規定する通知においても、同様とする。）。

⑵　調査の実施

②　調査の実施に当たっては、通報に関する秘密を保持するとともに、個人情報を保護するため、通報者が特定されないよう十分に留意しつつ、遅滞なく、必要かつ相当と認められる方法で行う。

4．通報者等の保護

⑴　通報者等の保護

② 各行政機関は、通報者等に対し不利益な取扱いを行った者に対し、行為態様、被害の程度、その他情状等の諸般の事情を考慮して、懲戒処分その他適切な措置をとる。範囲外共有や通報者の探索を行った職員等、正当な理由なく、通報又は相談に関する秘密を漏らした職員等及び知り得た個人情報の内容をみだりに他人に知らせ、又は不当な目的に利用した職員等についても同様とする。

[参考] 公益通報者保護法を踏まえた国の行政機関の通報対応に関するガイドライン（外部の労働者等からの通報）

2．通報対応の在り方

⑷ 秘密保持及び個人情報保護の徹底

① 通報又は相談への対応に関与した者（通報又は相談への対応に付随する職務等を通じて、通報又は相談に関する秘密を知り得た者を含む。以下同じ。）は、通報又は相談に関する秘密を漏らしてはならない。

② 通報又は相談への対応に関与した者は、知り得た個人情報の内容をみだりに他人に知らせ、又は不当な目的に利用してはならない。

③ 各行政機関は、通報又は相談に関する秘密保持及び個人情報保護の徹底を図るため、通報対応の各段階（3．に規定するもののほか、相談及び通報対応終了後の段階を含む。以下同じ。）において遵守すべき事項をあらかじめ取り決めて、通報又は相談への対応に関与する者に対して十分に周知する。この場合、以下に掲げる事項については、特に十分な措置をとる。

ア．情報を共有する範囲及び共有する情報の範囲を必要最小限に限定すること

イ．通報者等の特定につながり得る情報（通報者等の氏名、所属等の個人情報のほか、調査が通報を端緒としたものであること、通報者等しか知り得ない情報等を含む。以下同じ。）については、調査等の対象となる事業者に対して開示しないこと（通報対応を適切に行う上で真に必要な最小限の情報を、ウ．に規定する同意を取得して開示する場合を除く。）

ウ．通報者等の特定につながり得る情報を、情報共有が許される範囲外に開示する場合には、通報者等の書面、電子メール等による明示の同意を取得すること

エ．ウ．に規定する同意を取得する際には、開示する目的及び情報

の範囲並びに当該情報を開示することによって生じ得る不利益について、明確に説明すること

オ．通報者等本人からの情報流出によって通報者等が特定されることを防ぐため、通報者等に対して、情報管理の重要性について十分に理解させること

3．通報への対応

(1) 通報の受付と教示

② 各行政機関において通報を受け付けたときは、通報に関する秘密保持及び個人情報の保護に留意しつつ、通報者の氏名及び連絡先（匿名による通報の場合を除く。）、通報の内容となる事実等を把握するとともに、通報に関する秘密は保持されること、個人情報は保護されること、通報受付後の手続の流れ等を、通報者に対し説明する。ただし、通報者が説明を望まない場合、匿名による通報であるため通報者への説明が困難である場合その他やむを得ない理由がある場合はこの限りでない（以下、(1)③及び⑤、(2)④、(5)①及び②に規定する通知、(1)④に規定する教示、(3)に規定する教示及び資料の提供においても、同様とする。）。

(2) 調査の実施

② 調査の実施に当たっては、通報に関する秘密を保持するとともに、個人情報を保護するため、通報者が特定されないよう十分に留意しつつ、遅滞なく、必要かつ相当と認められる方法で行う。

4．通報者等の保護

(1) 通報者等の保護

各行政機関は、正当な理由なく、通報又は相談に関する秘密を漏らした職員及び知り得た個人情報の内容をみだりに他人に知らせ、又は不当な目的に利用した職員に対し、懲戒処分その他適切な措置をとる。

[参考] 公益通報者保護法を踏まえた地方公共団体の通報対応に関するガイドライン（内部の職員等からの通報）

2．通報対応の在り方

(4) 範囲外共有等の防止、秘密保持及び個人情報保護の徹底

① 各地方公共団体は、職員等（法第2条第1項に定める「代理人その他の者」を含み、退職者は除く。②においても同じ。）が公益通報者を特定させる事項を必要最小限の範囲を超えて共有すること（以下「範囲外共有」という。）を防ぐための措置をとり、範囲外共有が

30　第1編　概　　論　　第3章　総　　論

行われた場合には、適切な救済・回復の措置をとる。

②　各地方公共団体は、職員等が、公益通報者を特定した上でなけれ
ば必要性の高い調査が実施できないなどのやむを得ない場合を除い
て、公益通報者を特定しようとする行為（以下「通報者の探索」と
いう。）を行うことを防ぐ措置をとる。

③　①及び②に加え、各地方公共団体は、秘密保持及び個人情報の保
護のために次の事項を徹底する。

　ア．通報又は相談への対応に関与した者（通報又は相談への対応に
　　付随する職務等を通じて、通報又は相談に関する秘密を知り得た
　　者を含む。以下同じ。）は、通報又は相談に関する秘密を漏らして
　　はならないこと。

　イ．通報又は相談への対応に関与した者は、知り得た個人情報の内
　　容をみだりに他人に知らせ、又は不当な目的に利用してはならな
　　いこと。

④　各地方公共団体は、通報又は相談に関する秘密保持及び個人情報
保護の徹底を図るため、通報対応の各段階（3．に規定するものの
ほか、相談及び通報対応終了後の段階を含む。以下同じ。）において
遵守すべき事項をあらかじめ取り決めて、通報又は相談への対応に
関与する者に対して十分に周知する。

3．通報への対応

　⑴　通報の受付

　　②　各地方公共団体において通報を受け付けたときは、通報に関する
　　秘密保持及び個人情報の保護に留意しつつ、通報者の氏名及び連絡
　　先（匿名による通報の場合を除く。）、通報の内容となる事実等を把
　　握するとともに、通報者に対して不利益な取扱いは行われないこと、
　　通報に関する秘密は保持されること、個人情報は保護されること、
　　通報受付後の手続の流れ等を、通報者に対し説明する。ただし、通
　　報者が説明を望まない場合、匿名による通報であるため通報者への
　　説明が困難である場合その他やむを得ない理由がある場合はこの限
　　りでない（以下、⑴③及び④、⑵①及び④、⑷①及び②に規定する
　　通知においても、同様とする。）。

　⑵　調査の実施

　　②　調査の実施に当たっては、通報に関する秘密を保持するとともに、
　　個人情報を保護するため、通報者が特定されないよう十分に留意し

つつ、遅滞なく、必要かつ相当と認められる方法で行う。

4．通報者等の保護

⑴　通報者等の保護

②　各地方公共団体は、通報者等に対し不利益な取扱いを行った者に
対し、行為態様、被害の程度、その他情状等の諸般の事情を考慮し
て、懲戒処分その他適切な措置をとる。範囲外共有や通報者の探索
を行った職員等、正当な理由なく、通報又は相談に関する秘密を漏
らした職員等及び知り得た個人情報の内容をみだりに他人に知らせ、
又は不当な目的に利用した職員等についても同様とする。

［参考］公益通報者保護法を踏まえた地方公共団体の通報対応に関するガイド
ライン（外部の労働者等からの通報）

2．通報対応の在り方

⑷　秘密保持及び個人情報保護の徹底

①　通報又は相談への対応に関与した者（通報又は相談への対応に付
随する職務等を通じて、通報又は相談に関する秘密を知り得た者を
含む。以下同じ。）は、通報又は相談に関する秘密を漏らしてはなら
ない。

②　通報又は相談への対応に関与した者は、知り得た個人情報の内容
をみだりに他人に知らせ、又は不当な目的に利用してはならない。

③　各地方公共団体は、通報又は相談に関する秘密保持及び個人情報
保護の徹底を図るため、通報対応の各段階（3．に規定するものの
ほか、相談及び通報対応終了後の段階を含む。以下同じ。）において
遵守すべき事項をあらかじめ取り決めて、通報又は相談への対応に
関与する者に対して十分に周知する。この場合、以下に掲げる事項
については、特に十分な措置をとる。

ア．情報を共有する範囲及び共有する情報の範囲を必要最小限に限
定すること

イ．通報者等の特定につながり得る情報（通報者等の氏名、所属等
の個人情報のほか、調査が通報を端緒としたものであること、通
報者等しか知り得ない情報等を含む。以下同じ。）については、調
査等の対象となる事業者に対して開示しないこと（通報対応を適
切に行う上で真に必要な最小限の情報を、ウ．に規定する同意を
取得して開示する場合を除く。）

ウ．通報者等の特定につながり得る情報を、情報共有が許される範

囲外に開示する場合には、通報者等の書面、電子メール等による明示の同意を取得すること

エ．ウ．に規定する同意を取得する際には、開示する目的及び情報の範囲並びに当該情報を開示することによって生じ得る不利益について、明確に説明すること

オ．通報者等本人からの情報流出によって通報者等が特定されることを防ぐため、通報者等に対して、情報管理の重要性について十分に理解させること

3．通報への対応

(1) 通報の受付と教示

② 各地方公共団体において通報を受け付けたときは、通報に関する秘密保持及び個人情報の保護に留意しつつ、通報者の氏名及び連絡先（匿名による通報の場合を除く。）、通報の内容となる事実等を把握するとともに、通報に関する秘密は保持されること、個人情報は保護されること、通報受付後の手続の流れ等を、通報者に対し説明する。ただし、通報者が説明を望まない場合、匿名による通報であるため通報者への説明が困難である場合その他やむを得ない理由がある場合はこの限りでない（以下、(1)③及び⑤、(2)④、(5)①及び②に規定する通知、(1)④に規定する教示、(3)に規定する教示及び資料の提供においても、同様とする。）。

(2) 調査の実施

② 調査の実施に当たっては、通報に関する秘密を保持するとともに、個人情報を保護するため、通報者が特定されないよう十分に留意しつつ、遅滞なく、必要かつ相当と認められる方法で行う。

4．通報者等の保護

(1) 通報者等の保護

各地方公共団体は、正当な理由なく、通報又は相談に関する秘密を漏らした職員及び知り得た個人情報の内容をみだりに他人に知らせ、又は不当な目的に利用した職員に対し、懲戒処分その他適切な措置をとる。

○ **内部通報窓口からの秘密漏えいについて損害賠償を認めた裁判例**

［参考］大阪高裁平成 24 年 6 月 15 日判決（日本マクドナルド事件控訴審）

「被控訴人は、コンプライアンスに関する質問や相談の窓口として CHL（※）を開設し、これを被控訴人やフランチャイズ店の従業員に周知し、相談者のプライバシーは厳守されるとして、その利用を呼びかけていたので

あり、また、被控訴人の内部においても、通報者の秘密保持、プライバシーは尊重され、通報により不利益を受けることは絶対になく、通報者の氏名等の情報がコンプライアンス委員会の必要最小限のメンバー以外に開示されることはないと定められていたのであるから、CHLの担当者は、CHLを利用して相談してきた者の氏名や相談内容を秘匿すべき義務を負っているといえるし、また、相談者は、その氏名や相談の内容を秘匿してもらえることについての法的利益を有しているといえる。」

「なるほどCHLに通報や相談があった場合に、被控訴人において解決しなければならない問題として取上げるべきか否かや、取り上げるとしてどのような解決方法を採るべきかなどについて調査が必要になることは当然あり得ることであるが、前記の被控訴人やフランチャイズ店の従業員に対するCHL利用への呼びかけの内容や被控訴人の内部の定めからすると、この調査は、あくまで通報者、相談者のプライバシーを厳守することを前提としての調査に限定されるべきものであり、そのことによって十分な調査が行えないとしても、それはCHLの制度が本来予定していることであるといえる。」

「CHLの責任者であるP4は、控訴人の相談の内容に関わるP5に対し、控訴人からCHLに相談があったことやその相談の内容を伝え、P7と面談して、控訴人からCHLに相談があったことやその相談の内容を伝えた上でEK社側の事情や見解を聞くなどの調査を行うよう命じ、これを受けたP5において、P4から命じられたとおりの調査をしたのであるから、P4には、CHLを利用して相談してきた者の氏名や相談内容を秘匿すべきCHL担当者としての義務違反があり、これにより、氏名や相談の内容を秘匿してもらえることについての控訴人の法的利益が侵害されたと認められる。そうすると、P4のこの義務違反行為は、被控訴人の業務の執行についてされたものであるから、被控訴人は、民法715条1項本文に基づき、控訴人がP4の義務違反行為によって被った損害を賠償する責任を負うといえる。」

※被控訴人内に設置された相談部署である「コンプライアンスホットライン」の略。

5　通報対応の仕組みの整備

原始法は、事業者及び行政機関における通報処理の仕組みについては特段の定めを置いていなかった。本法では、事業者に対し、内部公益通報を受け、並びに当該内部公益通報に係る通報対象事実の調査をし、及

34　第1編　概　論　第3章　総　論

びその是正に必要な措置をとる業務に従事する者を定めることや（法第
11条第1項）、内部公益通報対応体制の整備その他の必要な措置をとる
こと（法第11条第2項）を義務付け（常時使用する労働者の数が300人以
下の事業者においては努力義務（法第11条第3項））、これらの義務に関す
る事業者がとるべき措置について、その適切かつ有効な実施を図るため
に必要な事項を法定指針において定めている。

6　刑事責任・民事責任の免責

　例えば、通報に際して、
- 　事業者の営業秘密を漏らしたり、関係者の名誉を毀損したりする
など、他人の正当な利益を害した場合
- 　窃盗などの犯罪行為を行った場合

などには、場合によっては通報者に刑事上・民事上の責任が発生するこ
とも考えられる。この点、民事上の責任については、公益通報によって
損害を受けたことを理由とする損害賠償の請求については制限している
ものの（法第7条）、刑事上の責任については、本法においてこのよう
な責任を一律に免責することは適当でないとの判断から、本法では刑事
免責に関する規定は設けられていないところである。

　もっとも、本法における公益通報の対象は、犯罪行為やその他の法令
違反行為という反社会的な行為であり、また、本法は通報先に応じた保
護要件を定めていることなどから、通常、本法に定める要件を満たす公
益通報をしたことによって刑事責任や民事責任を問われることはないと
考えられる。

○　通報行為自体に対する懲戒処分の当否について判断した裁判例

［参考］東京地裁平成23年1月28日判決（学校法人田中千代学園事件）
　　「本件のような内部告発事案においては、〔1〕内部告発事実（根幹的部
分）が真実ないしは原告が真実と信ずるにつき相当の理由があるか否か
（以下「真実ないし真実相当性」という。）、〔2〕その目的が公益性を有し
ている否か（以下「目的の公益性」という。）、そして〔3〕労働者が企業
内で不正行為の是正に努力したものの改善されないなど手段・態様が目的

達成のために必要かつ相当なものであるか否か（以下「手段・態様の相当
性」という。）などを総合考慮して、当該内部告発が正当と認められる場合
には、仮にその告発事実が誠実義務等を定めた就業規則の規定に違反する
場合であっても、その違法性は阻却され、これを理由とする懲戒解雇は
「客観的に合理的な理由」を欠くことになるものと解するのが相当である。」

［参考］横浜地裁平成26年5月29日判決（サントス事件）

　　「本件懲戒解雇については、……解雇理由1、3、4に該当する事実が一部
あり、これらが就業規則所定の懲戒事由に当たることが認められる。しか
しながら、解雇理由1については、既に説示したとおり、原告P1が前記行
動に及んだことについては、被告の対応にも問題があったといえること、
原告P1が被告を誹謗中傷する言動をしたということはできないこと、原告
P1の行動によって被告が損害を被ったことを認めるに足る証拠がないこと
が認められ、……被告がこれらに対し懲戒解雇という極めて重大な制裁を
もって臨むことは、過酷にすぎ許されないというべきである。」

○　**通報に伴う持ち出し行為について判断した裁判例**

［参考］大阪地裁平成9年7月14日決定（医療法人毅峰会事件）

　　「債権者がカルテやレセプトのコピーを大阪府の社会保険管理課に提出し
た行為については、相手方が医療保険に係わる部署であり、債務者に違法
な保険請求の疑いがある場合において当該部署との約束に基づき根拠資料
として提出したものであって、根拠資料の提出を禁ずればおよそ具体性の
ある内部告発は不可能となることに鑑みれば、債権者の申告が不当なもの
であったとは認められない以上、病院内の情報を不当に外部に漏らしたと
いうことはできないから、債権者の行動が病院に重大な不利益をもたらし
たとはいえない。」

　　「そうすると、本件解雇は、これを正当とする事由は認められず、解雇権
の濫用で無効である。」

［参考］神戸地裁平成20年11月10日判決（神戸司法書士事務所事件）

　　「何らの証拠資料もなしに公益通報を行うことは困難な場合が多いから、
公益通報のために必要な証拠書類（又はその写し）の持出し行為も、公益
通報に付随する行為として、同法による保護の対象となると解される。す
なわち、被告は、本件持出し自体をとらえて、服務規律違反その他の非違
行為であるとして、解雇その他の不利益取扱いを行うことができない。」

［参考］大阪高裁平成 21 年 10 月 16 日判決（神戸司法書士事務所事件控訴審）

「本件第 3、4 事実については、証拠書類の持出し行為が先になされたものといえるが、本件第 1、2 事実通報時に証拠を求められたことに対応して、通報時に証拠書類と共に示して違法性の判断を求めようとしたものと考えられるのであって……、その全体として、控訴人の各違法行為について行政機関への判断を求めるものであり、同法の保護の趣旨を及ぼすことに支障はないものというべきである。」

「控訴人は、本件不利益取扱いがあったとしても、それは違法な書類持出しを理由とするものであって、公益通報との間に因果関係がない旨主張する。しかしながら、因果関係の有無は客観的に判断されるべきであるところ、書類持出しは、公益通報事項の立証のためになされたものであることからすれば、公益通報との間に因果関係が認められるのであって、控訴人の主張は採用できない。」

○ **犯罪行為に関与していた通報者に対する懲戒処分につき、通報した事実を有利な事情として考慮すべきとした裁判例**

［参考］大阪地裁平成 24 年 8 月 29 日判決（大阪市清掃職員懲戒免職事件）

「原告が本件内部告発をしたことで、本件領得行為、特に 5 万円領得行為の違法性が直ちに減少するとはいい難いが、少なくとも原告が本件内部告発を行った結果、……調査チーム等による b 事務所における物色・領得行為の調査が行われ、当該行為並びに陸ゴミ等に係る違法又は不適切な取扱いの実態が明らかとなり、清掃作業中に発見された物等の取扱いが明確化されるなど、その是正が図られたものであって、この点は、懲戒処分の選択に当たり原告に有利な事情として考慮すべきことは明らかである。」

7　適用範囲・準拠法

　本法には、民事法、刑事法及び行政法に関連する規定が設けられており、本法の適用範囲は各規定の性質により異なる。

　民事法関連の規定についての国際的な事案における適否については、法の適用に関する通則法の規定によることとなる。例えば、通報を理由とする解雇の有効性についての準拠法は、労働契約の効力についての準拠法を定める法の適用に関する通則法第 12 条の規定によって判断されることになる。

　刑事法関連の規定については、刑法の規定によることとなり（刑法第

8条）、日本国内において罪を犯したすべての者に適用される（刑法第1条）。

　行政法関連の規定については、本法が、公益通報者の保護を図るとともに、国民の生命、身体、財産その他の利益の保護に関わる法令の規定の遵守を図ることを目的としていることから、「本法による保護等の対象となる公益通報者」からの「通報対象事実」に係る法第3条第1項に規定する公益通報の通報先となり得る事業者に適用される。したがって、原則として国内の事業者に対して適用される。

○　参照条文
［参考］法の適用に関する通則法（平成18年法律第78号）
　　（当事者による準拠法の選択）
　第七条　法律行為の成立及び効力は、当事者が当該法律行為の当時に選択した地の法による。
　　（当事者による準拠法の選択がない場合）
　第八条　前条の規定による選択がないときは、法律行為の成立及び効力は、当該法律行為の当時において当該法律行為に最も密接な関係がある地の法による。
　2　前項の場合において、法律行為において特徴的な給付を当事者の一方のみが行うものであるときは、その給付を行う当事者の常居所地法（その当事者が当該法律行為に関係する事業所を有する場合にあっては当該事業所の所在地の法、その当事者が当該法律行為に関係する二以上の事業所で法を異にする地に所在するものを有する場合にあってはその主たる事業所の所在地の法）を当該法律行為に最も密接な関係がある地の法と推定する。
　3　（略）
　　（当事者による準拠法の変更）
　第九条　当事者は、法律行為の成立及び効力について適用すべき法を変更することができる。ただし、第三者の権利を害することとなるときは、その変更をその第三者に対抗することができない。
　　（労働契約の特例）
　第十二条　労働契約の成立及び効力について第七条又は第九条の規定による選択又は変更により適用すべき法が当該労働契約に最も密接な関係がある地の法以外の法である場合であっても、労働者が当該労働契約に最

38　第1編　概　論　第3章　総　論

　も密接な関係がある地の法中の特定の強行規定を適用すべき旨の意思を
　使用者に対し表示したときは、当該労働契約の成立及び効力に関しその
　強行規定の定める事項については、その強行規定をも適用する。
2　前項の規定の適用に当たっては、当該労働契約において労務を提供す
　べき地の法（その労務を提供すべき地を特定することができない場合に
　あっては、当該労働者を雇い入れた事業所の所在地の法。次項において
　同じ。）を当該労働契約に最も密接な関係がある地の法と推定する。
3　労働契約の成立及び効力について第七条の規定による選択がないとき
　は、当該労働契約の成立及び効力については、第八条第二項の規定にか
　かわらず、当該労働契約において労務を提供すべき地の法を当該労働契
　約に最も密接な関係がある地の法と推定する。
［参考］刑法（明治40年法律第45号）
　　（国内犯）
　第一条　この法律は、日本国内において罪を犯したすべての者に適用する。
　2　（略）
　　（他の法令の罪に対する適用）
　第八条　この編の規定は、他の法令の罪についても、適用する。ただし、
　　その法令に特別の規定があるときは、この限りでない。

第2編

逐条解説

第1章　総則

第1条（目的）

> **（目的）**
> 第一条　この法律は、公益通報をしたことを理由とする公益通報者の解雇の無効及び不利益な取扱いの禁止等並びに公益通報に関し事業者及び行政機関がとるべき措置等を定めることにより、公益通報者の保護を図るとともに、国民の生命、身体、財産その他の利益の保護に関わる法令の規定の遵守を図り、もって国民生活の安定及び社会経済の健全な発展に資することを目的とする。

1　本条の概要

本条は、本法の目的を規定するものである。

2　本条の趣旨

⑴　公益通報と事業者による不利益な取扱い

事業者がその事業に関して犯罪行為やその他の法令違反行為を行っている場合に、当該事業者の事業に従事している労働者及び役員は、その犯罪行為やその他の法令違反行為の事実を知り得る立場にある。

しかし、労働契約関係において労働者は、労務の提供について事業者の指揮命令に服する義務を負うほか、信義則上、事業者の利益を不当に害さないように行動する義務（誠実義務）を負っており、通常、就業規則において、事業者の業務命令権、営業秘密の保持義務、企業の信用や財産を損なわない義務などが明文化され、これらに違反した場合については懲戒処分等の対象とされている。

このため、労働者が、その事業に関する犯罪行為やその他の法令違反行為について知り得た事実を事業者の意に反して通報した場合には、企業秩序遵守義務違反や誠実義務違反として解雇その他不利益な取扱いを受けるおそれがある。

事業者による労働者の解雇について、判例では、「使用者の解雇権の行使も、それが客観的に合理的な理由を欠き社会通念上相当として是認することができない場合には、権利の濫用として無効」（最高裁第二小法廷昭和50年4月25日判決）とされ、労働基準法の平成15年改正時に同趣旨の規定が置かれ、その後、平成20年3月1日に施行された労働契約法第16条に同趣旨の規定が引き継がれ、また、今まで判例による判断のみであった出向及び懲戒についても、それぞれ労働契約法第14条及び第15条において、使用者による濫用的な出向命令権及び懲戒権の行使が制限されることとなった。

　しかし、これらの法制や判例のみでは、

・　労働者が被る不利益な取扱いとしては、解雇以外にも配置転換等の人事上の措置などが考えられるが、労働契約法に明記されている出向、懲戒以外の不利益な取扱いについては、これを制限する明文の規定が存在しないこと

・　明文の規定がある解雇、出向、懲戒についても、どのような内容の通報をどこへ行えばこれらの不利益な取扱いを受けないのかに関する要件が必ずしも明確でなく、公益通報に関する裁判例も豊富とはいえないため、公益に関わる通報という正当な行為を行う労働者が一方的に不利益な取扱いを受けるおそれを抱えることとなること

という問題がある。

　また、役員は、法人に対し労働者と比べて重い善管注意義務や忠実義務を負い（会社法第355条等）、通報対象事実を認知した場合は自ら是正すべきである等、労働者とは異なる立場にあるものの、役員についても通報したことを理由として、解任・解職、事実上の嫌がらせ等の不利益な取扱いを受けるおそれがある。

○　**参照条文**

［参考］労働契約法（平成19年法律第128号）

　　　（出向）

第十四条　使用者が労働者に出向を命ずることができる場合において、当

42 第2編 逐条解説 第1章 総則

該出向の命令が、その必要性、対象労働者の選定に係る事情その他の事情に照らして、その権利を濫用したものと認められる場合には、当該命令は、無効とする。

（懲戒）

第十五条 使用者が労働者を懲戒することができる場合において、当該懲戒が、当該懲戒に係る労働者の行為の性質及び態様その他の事情に照らして、客観的に合理的な理由を欠き、社会通念上相当であると認められない場合は、その権利を濫用したものとして、当該懲戒は、無効とする。

（解雇）

第十六条 解雇は、客観的に合理的な理由を欠き、社会通念上相当であると認められない場合は、その権利を濫用したものとして、無効とする。

［参考］会社法（平成17年法律第86号）

（株式会社と役員等との関係）

第三百三十条 株式会社と役員及び会計監査人との関係は、委任に関する規定に従う。

（忠実義務）

第三百五十五条 取締役は、法令及び定款並びに株主総会の決議を遵守し、株式会社のため忠実にその職務を行わなければならない。

○ 解雇権の濫用について判断した判例

［参考］最高裁第二小法廷昭和50年4月25日判決（日本食塩製造事件）

「使用者の解雇権の行使も、それが客観的に合理的な理由を欠き社会通念上相当として是認することができない場合には、権利の濫用として無効になると解するのが相当である。」

○ 懲戒権の濫用について判断した判例

［参考］最高裁第二小法廷昭和58年9月16日判決（ダイハツ工業事件）

「使用者の懲戒権の行使は、当該具体的事情の下において、それが客観的に合理的理由を欠き社会通念上相当として是認することができない場合に初めて権利の濫用として無効になると解するのが相当である。」

(2) 公益通報と法令の規定の遵守

事業者の様々な不祥事のうち、特に、国民の生命、身体、財産その他の利益の保護に関わる法令に係る犯罪行為やその他の法令違反行為については、

・　犯罪行為やその他の法令違反行為によって国民の生命、身体、財産等に被害が及ぶ可能性が高く、また、これらの犯罪行為やその他の法令違反行為が国民生活における安心や信頼を大きく阻害すること

　　・　実際に被害が発生した場合には、被害が広範囲に及んだり、回復し難い被害が生じたりするなど、事後的な損害賠償請求等によっては効果的な救済とならないことが考えられ、被害の未然防止・拡大防止を図る観点から犯罪行為やその他の法令違反行為を抑止していく必要があること

という状況があり、国民生活の安定及び社会経済の健全な発展の見地から、国民の生命、身体、財産その他の利益の保護に関わる法令の実効性を高めていくことが緊要な課題となっていた。

　このような課題に対処するため、次の方策が考えられた。

　①　事業者自身が、企業倫理の浸透とコンプライアンス（法令遵守）経営の徹底を図ること

　②　行政が、事後チェック体制（監視体制、罰則等）の強化を図ること

　③　多くの不祥事が事業者内部の関係者からの通報を契機として発覚したことを踏まえ、このような公益のために通報をした者が事業者から解雇その他不利益な取扱いを受けないことを確保するとともに、事業者や行政機関がこのような通報に対して適切に対応すること

　このうち、①の事業者の取組については、犯罪行為やその他の法令違反行為が、一部の悪質事業者だけではなく、国民が信頼する著名な企業において、過度の利益追求のための手段として行われていたことから、事業者自身による取組だけに委ねることについては限界が指摘された。

　また、②の行政の取組については、監視体制の強化のためのリソースに限界があるため、事業活動の全てを監視することは困難と考えられた。

　このため、③の通報が、法令の実効性確保を図る上で適切な役割を果たすことが必要と考えられた。

(3) 本法の目的

以上のような、国民の生命、身体、財産その他の利益の保護に関わる法令に係る犯罪行為やその他の法令違反行為の発生状況等を踏まえ、国民生活の安定及び社会経済の健全な発展に資する上で公益通報に関する体制を整備することが緊要な課題であったことに鑑み、公益通報をしたことを理由とする公益通報者の解雇の無効及び不利益な取扱いの禁止等並びに公益通報に関し事業者及び行政機関がとるべき措置等を定めることにより、公益通報者の保護を図るとともにこれらの法令の規定の遵守を図り、もって国民生活の安定及び社会経済の健全な発展に資することが本法の目的とされたものである。

第2条第1項（「公益通報」の定義）　45

第2条第1項（「公益通報」の定義）

（定義）

第二条　この法律において「公益通報」とは、次の各号に掲げる者が、不正の利益を得る目的、他人に損害を加える目的その他の不正の目的でなく、当該各号に定める事業者（法人その他の団体及び事業を行う個人をいう。以下同じ。）（以下「役務提供先」という。）又は当該役務提供先の事業に従事する場合におけるその役員（法人の取締役、執行役、会計参与、監査役、理事、監事及び清算人並びにこれら以外の者で法令（法律及び法律に基づく命令をいう。以下同じ。）の規定に基づき法人の経営に従事している者（会計監査人を除く。）をいう。以下同じ。）、従業員、代理人その他の者について通報対象事実が生じ、又はまさに生じようとしている旨を、当該役務提供先若しくは当該役務提供先があらかじめ定めた者（以下「役務提供先等」という。）、当該通報対象事実について処分（命令、取消しその他公権力の行使に当たる行為をいう。以下同じ。）若しくは勧告等（勧告その他処分に当たらない行為をいう。以下同じ。）をする権限を有する行政機関若しくは当該行政機関があらかじめ定めた者（次条第二号及び第六条第二号において「行政機関等」という。）又はその者に対し当該通報対象事実を通報することがその発生若しくはこれによる被害の拡大を防止するために必要であると認められる者（当該通報対象事実により被害を受け又は受けるおそれがある者を含み、当該役務提供先の競争上の地位その他正当な利益を害するおそれがある者を除く。次条第三号及び第六条第三号において同じ。）に通報することをいう。

一　労働者（労働基準法（昭和二十二年法律第四十九号）第九条に規定する労働者をいう。以下同じ。）又は労働者であった者　当該労働者又は労働者であった者を自ら使用し、又は当該通報の日前一年以内に自ら使用していた事業者（次号に定める事業者を除く。）

二　派遣労働者（労働者派遣事業の適正な運営の確保及び派遣労働者の保護等に関する法律（昭和六十年法律第八十八号。第四条において「労働者派遣法」という。）第二条第二号に規定する派遣労働者をいう。以下同じ。）又は派遣労働者であった者　当該派遣労働者又は派遣労働者であった者に係る労働者派遣（同条第一号に規定する労働者派遣をいう。第四条及び第五条第二項において同じ。）の役務の提供を受け、又は当該通報の日前一年以内に受けていた事業者

46　第2編　逐条解説　第1章　総則

> 三　前二号に定める事業者が他の事業者との請負契約その他の契約に基
> 　づいて事業を行い、又は行っていた場合において、当該事業に従事し、
> 　又は当該通報の日前一年以内に従事していた労働者であった者又は派
> 　遣労働者若しくは派遣労働者であった者　当該他の事業者
> 四　役員　次に掲げる事業者
> 　イ　当該役員に職務を行わせる事業者
> 　ロ　イに掲げる事業者が他の事業者との請負契約その他の契約に基づ
> 　　いて事業を行う場合において、当該役員が当該事業に従事するとき
> 　　における当該他の事業者

1　本項の概要

　本項は、本法による保護の対象となる「公益通報」を定義するもので
ある。

2　本項の趣旨

　本項は、解雇その他不利益な取扱いからの保護の対象となる通報につ
いて、単なる「通報」ではなく「公益通報」として定義し、①役務提供
先に使用され、事業に従事する労働者等から、②不正の目的でなく、③
公益を害する事実である当該役務提供先等の犯罪行為やその他の法令違
反行為についてなされる通報であるという趣旨を明らかにしている。

3　本項の解釈

⑴　通報の主体

ア　「労働者」

㈠　趣旨等

　本法による保護等の対象となる通報者としての「労働者」を労働基準
法第9条に規定する労働者とするものである。

　労働基準法第9条において、「労働者」とは、「職業の種類を問わず、
事業又は事務所に使用される者で、賃金を支払われる者をいう。」と定

義されており、ここで、「使用される」とは、他人の指揮監督下で労務を提供することをいう。このような関係を「労働契約関係」という。

　具体的には、民法上自由対等な関係を前提としている請負や業務委託と称する契約を結んだとしても、事業者がその者を指揮命令して労務に服させているなど指揮監督下の労働を行わせている場合、その者は労働基準法の適用を受ける「労働者」に当たり得る。

　このような事業者と労働者との「労働契約」は自由対等な契約関係になく、

　　・　事業者は、労務の提供に関し継続的に労働者に対して指揮命令等の統制を行う優越的な地位にあるほか、
　　・　労働者は、労務の提供以外の場面においても、事業者の利益に対する誠実義務（守秘義務、服務規律など）を負っている。

　このため、事業者の利益と公益とが一致しない場合には、労働者が公益のために通報をすれば、事業者から解雇その他不利益な取扱いを受けるおそれがあり、公益を図る見地からは、労働者をこのような報復措置から保護する必要がある。

○　**参照条文**

［参考］労働基準法（昭和 22 年法律第 49 号）

　　（定義）

　第九条　この法律で「労働者」とは、職業の種類を問わず、事業又は事務所（以下「事業」という。）に使用される者で、賃金を支払われる者をいう。

　(イ)　公務員

　公務員は、原則として本項の「労働者」に該当する。

　一般職の国家公務員及び一般職の地方公務員については、労働契約法の規定は適用されない（労働契約法第 21 条第 1 項）が、公務員についても、民間部門の労働者と同様に公益通報者が免職等の不利益な取扱いを受けないことが必要である。他方、公務員は、国家公務員法等において身分保障や分限・懲戒事由が法定されている。このこと等を踏まえて、

48 　第2編　逐条解説　第1章　総則

公益通報をしたことを理由とする公務員に対する免職その他不利益な取扱いの禁止については、法第3条（解雇の無効）、法第4条（労働者派遣契約の解除の無効）及び法第5条（不利益取扱いの禁止）の規定にかかわらず、国家公務員法等の定めるところによることとされ、確認的に、この場合において、公務員の任命権者等は、公益通報をしたことを理由として公務員に対して免職その他不利益な取扱いがされることのないよう、国家公務員法等の規定を適用しなければならないとされている（法第9条参照。）。

○　**参照条文**

［参考］労働契約法（平成19年法律第128号）

　　（適用除外）

　第二十一条　この法律は、国家公務員及び地方公務員については、適用しない。

　2　（略）

　㈹　同居の親族のみを使用する事業及び家事使用人

　「同居の親族のみを使用する事業」に使用される者及び「家事使用人」についても、本項の「労働者」に当たる。

　労働基準法においては、「同居の親族のみを使用する事業」及び「家事使用人」について労働基準法の適用が除外されている（労働基準法第116条第2項）。

　これは、

　・　「同居の親族のみを使用する事業」の場合には、通常の労働関係とは異なり、親族関係にある者の間にまで法に基づき国家的規制や監督を行うことは不適当であること

　・　「家事使用人」は、労働内容が家事一般という家庭内に関わる「労働者」であり、通常の事業に使用される労働者と同一の労働条件で国家的規制や監督を行うことは不適当であること

を理由とするものである。

　本法においては、

第 2 条第 1 項（「公益通報」の定義）　49

- ・　公益通報者保護制度は、労働基準法とは異なり、労働者を保護するために行政措置や行政上の監督を行うものではなく、実態として事業者から解雇その他不利益な取扱いを受ける場合には、制度の対象とする必要があること
- ・　「同居の親族のみを使用する事業」に掲げる親族の範囲（民法第725 条にいう六親等内の血族、配偶者及び三親等内の姻族）は広く、事業者の経営者から血縁関係の遠い労働者が親族であることを理由として一律に保護の対象外となることは、その労働者が公益通報をしたことを理由として解雇その他不利益な取扱いを受けるおそれがあることを踏まえれば適当でないこと
- ・　「家事使用人」について、労働基準法は、事業者が家事使用人として雇用した者を、家事以外の事業に従事させる場合も適用除外とするが、その家事使用人が家事以外の事業に関して事業者の犯罪行為やその他の法令違反行為を通報した場合に、解雇その他不利益な取扱いを受けるおそれがあることから、その労働者が家事使用人であることを理由として一律に保護の対象外とすることは適当でないこと

から、「同居の親族のみを使用する事業」及び「家事使用人」についても適用を除外せず、本法の対象とされたものである。

○　**参照条文**

［参考］労働基準法（昭和 22 年法律第 49 号）

　　　　（適用除外）

　第百十六条　（略）

　②　この法律は、同居の親族のみを使用する事業及び家事使用人については、適用しない。

［参考］民法（明治 29 年法律第 89 号）

　　　　（親族の範囲）

　第七百二十五条　次に掲げる者は、これを親族とする。

　　一　六親等内の血族

　　二　配偶者

三　三親等内の姻族

○　**「同居の親族のみを使用する事業」及び「家事使用人」を労働者から除外している例**

［参考］労働安全衛生法（昭和47年法律第57号）

（定義）

第二条　この法律において、次の各号に掲げる用語の意義は、それぞれ当該各号に定めるところによる。

一　（略）

二　労働者　労働基準法第九条に規定する労働者（同居の親族のみを使用する事業又は事務所に使用される者及び家事使用人を除く。）をいう。

三～四　（略）

○　**「同居の親族のみを使用する事業」の解釈**

［参考］厚生労働省労働基準局編『改訂新版労働基準法下（労働法コンメンタール③）』（労務行政・2005年）1016頁以下

「同居の親族がたとえ事業場で形式上労働者として働いている体裁をとっていたとしても、一般には、実質上事業主と利益を一にしていて、事業主と同一の地位にあると認められ、原則として同法の労働者ではない。」

○　**「家事使用人」の解釈**

［参考］厚生労働省労働基準局編『改訂新版労働基準法下（労働法コンメンタール③）』（労務行政・2005年）1016頁以下

「本法の家事使用人であるか否かは、従事する作業の種類、性質の如何等を勘案して具体的に当該労働者の実態により判断すべきであり、労働契約の当事者の如何に関係なく決定されるべきものであるので、例えば、『法人に雇われ、その役職員の家庭において、その家族の指揮命令のもとで家事一般に従事している者は、家事使用人である。』（昭和63年３月14日　基発第150号・婦発第47号）。」

㈓　船員

船員は、本項の定義上、「労働者」に当たる。

船員については、労働基準法第116条第１項により、一部の規定を除き、労働基準法を適用しないこととしている。

しかし、

・　実態として事業者から解雇その他不利益な取扱いを受ける場合に

は、本制度の対象とする必要があること

・　船員について労働基準法の適用が排除されているのは、通常の労働時間規制になじまないなどの船員の労働関係の特殊性を理由として別途船員法によって規制されているためであり、労働者に該当すること自体が否定されているわけではないこと（労働基準法第116条第1項は労働基準法の定義規定の適用を除外していない。）

から、船員についても、本項の「労働者」に当たるものとして本法の対象となる。

　また、本項第2号では「派遣労働者」、「労働者派遣」について、第4条では「労働者派遣契約」について、労働者派遣法の定義を引用しているところ、労働者派遣法第3条において、船員については、同法の適用が除外されている。

　しかし、労働者派遣法において、船員については、労働者派遣に関する上記の定義規定に概念上は含まれる。本法においては、労働者派遣法の定義規定のみを引用しているだけであり、労働者派遣法第3条における船員の適用除外規定の効力までは及ばない。

　このため、船員職業安定法の労務供給の対象となる船員のうち、供給元との間に支配・従属関係があり、供給先との間では労働契約関係はなく労働の指揮命令を受ける船員（船員職業安定法に定める常用雇用型派遣事業により派遣される船員を含む。）についても、本法における「派遣労働者」に含まれる。

　同様に、本法における「労働者派遣」、「労働者派遣契約」には、上記の形態をとる船員労務供給、船員労務供給契約（及び船員派遣、船員派遣契約）がそれぞれ含まれる。

○　**参照条文**

［参考］労働基準法（昭和22年法律第49号）

　　（定義）

　第九条　この法律で「労働者」とは、職業の種類を問わず、事業又は事務所（以下「事業」という。）に使用される者で、賃金を支払われる者をい

う。

（適用除外）

第百十六条　第一条から第十一条まで、次項、第百十七条から第百十九条まで及び第百二十一条の規定を除き、この法律は、船員法（昭和二十二年法律第百号）第一条第一項に規定する船員については、適用しない。

②　（略）

［参考］船員法（昭和22年法律第100号）

（船員）

第一条　この法律において「船員」とは、日本船舶又は日本船舶以外の国土交通省令で定める船舶に乗り組む船長及び海員並びに予備船員をいう。

②・③　（略）

［参考］労働者派遣事業の適正な運営の確保及び派遣労働者の保護等に関する法律（昭和60年法律第88号）

（用語の意義）

第二条　この法律において、次の各号に掲げる用語の意義は、当該各号に定めるところによる。

一　労働者派遣　自己の雇用する労働者を、当該雇用関係の下に、かつ、他人の指揮命令を受けて、当該他人のために労働に従事させることをいい、当該他人に対し当該労働者を当該他人に雇用させることを約してするものを含まないものとする。

二　派遣労働者　事業主が雇用する労働者であつて、労働者派遣の対象となるものをいう。

三・四　（略）

（船員に対する適用除外）

第三条　この法律は、船員職業安定法（昭和二十三年法律第百三十号）第六条第一項に規定する船員については、適用しない。

（契約の内容等）

第二十六条　労働者派遣契約（当事者の一方が相手方に対し労働者派遣をすることを約する契約をいう。以下同じ。）の当事者は、厚生労働省令で定めるところにより、当該労働者派遣契約の締結に際し、次に掲げる事項を定めるとともに、その内容の差異に応じて派遣労働者の人数を定めなければならない。

一〜十　（略）

2〜11　（略）

第2条第1項（「公益通報」の定義）　53

［参考］船員職業安定法（昭和23年法律第130号）
　　（定義）
　第六条　この法律で「船員」とは、船員法（昭和二十二年法律第百号）に
　　よる船員及び同法による船員でない者で日本船舶以外の船舶に乗り組む
　　ものをいう。
　2～10　（略）
　11　この法律で「船員派遣」とは、船舶所有者が、自己の常時雇用する船
　　員を、当該雇用関係の下に、かつ、他人の指揮命令を受けて、当該他人
　　のために船員として労務に従事させることをいい、当該他人に対し当該
　　船員を当該他人に雇用させることを約してするものを含まないものとす
　　る。
　12　この法律で「派遣船員」とは、船舶所有者が常時雇用する船員であつ
　　て、船員派遣の対象となるものをいう。
　13～16　（略）

イ　「派遣労働者」

　本法による保護等の対象となる通報者としての「派遣労働者」を労働
者派遣法第2条第2項に規定する派遣労働者とするものである。労働者
派遣契約に基づき派遣先において就労する派遣労働者が、当該派遣先に
ついての通報対象事実を認識して通報した場合、当該通報については調
査・是正措置の契機となり得るとの有用性が認められる一方で、当該通
報をした者に対する不利益な取扱い（例えば、派遣元による減給、退職金
の不支給等）が行われるおそれがあることから、法第2条第1項第2号
及び第2項の規定により、当該通報をした者は「公益通報者」に該当し、
本法による保護の対象とされている。

　なお、「派遣労働者」も「労働者」に含まれるところ、本項第1号が
規定する通報先と本項第2号が規定する通報先の重複を回避するため、
本項第1号において、「当該労働者又は労働者であった者を自ら使用し、
又は当該通報の日前一年以内に自ら使用していた事業者」から、派遣先
又は過去の派遣先を除外している（下記(5)ア(ア)「当該役務提供先」参照）。

ウ 退職者

(ア) 「労働者であった者」

　原始法では、勤務先を退職した者は、通報をした時点で労働契約関係が終了しているため、通常、使用者であった事業者から解雇その他不利益な取扱いを受けることがないと考えられたことから、解雇その他不利益な取扱いからの保護の対象となる公益通報者に含まれていなかった。

　しかし、退職者は、退職から間もない者であれば、在職中に認識した通報対象事実が継続している可能性が高く、その通報を活用して必要な調査を行い、通報対象事実の中止その他是正のために必要と認める措置をとることが期待できる。また、原始法の施行後、退職者による通報の事例が生じたことに伴い、このような退職後の通報を理由とした不利益な取扱いが行われるおそれが顕在化しており、実際に、退職者が過去の勤務先の不正行為について通報をしたことにより、損害賠償請求、嫌がらせ等の不利益な取扱いを受けた事例も生じた。

　そこで、改正法では、過去の勤務先等の不正行為について通報をした退職者を公益通報者の範囲に追加し、通報をしたことを理由とした退職者に対する不利益な取扱いが禁止された。

　また、退職から長期間を経過する間に、在職中に把握した不正行為が是正されている場合もあり得るため、通報の有用性の観点から、本法による保護の対象については、退職から一定の期間を経過していない者による通報に限定することが適当であるところ、実例も踏まえ、不利益な取扱いが想定される通報の大半を対象とすることができるものと考えられることから、退職後1年以内に通報をした者に限定された。

　なお、本法において、労働者が通報した場合に、退職後の不利益な取扱いから保護される期間が限定されていないこととの均衡を図る必要があり、また、1年以内に通報をした退職者に対し1年が経過するのを待って不利益な取扱いを行うような脱法事例を防ぐ必要があることから、退職後1年以内に通報をした退職者に対し、その後の不利益な取扱いから保護される期間は限定されていない。

（イ）「派遣労働者であった者」

　原始法においては、派遣労働者と派遣先の関係のみを対象としており、当該派遣労働者であった者は「公益通報者」に該当せず、原始法による保護の対象とはならなかった。

　しかし、派遣労働者であった者も、派遣期間終了後の通報の有用性が認められるとともに、通報したことを理由として不利益な取扱いが行われるおそれがある。そのため、改正法では、上記（ア）と同様、派遣終了後1年以内に通報した者に限定して、公益通報者の範囲に追加し、保護の対象とした。例えば、事業者Aへの派遣終了後に事業者Bに派遣中のXが事業者Aについての通報対象事実に係る通報をした場合、Xは事業者Bに派遣中であるが、事業者Aとの関係では「派遣労働者であった者」に該当し、また、事業者Aへの派遣終了後に待機中のYが事業者Aについての通報対象事実に係る通報をした場合、Yは待機中であるため「派遣労働者であった者」に該当し、いずれも「公益通報者」に該当することとなる。

　なお、派遣終了後1年以内に通報した者に対しても、その後の不利益な取扱いから保護される期間は限定されていない。

エ　「役員」

　原始法では、理事、取締役、執行役その他の法人の役員は、法人に対し、労働者が就業規則や労働契約に基づき負う各種の義務と比べて重い善管注意義務や忠実義務を負い（会社法第355条等）、通報対象事実を認知した場合は自ら是正すべき立場にあり、また、その選任・解任は株主総会の決議等の法定手続（会社法第329条第1項、第339条第1項等）を経て行われるため、解雇その他不利益な取扱いからの保護の対象となる公益通報者に含まれていなかった。

　しかし、役員は、業務執行、業務執行に対する監督、監査等を職務とし（会社法第348条第1項、第362条第2項、第381条第1項、第418条、第590条第1項、一般社団・財団法人法第76条第1項、第90条第2項、第

99条第1項等）、その職務に適した権限を法令上付与されているため、事業者の重大な意思決定や重大な財産に関する情報（機密情報を含む。）を知り得る立場にあり、事業者の業務の限られた部分を担務するにとどまる労働者以上に、事業者の重大な不正行為を知り得る蓋然性がある。また、原始法の施行後、役員が不正行為のおそれを取締役会に付議したり、監査役に報告したりして、事業者に通報し、調査・是正措置をとることが困難であった事案や、実際に、不正行為を通報した役員に対して不利益な取扱いがなされている事案も存在した。

　そこで、改正法では、公益通報者の範囲に役員を追加し、公益通報者である役員に対する不利益な取扱いが禁止された（なお、役員に対する保護の内容については法第5条の解説を参照。）。

　役員の範囲は、法人の外部からは知ることが困難な事実について、労働者と同等以上に知る蓋然性の高い者に限定することが適当であることから、法人の業務の執行権又は監査権が与えられている者、すなわち、法人の取締役、執行役、会計参与、監査役、理事、監事及び清算人並びにこれら以外の者で法令の規定に基づき法人の経営に従事している者をいう（例えば、会社法第591条第1項に規定する業務を執行する社員、一般社団・財団法人法第170条第1項に規定する評議員等）。なお、相談役、顧問等は、「法令の規定に基づき」法人の経営に従事している者ではないため、「役員」には含まれない。

　また、会計監査人については、その資格が公認会計士又は監査法人に限定されており（会社法第337条第1項、一般社団・財団法人法第68条等）、事業者と対等の立場にあるため保護の必要性は低いことから、役員の範囲から除外されている。

オ 契約に基づき事業を行う場合に、当該事業に従事する取引先事業者の労働者、派遣労働者、退職者、役員（「契約に基づいて事業を行い、又は行っていた場合において、当該事業に従事し、又は当該通報の日前一年以内に従事していた労働者若しくは労働者であった者又は派遣労働者若しくは派遣労働者であった者」）

　使用者又は派遣先等が請負契約等に基づき委託元から受託した事業を行う場合に、当該事業に従事する労働者、派遣労働者、退職者又は役員が、委託元についての通報対象事実を認識して委託元に対して通報した場合、当該通報については調査・是正措置の契機となり得るとの有用性が認められる一方で、当該通報をした者に対する不利益な取扱い（例えば、使用者又は派遣元による減給、退職金の不支給等）が行われるおそれがあることから、法第2条第1項第3号、第4号ロ及び第2項の規定により、当該通報をした者は「公益通報者」に該当し、本法による保護の対象とされている。

　なお、当該事業への従事から長期間を経過する間に、従事中に把握した不正行為が是正されている場合もあり得るため、上記ウと同様に、通報の有用性の観点から、本法による保護の対象については、当該事業への従事終了から1年を経過していない者による通報に限定している。

カ　その他

(ア)　下請事業者その他の取引先事業者

　本法による保護等の対象は「労働者（であった者）」「派遣労働者（であった者）」「役員」であり、保護等の対象には、下請事業者その他の取引先事業者は含まれない。

　下請事業者その他の取引先事業者を通報者に含めるかどうかについては、本来、自由な意思に基づいて行われるべき事業者間の取引関係に国として何らかの制限を加えることを意味する。この点について、原始法制定に先立つ国民生活審議会消費者政策部会での審議においても、

　①　何らかの保護を加えるべきとの意見

58　第2編　逐条解説　第1章　総則

② 事業者間の取引関係に保護を加えることは、取引自由の原則から
　慎重に検討すべきとの意見

の双方の意見があり、意見の一致が得られなかったため、国民生活審議
会消費者政策部会報告書「21世紀型の消費者政策の在り方について」
（平成15年5月28日）には盛り込まれなかった。

　本法では、このような国民生活審議会での議論も踏まえ、慎重な検討
が必要との判断から、取引先事業者は通報者に含められなかったもので
ある。

　なお、下請代金支払遅延等防止法において、下請事業者が、公正取引
委員会又は中小企業庁長官に対し、親事業者の不公正な行為の事実を知
らせたことを理由として、親事業者が、取引の数量を減じ、取引を停止
し、その他不利益な取扱いをすることが禁止されており（下請代金支払
遅延等防止法第4条第1項第7号）、取引先事業者も下請代金支払遅延等
防止法の適用がある場合には保護され得る。

○　**参照条文**

［参考］下請代金支払遅延等防止法（昭和31年法律第120号）
　　（親事業者の遵守事項）
　第四条　親事業者は、下請事業者に対し製造委託等をした場合は、次の各
　　号（役務提供委託をした場合にあつては、第一号及び第四号を除く。）に
　　掲げる行為をしてはならない。
　　一～六　（略）
　　七　親事業者が第一号若しくは第二号に掲げる行為をしている場合若し
　　　くは第三号から前号までに掲げる行為をした場合又は親事業者につい
　　　て次項各号の一に該当する事実があると認められる場合に下請事業者
　　　が公正取引委員会又は中小企業庁長官に対しその事実を知らせたこと
　　　を理由として、取引の数量を減じ、取引を停止し、その他不利益な取
　　　扱いをすること。
　2　（略）

㈣　代理人

通報行為は、意思表示ではなく観念の通知であることから、本人の授

権に基づいて行われた場合であっても、民法上の法律行為の代理とはならない。

　もっとも、労働者の親族等が通報文書の代筆を行った場合など、第三者が労働者本人の意思に基づいて代行したと認められる場合には、その労働者が通報したものとして、保護の対象となり得る。

(2)　通報の目的

　公益通報の要件として、「不正の目的でないこと」を規定するものである。

ア　「不正の目的でないこと」

　役務提供先に使用され、事業に従事する労働者等が、公序良俗違反の目的の通報を行った場合、これを「公益通報」とすることは適当でないため、これを除外し、通報の目的が「不正の目的でないこと」が要件として明確にされているものである。

　刑法の名誉毀損（刑法第230条及び第230条の2）は「目的が専ら公益を図ること」である場合に違法性を阻却することとしているのに対し、本法では「不正の目的でないこと」を要件としている。

　この理由は、

- ・　名誉毀損が「公然と事実を摘示」する、すなわち、不特定多数の者が知り得ることができる状態にすることを要件としているのに対し、本法では、通報先を、役務提供先等、権限を有する行政機関又はその他の外部通報先に限定していること

- ・　その他の外部通報先への通報については、通報の保護要件を加重していること（法第3条第3号イ～ヘ）

- ・　本法は、国民生活の安定及び社会経済の健全な発展に資するために、一定の犯罪行為やその他の法令違反行為に係る通報に限って公益通報として本法の対象とするものであり、通報目的を必要以上に限定することはこの目的との関係上適当ではないこと

・　公益通報をする者は様々な事情につき悩んだ末に通報をすること
　　が多く、純粋に公益目的だけのために通報がされることを期待する
　　のは非現実的と考えられること
から、刑法の名誉毀損の違法性阻却の要件とされている「専ら公益を図
る目的であること」のような厳格な限定は適当ではないと考えられるた
めである。

　なお、「不正の目的」の通報であれば事業者による懲戒処分の対象と
し得るほか、通報内容が虚偽であれば虚偽告訴罪（刑法第172条）や信
用毀損罪（刑法第233条）の対象となり得ると考えられたことから、「不
正の目的」の通報に対する罰則は設けないこととされたものである。

　本項にいう「不正の目的」とは、公序良俗に反する目的をいい、
①　不正の利益を得る目的
　　公序良俗に反する形で自己又は他人の利益を図る目的。なお、報奨
金や情報料を得る目的であっても、それが公序良俗に反する不正な利
益といえるようなものでない場合には、ここにいう「不正の利益を得
る目的」には当たらない。
②　他人に不正の損害を加える目的
　　他の従業員その他の他人に対して、社会通念上通報のために必要か
つ相当な限度内にとどまらない財産上の損害、信用の失墜その他の有
形無形の損害を加える目的。
の通報など社会通念上違法性が高い通報が考えられる。

　なお、「不正の目的でない」というためには、上記のような「不正の
利益を得る目的」や「他人に不正の損害を加える目的」の通報と認めら
れなければ足り、専ら公益を図る目的の通報と認められることまで要す
るものではない。単に、交渉を有利に進めようとする目的や事業者に対
する反感などの公益を図る目的以外の目的が併存しているというだけで
は本項にいう「不正の目的」であるとはいえない。

第2条第1項（「公益通報」の定義）　61

○　**参照条文**

［参考］刑法（明治40年法律第45号）

　　　（名誉毀損）

　第二百三十条　<u>公然と事実を摘示し</u>、人の名誉を毀損した者は、その事実
　　の有無にかかわらず、三年以下の懲役若しくは禁錮又は五十万円以下の
　　罰金に処する。

　2　（略）

　　　（公共の利害に関する場合の特例）

　第二百三十条の二　前条第一項の行為が<u>公共の利害に関する事実</u>に係り、
　　かつ、<u>その目的が専ら公益を図ることにあったと認める場合</u>には、事実
　　の真否を判断し、真実であることの証明があったときは、これを罰しな
　　い。

　2・3　（略）

[図表2-1]　**公益通報（法第2条）と名誉毀損（刑法第230条及び第230条の
　　　　　2）の要件の差異**

	刑法の名誉毀損における 公共の利害に関する場合の特例 （刑法第230条及び第230条の2）	公益通報（法第2条）
目的	専ら公益を図る目的であること	不正の目的でないこと
内容	「公共の利害に関する事実」であること	国民の生命、身体、財産その他の利益に関わる一定の犯罪行為やその他の法令違反行為
方法	「公然と（＝不特定多数の者に対し）事実を摘示」すること	・通報先は、役務提供先等、権限を有する行政機関又はその他の外部通報先に限定 ・その他の外部通報先への通報については、 ①通報先から「事業者の正当な利益を害するおそれがある者」を除外 ②通報の保護要件を加重（法第3条第3号イ〜ヘ）

62　第2編　逐条解説　第1章　総則

○　「不正の目的」について判断した裁判例

［参考］東京地裁平成 25 年 3 月 26 日判決（ボッシュ事件）

　「原告は、平成 23 年初めころには、本件デジタルイラスト問題に関し、担当者に民事・刑事責任を問うことができないものであるという認識を有していたにもかかわらず、自らの法務室への異動希望を実現させるという個人的な目的のために、これを蒸し返し、同年 7 月 22 日には本件警告書による警告を受けたにもかかわらず、これに従うことなく、同月 25 日に、P4 社長に対し再度これを告発したと評価せざるを得ない。このように、原告は、自らの内部通報に理由がないことを知りつつ、かつ個人的目的の実現のために通報を行ったものであって、原告が主張するように、社内のコンプライアンス維持のためにやむを得ない行為であったなどということはできないものであって、実質的に懲戒事由該当性がないということはできないし、かつ、公益通報者保護法 2 条にいう不正の目的に出た通報行為であると認めざるを得ない。」

　「原告は、公益通報者保護法 2 条の「不正の目的」について、通報者に会社や特定の上司に対する反感等、事業者のコンプライアンスの増進を図るという動機以外の動機があったとしても、直ちに「不正の目的」に出たものというべきではないという趣旨の主張をする。

　確かに、同法の趣旨からして、事業者のコンプライアンスの増進という動機以外の動機が存すること自体をもって、その適用を否定するのは相当ではなく、かつ、再度の公益通報であること自体をもって、その適用を否定することは慎重であるべきである。

　しかしながら、他方で、このような公益通報については、たとえ事業者内部における再度の通報であったとしても、多かれ少なかれ、その通報内容を理解、吟味し、ある程度の調査が必要になる場合もあるなど、相応の対応を要求されるものであって、業務の支障となる側面があることは否定できず、時に組織としての明確な意思決定を迫られることもあることからすれば、これが無制限に許されると解するのは相当ではない。したがって、少なくとも、本件のように、いったん是正勧告、関係者らに対する厳重注意という形で決着をみた通報内容について、長期間を経過した後に、専ら他の目的を実現するために再度通報するような場合において、これを「不正の目的」に出たものと認めることには、何ら問題がないというべきである（たとえ、原告の法務室への異動の動機が、自らが法務部門に携わることにより真のコンプライアンスを実現することにあったとしても、この点

に変わりはない。）。」

［参考］大阪高裁平成 21 年 10 月 16 日判決（神戸司法書士事務所事件控訴審）

　　「前記認定によれば、被控訴人が、2 月 2 日、控訴人の携帯電話に対し、本件契約書の写しを持っているので、労使交渉を弁護士に依頼しない場合には、法務局にいくしか手段はない旨記載したメールを送信したこと、控訴人の職務違反逸脱行為について司法書士会あるいは弁護士会などに相談に行くつもりであると予め知らせていることなどが認められ、これらからは、被控訴人が控訴人との労使交渉を有利に進めようとした意図が窺われなくはない。

　　しかしながら、「不正の目的でないこと」とは、その目的が専ら公益を図ることにあったと認められるような場合ではなく、例えば不正の利益を得る目的や他人に損害を与える目的がなければ足るのであるから、上記のような意図があるからといって、被控訴人の法務局への通報行為に不正の目的があったとすることはできない。他に、被控訴人に不正の目的があったことを窺わせる事実を認めるに足りる証拠はない（不正の目的があったことは、控訴人に立証責任がある。）。」

○　類似の判断基準によって判断した原始法施行前の裁判例

［参考］東京地裁平成 12 年 10 月 25 日判決（ジャパンシステム事件）

　　「被告内部に不正経理問題があり、被告を当事者とする調停事件の解決ができなければ株式の上場に支障が出るなどとして、自己の個人口座に 6 億5000 万円の金員を振り込むように要求したことは、故意に被告の信用を著しく傷つけ、株主である Z 社を脅迫して不当に金品を要求し、私利を図ったことを示すものであって、就業規則に定める社員の義務に反するというのが相当である。」

［参考］大阪地裁平成 14 年 11 月 29 日判決（日本ビー・ケミカル事件）

　　「個々のメールの内容・表現などをみると、当時被告会社代表取締役社長であった K らを誹謗・中傷するものであって、職務熱心から出た被告会社に対する提言・要望であるとは評価し得ないものが多数存在するばかりでなく、原告は K を退任させようとする一方で、自分が常務執行役員や取締役に選任されるよう画策していたことからすると、原告の一連の言動が被告会社のためにする建設的な提言であるとも認められない。」

［参考］神戸地裁平成 10 年 3 月 27 日判決（学校法人甲南学園事件）

　　「大学当局が……原告によって指摘された問題点を改めたにもかかわらず、……警察庁に、……生協出資金の徴収方法について告発する文書を送付し

たり、大蔵省及び会計検査院に対しても同内容の文書を送付しているが、これらはもはや、大学運営に関する正当な批判行為からかけ離れたものであり、被告大学及び生協関係者の名誉を著しく毀損する悪質な行為であると言わざるを得ない。」

［参考］富山地裁平成17年2月23日判決（トナミ運輸事件）

「本件ヤミカルテルは公正かつ自由な競争を阻害しひいては顧客らの利益を損なうものであり、……告発内容に公益性があることは明らかである。また、原告はこれらの是正を目的として内部告発をしていると認められ、原告が個人で、かつ被告に対して内部告発後直ぐに自己の関与を明らかにしていることに照らしても、およそ被告を加害するとか、告発によって私的な利益を得る目的があったとは認められない。なお、日消連にした……内部告発については、被告に対する感情的な反発もあったことがうかがわれるが……、仮にこのような感情が併存していたとしても、基本的に公益を実現する目的であったと認める妨げとなるものではない。」

(3) 犯罪行為やその他の法令違反行為の行為主体

公益通報の内容である犯罪行為やその他の法令違反行為の行為主体の範囲を、「役務提供先」又は「当該役務提供先の事業に従事する場合におけるその役員、従業員、代理人その他の者」として明確にするものである。

ア 「事業者」

「事業」とは、「一定の目的をもってなされる同種の行為の反復継続的遂行」であり、営利の要素は必要なく、また営利の目的をもってなされるか否かを問わない。本項では、こうした「事業」を行う「事業者」として「法人その他の団体」及び「事業を行う個人」が規定されている。

「法人その他の団体」は、一定の目的をもって設立されることから、その活動は、各団体の目的を達成するための「事業」といえる。

「法人」とは、一般社団・財団法人法に規定される一般社団法人や一般財団法人、会社法上の株式会社その他の営利法人、協同組合や特殊法人など個別法に根拠を有する法人、特定非営利活動促進法に基づく特定

非営利活動法人など、自然人以外の法律上の権利義務の主体となり得る
ものをいい、国・地方公共団体などの公法人も含まれる。

「その他の団体」とは、法人のほか、民法第667条第1項に規定する
組合契約によって成立する組合を始め、法人格を有しない社団又は財団
をいう。

「事業を行う個人」も、このような「事業」を行う者であるため、「事
業者」に含まれる。

なお、個人事業者は、その事業のために活動すること以外に、自らの
私生活のための活動をする場合もあるが、このような活動をする場合の
個人は「事業者」には含まれない。

なお、労働安全衛生法における「事業者」は「事業を行う者で、労働
者を使用するもの」（労働安全衛生法第2条第3号）として定義されてい
るが、本法においては、労働者を直接使用していない事業者についても、
契約に基づき業務に従事する他の事業者の使用する労働者からの通報が
想定されるため（本項第3号）、本法においては同一の定義を行わないこ
ととされたものである。

イ 「役務提供先」

公益通報の内容である犯罪行為やその他の法令違反行為の行為主体と
しての事業者の範囲としては、通報者である労働者及び役員等と一定の
関係にある「役務提供先」として、

① 労働者又は労働者であった者を労働契約関係に基づいて自ら使用
し、又は当該通報の日前1年以内に自ら使用していた事業者（本項
第1号）

② 派遣労働者又は派遣労働者であった者に係る労働者派遣の役務の
提供を受け、又は当該通報の日前1年以内に受けていた派遣先の事
業者（本項第2号）

③ 上記①②の事業者が他の事業者との契約に基づいて事業を行い、
又は行っていた場合において、労働者若しくは労働者であった者又

は派遣労働者若しくは派遣労働者であった者が当該事業に従事し、又は当該通報の日前1年以内に従事していた場合の当該他の事業者（取引先事業者、グループ企業など）（本項第3号）

④　役員に職務を行わせる事業者（本項第4号イ）

⑤　上記④の事業者が他の事業者との契約に基づいて事業を行う場合において、当該役員が当該事業に従事する場合の当該他の事業者（本項第4号ロ）

を対象とする。

　上記②、③及び⑤については、本法において公益通報の対象となる犯罪行為やその他の法令違反行為が、当該事業者と直接労働契約関係がある労働者や委任契約関係がある役員のみならず、当該事業者に関係する他の事業者と雇用関係にある労働者又は委任関係にある役員においても発見し得ることから、本法では、通報の対象となる犯罪行為やその他の法令違反行為の主体として、労働者を自ら使用する事業者又は役員に自ら職務を行わせる事業者のほか、その派遣先や取引先事業者を含めることとしている。

　この場合、労働者や役員は、上記②、③及び⑤の事業者との間に労働契約関係又は委任契約関係はないため、これらの事業者から解雇又は解任されることはないと考えられるが、

　　・　②については、当該労働者を自ら使用し、又は使用していた事業者と労働者派遣契約関係にあるため

　　・　③及び⑤については、当該労働者を自ら使用し、若しくは使用していた事業者又は役員に自ら職務を行わせる事業者と取引契約関係等にあるため

労働者又は役員がこれらの事業者に公益通報をすることによって、当該労働者を自ら使用する事業者又は当該役員に自ら職務を行わせる事業者から業務上の指揮命令違反等を理由とする不利益な取扱いを受ける場合が考えられることから、保護の対象とする必要がある。

　上記③及び⑤について、本項第3号及び第4号ロは、上記①、②及び

④の事業者との間で「請負契約その他の契約に基づいて事業を行う場合」と規定されている。これには、請負契約に加え、

- 　卸売業者などとの継続的な物品納入契約
- 　清掃業者などとの継続的な役務提供契約
- 　コンサルティング会社などとの継続的な顧問契約

などに基づく場合が該当する。

　一方、販売を業としない者による一度限りの販売契約などについては、当該契約に基づいて「事業を行う」ものとはいえないために、その相手方が「役務提供先」に該当しない場合があると考えられる。

ウ　「当該役務提供先の事業に従事する場合におけるその役員……、従業員、代理人その他の者」

　公益通報の対象となる犯罪行為やその他の法令違反行為の行為主体には、法人その他の団体としての「事業者」そのものに限らず、その従業員等も考えられる。

　このため、「当該役務提供先の事業に従事する場合におけるその役員……、従業員、代理人その他の者」をも対象とされたものである。

　また、「その他の者」とは、職務に従事する義務の有無や形式上の地位・呼称のいかんを問わず、現実に当該事業に従事している者で、「役員……、従業員、代理人」以外の者をいう。例えば、組合の構成員である組合員、現実に株式会社の業務執行の決定に関与している株主、委託を受けて当該事業に従事している事業者などが含まれ、これらの者が犯罪行為やその他の法令違反行為に関わっていることを労働者等が通報することが考えられる。

　なお、本項は「当該役務提供先の事業に従事する場合における」とされていることから、公益通報の対象となる犯罪行為やその他の法令違反行為は、役務提供先のために行うもの（バス運転手の勤務中の飲酒運転等）に限られず、役務提供先のために行うのではないもの（役務提供先の金品の横領等）も公益通報の対象となる。他方、事業と全く関係のな

い私生活上の犯罪行為やその他の法令違反行為は対象とならない。

⑷ 通報の内容

公益通報の内容として、「通報対象事実が生じ、又はまさに生じよう
としている旨」が規定されているものである。

ア 「通報対象事実」

「通報対象事実」については、本条第3項で定義されている。

イ 「生じ、又はまさに生じようとしている」

本項は、通報対象事実が「生じ、又はまさに生じようとしている」こ
とを要件としている。

本項の「生じ」とは、現に生じている場合、及び過去に生じた場合を
指し、犯罪行為やその他の法令違反行為が現に継続していることは要し
ない。過去の犯罪行為やその他の法令違反行為の事実についての通報に
よって、過去の被害が救済されたり、再発防止措置がとられたりするこ
とも考えられるためである。

また、「まさに生じようとしている」については、通報対象事実の発
生が切迫しており、発生する蓋然性が高い場合を指すが、必ずしも発生
する直前のみをいうわけではない。例えば、誰が、いつ、どこで行うと
いったことが事業者内部で確定しているような場合には、実行まで一定
の間がある場合であっても「まさに生じようとしている」といえるもの
である。

通報対象事実が現に生じている場合に加え、「まさに生じようとして
いる」場合を対象としている理由は、

・　通報対象事実の中には、例えば公害規制違反のように、実際に通
　報対象事実が生じた後では、回復が困難な被害が生じるおそれのあ
　るものもあること

・　国民の生命、身体、財産その他の利益の保護に関わる法令の規定

第 2 条第 1 項（「公益通報」の定義） 69

[図表2-2] 役務提供先ごとの公益通報のイメージ図

（参考 1）勤務先における法令違反行為

（参考 2）派遣先における法令違反行為

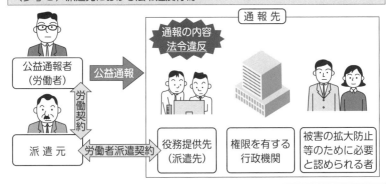

（参考 3）取引先事業者における法令違反行為

※（参考 3 ）の事例においては、上記の勤務先も、「当該役務提供先の事業に従事する場合におけるその他の者」と認められる場合には、通報対象事実の行為主体となり得る。

の遵守を図るためには、犯罪行為やその他の法令違反行為の未然防止を図る通報は、実際に犯罪やその他の法令違反が行われた後の通報以上に有用であると考えられること

から、通報を通報対象事実が生じた後に限定することは合理的でないと考えられたためである。

他方、意見公募手続において、単に「生ずるおそれ」とされたのでは、

- ・ 当事者間の事実認識の相違を生む可能性がある
- ・ 通報によって事業者に損害が発生した場合に「おそれ」の蓋然性をめぐって争いとなる可能性がある

との意見があったため、規定ぶりを明確化し、「まさに生じようとしている」として、事実の発生が切迫している場合に限定することとされたものである。

⑸ 通報先

公益通報の通報先として、役務提供先等、権限を有する行政機関等及びその他の外部通報先が規定されている。

ア 役務提供先等への公益通報

「役務提供先等」とは、「当該役務提供先」及び「当該役務提供先があらかじめ定めた者」を指す。

これらは必ずしも事業者の内部の者に限られないが、その主たるものは事業者の内部の者あるいはそれと密接に関連する者であることから、「事業者内部」と称することがある。

㈠ 「当該役務提供先」

当該通報者の役務提供先の事業者を指すが(「役務提供先」及び「事業者」の詳細については、本項「犯罪行為やその他の法令違反行為の行為主体」の解説を参照。)、その団体の代表者や個人事業主本人のほか、通報対象事実について権限を有する管理職、当該通報者の業務上の指揮監督に当

たる上司等の従業員も含まれる。

　例としては、事業者が設けている通報窓口（ホットライン等）、相談窓口、コンプライアンス部門などに加え、当該通報者の上司、当該問題の責任者などが含まれる。

　なお、派遣先や取引先事業者の犯罪行為やその他の法令違反行為については、当該派遣先や取引先事業者が直接調査・是正する権限を有していることから、本項第２号及び第３号において、これら事業者への通報を他の場合における事業者内部の者への通報と同様に取り扱うこととされている。なお、派遣先又は過去の派遣先は、その指揮命令の下に労働する「派遣労働者又は派遣労働者であった者」を「自ら使用し、又は当該通報の日前一年以内に自ら使用していた事業者」に該当し、「派遣労働者又は派遣労働者であった者」は、「労働者又は労働者であった者」に該当することから、重複を回避するため、法第２条第１項第１号において、「当該労働者又は労働者であった者を自ら使用し、又は当該通報の日前一年以内に自ら使用していた事業者」から、派遣先又は過去の派遣先が除外されている。

　他方、派遣先や取引先事業者の犯罪行為やその他の法令違反行為について、派遣元事業主や使用者は調査・是正する権限を有していないことから、これらの事業者への通報は他の場合における事業者内部の者と同様には位置付けておらず、これらの事業者への通報が公益通報となるためには、通報先が別途「当該役務提供先があらかじめ定めた者」又は「その者に対し当該通報対象事実を通報することがその発生若しくはこれによる被害の拡大を防止するために必要であると認められる者」に該当する必要がある。

　(イ)　「当該役務提供先があらかじめ定めた者」

　各役務提供先においては、当該役務提供先の内部だけではなく、グループ企業共通のホットライン、社外の弁護士、通報受付会社、労働組合などを通報先として定めることが考えられるため、これらへの通報を

役務提供先への通報と同様に取り扱う趣旨である。

イ　権限を有する行政機関等への公益通報

　「権限を有する行政機関等」とは、「当該通報対象事実について処分若しくは勧告等をする権限を有する行政機関」及び「当該行政機関があらかじめ定めた者」を指す。

　なお、「行政機関」については、本条第4項で定義されている。

(ア)　「当該通報対象事実について処分若しくは勧告等をする権限を有する行政機関」

　通報先としての行政機関を、一般的な行政機関のうち、「当該通報対象事実について処分若しくは勧告等をする権限を有する行政機関」と定めるものである。

　このような規定とされた趣旨は、事案の調査及び円滑な是正のためには、最終的には、調査・是正は権限を有する行政機関に委ねざるを得ないため、権限を有する行政機関が通報者から直接通報を受け付けることが、通報後の調査・是正を円滑に行うために適当であると考えられたためである（「通報対象事実」については、本条第3項の解説を参照。）。

　本項の「処分」とは、命令、取消しその他公権力の行使に当たる行為をいう。また、「勧告等」とは、勧告その他処分に当たらない行為をいい、勧告のほか、助言や指導などが含まれる。

　「権限を有する」行政機関に関しては、通報対象事実について、どの行政機関が、どのような行為を行う権限を有するかは、各行政機関の組織法令を含めた各法令などの規定によって定まっており、通報先となる行政機関は、これらの法令の規定に応じて定まることとなる。なお、必ずしも当該処分又は勧告等の根拠法令が本法の対象法律となっている必要はない。

　また、「権限を有する」行政機関には、各法令の規定により直接権限を有する機関のほか、各法令の規定によりその権限に属する事務を行う

こととされた都道府県知事、市町村長及びその権限の一部を委任された地方支分部局の長を含む。

当該通報対象事実に対して複数の行政機関が処分又は勧告等をする権限を有する場合には、いずれの行政機関も本項の「権限を有する」行政機関に当たる。なお、「公益通報者保護法を踏まえた国の行政機関の通報対応に関するガイドライン（外部の労働者等からの通報）」は、複数の行政機関が処分又は勧告等をする権限を有している場合について、各行政機関は、「連携して調査を行い、又は措置をとるなど、相互に緊密に連絡し協力する。」としている。

なお、本法では、処分又は勧告等をする権限を有しない行政機関に誤って通報がされた場合には、当該行政機関は、権限を有する行政機関を公益通報者に教示しなければならない旨の規定が置かれており（法第14条）、「公益通報者保護法を踏まえた国の行政機関の通報対応に関するガイドライン（外部の労働者等からの通報）」においても、権限を有する行政機関を、通報者に対し、遅滞なく教示することとされている。

㈡　「当該行政機関があらかじめ定めた者」

行政機関は、業務効率化等の観点から行政機関の事務の一部を外部に委託することは許容されており、これら外部の委託先への通報を当該通報対象事実について権限を有する行政機関の通報と同様に取り扱う趣旨である。

原始法においては、行政機関があらかじめ定めた者を通報先に含む旨の明文の規定はなかった。そのため、1号通報の規定ぶりとの対比により、2号通報についてのみ、行政機関があらかじめ定めた者に対する通報を保護の対象外と解されるおそれがあった。

そこで、改正法では、行政機関があらかじめ定めた者を含む「行政機関等」に対する通報についても、公益通報として保護されることとなるよう、明確に規定された。

74　第2編　逐条解説　第1章　総則

○　**関連ガイドライン**

［参考］公益通報者保護法を踏まえた国の行政機関の通報対応に関するガイド
　　　　ライン（外部の労働者等からの通報）

　3．通報への対応

　　(5)　通報者への措置の通知

　　　①　各行政機関が措置をとったときは、その内容を、適切な法執行の
　　　　確保及び利害関係人の営業秘密、信用、名誉、プライバシー等の保
　　　　護に支障がない範囲において、通報者に対し、遅滞なく通知する。

　5．その他

　　(4)　協力義務等

　　　②　各行政機関は、通報対象事実又はその他の法令違反等の事実に関
　　　　し、処分又は勧告等をする権限を有する行政機関が複数ある場合に
　　　　おいては、連携して調査を行い、措置をとるなど、相互に緊密に連
　　　　絡し協力する。

［参考］公益通報者保護法を踏まえた地方公共団体の通報対応に関するガイド
　　　　ライン（外部の労働者等からの通報）

　3．通報への対応

　　(5)　通報者への措置の通知

　　　①　各地方公共団体が措置をとったときは、その内容を、適切な法執
　　　　行の確保及び利害関係人の営業秘密、信用、名誉、プライバシー等
　　　　の保護に支障がない範囲において、通報者に対し、遅滞なく通知す
　　　　る。

　5．その他

　　(4)　協力義務等

　　　②　各地方公共団体は、通報対象事実又はその他の法令違反の事実に
　　　　関し、処分又は勧告等をする権限を有する行政機関が複数ある場合
　　　　においては、連携して調査を行い、措置をとるなど、相互に緊密に
　　　　連絡し協力する。

ウ　その他の外部通報先への公益通報

　事業者の外部の通報先として、上記の権限を有する行政機関等のほか、

　・　その者に対し当該通報対象事実を通報することがその発生若しく
　　はこれによる被害の拡大を防止するために必要であると認められる

者（当該通報対象事実により被害を受け又は受けるおそれがある者を含み、当該役務提供先の競争上の地位その他正当な利益を害するおそれがある者を除く。）

を規定するものである。

　㋐　「その者に対し当該通報対象事実を通報することがその発生若しくはこれによる被害の拡大を防止するために必要であると認められる者」

　このような通報先としては、犯罪行為やその他の法令違反行為の内容等に応じて様々な通報先が考えられるため、具体的な通報先の限定や例示を行うことは避け、一般的な規定とされたものである。

　例えば、

- 　消費者利益の擁護のために活動する消費者団体
- 　加盟事業者の公正な活動を促進する事業者団体
- 　行政機関による不正行為等を監視する各種オンブズマン団体
- 　弁護士や公認会計士が運営する公益通報者支援団体
- 　国政調査権を行使する国会の議員
- 　多数の者に対して事実を知らせる報道機関

などが考えられる。

　なお、処分又は勧告等をする権限を有しない行政機関についても、行政指導権限や契約上の権限に基づき被害の発生・拡大を防止することができる場合には、「その者に対し当該通報対象事実を通報することがその発生若しくはこれによる被害の拡大を防止するために必要であると認められる者」に該当する場合があると考えられる。

　㋑　「当該通報対象事実により被害を受け又は受けるおそれがある者」

　例えば、「当該通報対象事実により被害を受け又は受けるおそれがある者」として、

- 　有害な物質を含んだ食品が販売されている場合の購入者

76　第2編　逐条解説　第1章　総則

- ・　有害な物質が排出されている場合の周辺住民
- ・　表示と異なる原材料が供給されている場合の供給先事業者

などが考えられる。

㋒　「当該役務提供先の競争上の地位その他正当な利益を害するおそ
　　れがある者」

「当該役務提供先の競争上の地位その他正当な利益を害するおそれが
ある者」を除くこととされている理由は、労働者は事業者の利益を不当
に侵害しないように配慮して行動する誠実義務を負うこととの関係上、
競業する他の事業者への通報、暴力団への通報等を排除するためである。

○　競争上の地位にある者に対する通報の違法性を認めた裁判例

［参考］大阪地裁平成12年3月15日判決（積水樹脂（解雇）事件）

　　「原告がS電工に陳述書の写し等を送付した目的の真相は必ずしも判然と
　しないところがあるが……H社は……同業者という点ではあくまで競争関
　係にある会社であって、その親会社であるS電工に対し、現に係属中の訴
　訟に関係する文書を秘密裡に送付して、その調査や処置を求めることは、
　当該文書が秘匿文書でないとしても、被告会社内部に紛争や不正があるか
　のような疑念を招来し……被告会社の信用にも関わるものであった。かか
　る行為は、従業員としての基本的な忠実義務に違反するものであり、労使
　間の信頼関係を破壊し社内秩序を乱すものというべきであって、就業規則
　……に違反……すると認められる。」

㋓　報道機関への公益通報

「報道機関」とは、例えば、個人情報保護法では、「報道」すなわち
「不特定かつ多数の者に対して客観的事実を事実として知らせること
（これに基づいて意見又は見解を述べることを含む。）」（個人情報保護法第57
条第2項）を業とする「放送機関、新聞社、通信社その他の報道機関
（報道を業として行う個人を含む。）」（個人情報保護法第57条第1項第1号）
とされている。

　このような報道機関への通報は、当該報道機関によるチェックを経て、

犯罪行為やその他の法令違反行為という通報対象事実が生じ、又はまさに生じようとしている旨を、客観的事実として国民に広く知らせることを通じ、その発生や被害の拡大の防止に資すると考えられることから、その他の外部通報先には報道機関が含まれる。

　また、本項の通報先からは事業者の「競争上の地位その他正当な利益を害するおそれがある者」が除外されているが、本法の定める通報対象事実は犯罪行為やその他の法令違反行為であり、このような反社会的な行為が生じ、又はまさに生じようとしているという客観的事実を事実として知らせる限りにおいては事業者の「正当な利益を害する」ことにはならないと考えられるため、除外規定によって報道機関がその他の外部通報先から排除されることはない。

　なお、例えば、事実を歪曲して伝達したり、事実を公表しない代わりに事業者に金銭を要求したりすることを目的としているような者については、「正当な利益を害するおそれがある者」として、本項の通報先に含まれないと考えられる。

○　**参照条文**

［参考］個人情報の保護に関する法律（平成 15 年法律第 57 号）

　　（適用除外）

　第五十七条　個人情報取扱事業者等及び個人関連情報取扱事業者のうち次の各号に掲げる者については、その個人情報等及び個人関連情報を取り扱う目的の全部又は一部がそれぞれ当該各号に規定する目的であるときは、この章の規定は、適用しない。

　　一　放送機関、新聞社、通信社その他の報道機関（報道を業として行う個人を含む。）　報道の用に供する目的

　　二～四　（略）

　2　前項第一号に規定する「報道」とは、不特定かつ多数の者に対して客観的事実を事実として知らせること（これに基づいて意見又は見解を述べることを含む。）をいう。

　3　（略）

○　報道機関が法令違反の是正を図るために必要な者であると認めた裁判例

［参考］富山地裁平成 17 年 2 月 23 日判決（トナミ運輸事件）

　　「内部告発方法の妥当性についてみると、原告が最初に告発した先は全国紙の新聞社である。報道機関は本件ヤミカルテルの是正を図るために必要な者といいうる……。」

○　報道機関が法令違反の是正を図るために必要な者であると認められなかった裁判例

［参考］東京地裁平成 23 年 1 月 28 日判決（学校法人田中千代学園事件）

　　「本件内部告発先の週刊甲の記者は、……本件内部告発事実について原告から実名報道の了解を得ただけで、被告に対する反対取材（本件内部告発の裏付け取材）を全く行わないまま本件週刊誌を発刊しており、このような報道姿勢は極めて誤報を生む危険性の高いものであることはいうまでもない。そうだとすると以上のような取材手法に基づき本件各記事を本件週刊誌上に執筆した上記週刊甲の記者ないしは同誌の公刊元は、少なくとも本件に関する限り、「その者に対し当該通報対象事実を通報することがその発生又はこれによる被害の拡大を防止するために必要であると認められる者」……には当たらないものというべきである。」

㋑　インターネット上での通報者自身による告発

　インターネット上での告発の現状を見ると、匿名で、単なる憶測や伝聞に基づいて行われたりする事例も見受けられるところであるが、単なる憶測や伝聞に基づく事業者の外部への通報は、法第 3 条第 3 号の「信ずるに足りる相当の理由」がある場合という保護要件を満たさないことなどから、一般的には、インターネット上での一方的な書き込みなどは保護の対象に当たらない場合が多いと考えられる。

　また、インターネットの閲覧者は、通常、「その者に対し当該通報対象事実を通報することがその発生若しくはこれによる被害の拡大を防止するために必要であると認められる者」（法第 2 条第 1 項）にも該当しないと考えられる。

　しかし、例えば、当該商品が広く流通していて誰もが被害者になり得る場合や、顧客のみが利用できる会員サイト上のインターネット掲示板

に書き込みを行う場合などで、その書き込みが十分な根拠に基づいているときなどには、「信ずるに足りる相当の理由」（法第3条第3号）がある場合という保護要件を満たし、「当該通報対象事実により被害を受け又は受けるおそれがある者」（法第2条第1項）に対する通報であることから、本法の保護の対象となり得る場合も考えられ、個々の事案に応じて判断すべきであると考えられる。

　なお、通報者が自らインターネットを利用して役務提供先における犯罪行為やその他の法令違反行為を公表した場合には、名誉毀損の成立要件である「公然と事実を摘示」したことに該当する場合が多いと考えられるが、本法による保護を受け得る事案では、通常は刑法や民法上の名誉毀損の違法性等を阻却することとなると考えられる。

⑹　通報行為
ア　「通報すること」

　一般的に「通報」とは「一定の事実を他人に知らせること」（『法律用語辞典〔第5版〕』（有斐閣・2020年））とされており、本法の「公益通報」においては、

- ・　通報対象事実が生じ、又はまさに生じようとしている旨を
- ・　所定の通報先に知らせる行為

であるといえる。

　これに対し、「相談」とは一般的に「他人に意見を求めること」（『広辞苑〔第7版〕』（岩波書店・2018年）であり、本法に関連しては、例えば、

- ・　ある行為が、本法の対象となる犯罪行為やその他の法令違反行為に当たるかどうか
- ・　本法による保護を受けるためには、どのような通報先に通報すべきか

などについて、通報の前段階で、助言を求めることが想定される。

　このような「相談」が、犯罪行為やその他の法令違反行為の行われた事業者名などの具体的事実を知らせない一般的な内容で行われる限りに

80 第2編 逐条解説 第1章 総則

おいては、「通報」には当たらず、本法による保護の対象とはならないが、事業者名、通報対象事実と疑われる行為の内容、当該行為の実行者名などの具体的事実を示して行われる場合には、「通報」に当たり得ると考えられ、本法の定める要件を満たせば、本法による保護を受けることができる。

　もっとも、本法による保護を受けることができない場合であっても、相談したことを理由として事業者から解雇その他不利益な取扱いを受けた場合には、労働契約法や権利濫用などの一般法理によって保護され得る。例えば、弁護士等の法律上・契約上の守秘義務を負う者への相談のためにその者に対して具体的事実を開示した場合、本法の定める要件を満たしていないとしても、通常は労働契約法や権利濫用などの一般法理によって保護されると考えられる。

　また、通報代行権限の授権に際しての受任者への情報の開示についても、上記の「相談」の場合と同様に考えられる。

○　**法律上の守秘義務規定の例**

［参考］刑法（明治40年法律第45号）

　　（秘密漏示）

　第百三十四条　医師、薬剤師、医薬品販売業者、助産師、弁護士、弁護人、公証人又はこれらの職にあった者が、正当な理由がないのに、その業務上取り扱ったことについて知り得た人の秘密を漏らしたときは、六月以下の懲役又は十万円以下の罰金に処する。

　2　宗教、祈祷若しくは祭祀の職にある者又はこれらの職にあった者が、正当な理由がないのに、その業務上取り扱ったことについて知り得た人の秘密を漏らしたときも、前項と同様とする。

［参考］弁護士法（昭和24年法律第205号）

　　（秘密保持の権利及び義務）

　第二十三条　弁護士又は弁護士であつた者は、その職務上知り得た秘密を保持する権利を有し、義務を負う。但し、法律に別段の定めがある場合は、この限りでない。

○　**弁護士に対する相談に際して秘密を開示することは許されるとした裁判例**

［参考］東京地裁平成15年9月17日判決（メリルリンチ・インベストメント・マネージャーズ事件）

第2条第1項（「公益通報」の定義）　81

　「ところで、弁護士は、その職責に鑑みれば、正式な委任関係に立つ前の
段階であっても、法律相談に応じる場合には、相談者から必要な事実関係、
情報を知らされなければ適切な判断ができないし、職務上知り得た秘密を
保持する義務を有するから（弁護士法23条）、相談者が自己の相談につい
て必要であると考える情報については、たとえその中に企業機密に関する
情報が含まれている場合であっても、企業の許可を得なくてもこれを弁護
士に開示することは許されるというべきである。」

イ　通報者の認識

　通報とは、具体的事実を知らせることであり、それがどの法律のどの
条項に抵触するかについて通報者が認識している必要はない。また、通
報者が適用法令を誤って認識していたり、対象法律となっていない法令
の違反と認識していたりした場合であっても、通報の内容に通報対象事
実が含まれている限り、公益通報の要件を欠くことにはならない。

ウ　匿名通報

　本項は、対象となる通報を顕名の通報に限定していない。
　匿名の通報であれば、通常は通報者が特定されず不利益な取扱いを受
けることもないため、保護する必要は生じないとも考えられるが、通報
時には匿名でも、結果的に通報者が特定される場合も考えられ、その場
合には本法の保護の対象とする必要があるためである。
　なお、本法による保護を受けるためには、匿名通報と不利益な取扱い
との間の因果関係を立証するために、自らがその通報をした者であるこ
とを明らかにすることになるものと考えられる。

(7)　基準時

　「公益通報」に当たるか否かは、通報の時点を基準に判断される。
　そのため、通報時点で対象法律となっていた法律に違反する行為を通
報した場合には、その後、当該法律が対象法律から除外されたとしても、
「公益通報」として保護され得る。

4 立証責任

一般に、民事訴訟においては、一定の法律効果の発生を主張する者が立証責任を負うこととされている。

そのため、本法においても、本項の「公益通報」の各要件については、原則として保護を受けようとする通報者側が立証責任を負うこととなる。

もっとも、「公益通報」としての保護の対象から除外される要件である「不正の目的」については、事業者との関係で、「不正の目的でないこと」を通報者に主張立証させるのは公平ではないから、公平の見地から、事業者側が「不正の目的があったこと」を立証することとなる。

○　「不正の目的があったこと」の立証責任が事業者側にあるとした裁判例

［参考］大阪高裁平成 21 年 10 月 16 日判決（神戸司法書士事務所事件控訴審）

「上記のような意図があるからといって、被控訴人の法務局への通報行為に不正の目的があったとすることはできない。他に、被控訴人に不正の目的があったことを窺わせる事実を認めるに足りる証拠はない（不正の目的があったことは、控訴人に立証責任がある。）。」

第2条第2項（「公益通報者」の定義）

> 2 この法律において「公益通報者」とは、公益通報をした者をいう。

1 本項の概要

本項は、本法による保護の対象となる「公益通報者」を定義するものである。

2 本項の趣旨

本項は、本法による保護の対象となる「公益通報者」を定義するものである。

3 本項の解釈

⑴ 「公益通報をした者」

公益通報の主体については法第2条第1項の解説を参照。

84 第2編 逐条解説 第1章 総則

第2条第3項（「通報対象事実」の定義）

3 この法律において「通報対象事実」とは、次の各号のいずれかの事実をいう。
　一　この法律及び個人の生命又は身体の保護、消費者の利益の擁護、環境の保全、公正な競争の確保その他の国民の生命、身体、財産その他の利益の保護に関わる法律として別表に掲げるもの（これらの法律に基づく命令を含む。以下この項において同じ。）に規定する罪の犯罪行為の事実又はこの法律及び同表に掲げる法律に規定する過料の理由とされている事実
　二　別表に掲げる法律の規定に基づく処分に違反することが前号に掲げる事実となる場合における当該処分の理由とされている事実（当該処分の理由とされている事実が同表に掲げる法律の規定に基づく他の処分に違反し、又は勧告等に従わない事実である場合における当該他の処分又は勧告等の理由とされている事実を含む。）
別表（第二条関係）
　一　刑法（明治四十年法律第四十五号）
　二　食品衛生法（昭和二十二年法律第二百三十三号）
　三　金融商品取引法（昭和二十三年法律第二十五号）
　四　日本農林規格等に関する法律（昭和二十五年法律第百七十五号）
　五　大気汚染防止法（昭和四十三年法律第九十七号）
　六　廃棄物の処理及び清掃に関する法律（昭和四十五年法律第百三十七号）
　七　個人情報の保護に関する法律（平成十五年法律第五十七号）
　八　前各号に掲げるもののほか、個人の生命又は身体の保護、消費者の利益の擁護、環境の保全、公正な競争の確保その他の国民の生命、身体、財産その他の利益の保護に関わる法律として政令で定めるもの

1　本項の概要

　本項は、本法の別表と相まって、公益通報者保護制度において保護対象となる通報の「通報対象事実」の範囲を規定するものである。

　本項第1号は、対象とする通報対象事実のうち、犯罪行為の事実又は過料の理由とされている事実を規定し、第2号は当該犯罪行為等と関連

するその他の法令違反行為の事実を規定するものである。

2　本項の趣旨

⑴　原始法制定時の経緯

　本法は、事業者がその社会的責任として違法行為を行わないことに資するものであるが、より直接的には、

- ・　事業者による食品偽装事件、リコール隠し事件などが相次ぎ、これらの違法行為が国民の生命、身体、財産等に被害を及ぼす可能性があるだけでなく、国民生活に対する安心や信頼を損ない、国民生活の安定や社会経済の健全な発展を阻害していること
- ・　事業者の違法行為によって実際に国民の生命、身体、財産等に被害が発生した場合には、その性質上、被害が広範囲に及んだり、回復し難い被害が生じたりするなど、事後的な損害賠償請求等によっては効果的な救済とならないことが考えられるため、被害の未然防止・拡大防止の観点から違法行為を抑止していく必要性が高いこと

を踏まえ、国民の生命、身体、財産その他の利益の保護に関わる法令の規定の遵守を図ることを目的とするものである。

　このような分野を本法の対象とすることについては、国民生活審議会において、真に必要な分野の制度として「国民生活に関わる分野」について整備することとされたことに加え、総合規制改革会議の「規制改革の推進に関する第2次答申」（平成14年12月12日）においても、「特に公益性の高い事案（国民の健康・安全に関わる事案、環境破壊等）」について公益通報者保護制度を検討すべきとの提言がなされていたところである。

　原始法制定当時の国民生活審議会での議論においては、

- ・　規制の制定は後追いになることが多く、「危害のおそれ」等を通報の対象に含めないと国民生活への被害が防止できないとの意見
- ・　「法令違反行為」以外の通報を認めると、通報の対象が不明確となり、制度の運用に当たって混乱が生じるとの意見

86　第2編　逐条解説　第1章　総則

の双方の意見があり、このような議論を踏まえて、通報の対象を「保護される通報の範囲を明確にする観点から、……規制違反や刑法犯などの法令違反とすることが考えられる。」（国民生活審議会消費者政策部会報告書「21世紀型の消費者政策の在り方について」）との結論が出された。

　このような国民生活審議会等での議論も踏まえ、保護される通報の範囲を明確化する観点から、犯罪行為と犯罪行為に関連するその他の法令違反行為が通報の対象とされたものである。

○　原始法制定当時の意見

［参考］総合規制改革会議「規制改革の推進に関する第2次答申―経済活性化のために重点的に推進すべき規制改革―」（平成14年12月12日）

　「また、特に公益性の高い事案（国民の健康・安全に関わる事案、環境破壊等）については、速やかに国民に周知し、被害等の未然・拡大防止を図ることが重要であることから、内部通報者等がそれを理由とした不利益を被ることのないような仕組みの構築に向け、国民生活審議会における検討を踏まえ、内閣府は所要の措置を講ずべきである。【平成15年度までに措置】」

［参考］国民生活審議会消費者政策部会報告書「21世紀型の消費者政策の在り方について」（平成15年5月28日）

　「このような国民生活にかかわる分野での法令違反は、消費者利益を侵害する法令違反と密接な関係があり、また、被害の未然防止・拡大防止を図ることが重要であることから、通報の対象としてこれらの分野も含めることが望ましい。」

　「これらの通報の対象となる法令違反の範囲については、保護される通報の範囲を明確にする観点から、消費者利益の侵害、人の健康・安全への危険、環境への悪影響に関する規制違反や刑法犯などの法令違反とすることが考えられる。この場合、通報者が通報時に法令違反であると信じるに足りる相当の理由があった場合には、通報者の保護がなされるよう配慮すべきと考えられる。

　この通報の範囲については、人の生命又は身体への危害は極めて重大な問題であり、これら危害のおそれがある場合には、被害の未然防止・拡大防止の観点から、法令違反の有無を問わず通報の対象に含めることとすべきとの意見があった。

　また、広く消費者利益の擁護等を図る観点から、人の生命又は身体への

危害に限らず財産への侵害についても、侵害の事実又はそのおそれがある
場合には、通報の対象に含めることとすべきとの意見もあった。」

(2) 改正法制定時の経緯

　原始法制定時、過料といった刑罰以外の制裁の対象とされている法令
違反行為は、手続上の義務違反等の軽微な違反であるため、原始法の対
象とはされなかったが、通報対象事実については、原始法施行後の状況
等も見ながら検討を行っていくことが予定されていたなど、過料の対象
となる法令違反行為について、原理的に本法の対象に含めることが否定
されたわけではなかったところ、

- ・　原始法施行後、事業者や労働者において、刑事罰で担保されてい
  ない不正行為についても、公益通報制度を通じて是正を図ることが
  必要であり、事業者の法令遵守にとって有益であるとの意識が浸透
  してきたこと
- ・　過料により担保されている不正行為については、重大な結果を生
  じさせるおそれがあること、または、当該不正行為自体は軽微なも
  のであるとしても、その結果、重大な被害につながることもあり得
  ること
- ・　過料については、一定の行為に対する行政上の秩序罰として科さ
  れるものであり、罰則としての性質を有しており、その要件が条文
  上明確に規定されているため、過料により担保されている不正行為
  については、明確性があること
- ・　過料により担保されている不正行為を通報対象事実の範囲に含め
  たとしても、事業者の予見可能性を損なうこととはならず、事業者
  の多くが刑事罰で担保されていない不正行為についての通報も受け
  付けていることなどから、事業者に過度な負担は生じないこと

などを踏まえ、改正法では、法律の規定に基づく過料の対象となる不正
行為の事実について、通報対象事実の範囲に追加することとされたもの
である。

88　第2編　逐条解説　第1章　総則

3　本項の解釈

(1)　対象法律

ア　法の定める対象法律

　前記の趣旨を踏まえ、本法は公益通報の対象となる事実が規定されている法律（これらの法律に基づく命令を含む。以下「対象法律」という。）を「この法律」（本法）及び「国民の生命、身体、財産その他の利益の保護に関わる法律」とし、後者のうち代表的な以下の7法律を別表に掲げ、その他の対象法律については、政令に委ねることとされている。

- ・　個人の生命又は身体の保護に関わる法律の代表例として、
　　　刑法、食品衛生法
- ・　消費者の利益の擁護に関わる法律の代表例として、
　　　金融商品取引法、日本農林規格等に関する法律
- ・　環境の保全に関わる法律の代表例として、
　　　大気汚染防止法、廃棄物の処理及び清掃に関する法律
- ・　その他の利益の保護に関わる法律の代表例として、
　　　個人情報保護法

これは、

- ・　対象法律については国民生活に及ぼす影響等を精査した上で定める必要があること
- ・　政令であれば、法律の制定・改廃等に対応した対象法律の見直しを機動的に行えること

から、「国民の生命、身体、財産その他の利益の保護に関わる法律」を本法の別表に網羅的に掲げるのではなく、7法律以外の対象法律は政令に委任することとされたものである。

イ　政令の定める対象法律

　政令で定める対象法律は、本項が「通報対象事実」を最終的に刑罰又は過料により実効性が担保されている規定に違反する行為とされていることから、まず、刑罰又は過料の規定のある法律であることが前提であ

る。

このように規定された趣旨は、最終的に刑罰又は過料によって実効性の担保を図っていない法令の規定は、構成要件が不明確なものや、当該違反行為に刑罰又は過料を科すべきとの社会的コンセンサスが現時点ではない軽微な違反行為であると考えられたためである。

その上で、対象法律とするためには、以下のⅠ及びⅡを共に満たす法律であることが必要である。

Ⅰ　目的規定、事業者への規制に関する規定、罰則規定（刑罰規定又は過料規定）等から判断して、当該法律が「国民の生命、身体、財産その他の利益」を保護することを直接的な目的としていると考えられること

Ⅱ　違反することにより「国民の生命、身体、財産その他の利益」への被害が生じることが想定される規定（最終的に刑罰又は過料により実効性が担保されているものに限る。）を含んでいること

さらに、法が掲げる「個人の生命又は身体の保護」などの「分野の例示」や刑法など「法律の例示」を踏まえて、最終的に、八号政令により、対象法律が確定されている。

なお、対象とすべき法律が新たに制定されたり、対象であった法律が廃止されたりした場合などに、対象法律の追加や削除を行うこととなる。

ウ　対象外法律

(ア)　対象法律該当性の要件を満たさない法律

以下の法律は、上記イのⅠ又はⅡの要件のいずれかを満たさないため対象とされていない。

①　専ら国家の機能に関わる法律（国家の機能について定めることが直接的な目的）

公職選挙法、政治資金規正法、国家公務員法、民事訴訟法、補助金等に係る予算の執行の適正化に関する法律、各種税法（所得税法、法人税法、消費税法など）、地方自治法、出入国管理及び難民認定法、

自衛隊法　など

② 専ら法人の内部管理に関わる法律（内部管理について定めることが直接的な目的）

独立行政法人通則法、各種独立行政法人設置法　など

③ 各種事業の振興や促進のための法律（振興や促進が直接的な目的）

農業振興地域の整備に関する法律、下請中小企業振興法、中小企業等経営強化法、新都市基盤整備法　など

④ 上記のほか、上記イのⅠ又はⅡの要件のいずれかを満たさない法律

森林法施行法（森林法の円滑な施行が目的）、児童手当法（刑罰規定が国支給の手当ての不正受給に係るものしかない）　など

(ロ) 対象法律該当性の要件を満たすが対象法律とされていない法律

また、法が掲げる「分野の例示」や「法律の例示」を踏まえ、たとえ上記イのⅠ及びⅡの要件を満たす場合であっても、事業者による違反が想定されない法律や専ら社会的法益の保護に関わる法律等は対象とはされていない。

① 事業者による違反が想定されない法律

配偶者からの暴力の防止及び被害者の保護等に関する法律、ストーカー行為等の規制等に関する法律　など

② 事業者の違法な経済活動によって被害が生じたとしても、その被害が個々人の実感できないもので、個々人の生活に及ぼす影響が小さい法律

競馬法、通貨及証券模造取締法、エネルギーの使用の合理化等に関する法律、河川法　など

③ 事業者の違法な経済活動によって被害が生じたとしても、一般的に被害者数がごく限られる法律など

深海底鉱業暫定措置法　など

エ　廃止法等

　国民の生命、身体、財産その他の利益への被害が考えられるものとして、廃止された法律又は改正された法律のうち廃止・削除・改正後もなおその効力を有する罰則規定（例えば、金融機能の再生のための緊急措置に関する法律附則第5条の規定によりなおその効力を有することとされる金融機能の安定化のための緊急措置に関する法律の規定等）や、一部改正法の附則の罰則規定（例えば、工業標準化法の一部を改正する法律附則第7条、労働者派遣事業の適正な運営の確保及び派遣労働者の保護等に関する法律の一部を改正する法律附則第6条第6項等）がある。これらについては、対象法律に含まれる法律に係るものである場合は、当該廃止された法律又は改正された法律の規定や一部改正法の附則の規定は、別表に掲げられた法律の規定として捉えるものとされている。

　なお、一部改正法の附則に罰則が規定されているもののうち、

① 経過措置中について定めたものであって、現段階で適用される刑罰規定がないもの

② 適用される経過措置期間が限定されること等から、制度の対象とすべき必要性が低く、これを規定しようとすると、かえって制度の安定性が損なわれるもの

（例えば、宅地建物取引業法の一部を改正する法律附則第9項等）については、別表に掲げられた法律の規定として捉える対象ではないと解される。

○　**廃止された法律の規定について、なおその効力を有することとしている規定の例**

［参考］金融機能の再生のための緊急措置に関する法律（平成10年法律第132号）

　　　　　附　則

　　（金融機能の安定化のための緊急措置に関する法律の廃止）

　第四条　金融機能の安定化のための緊急措置に関する法律（平成十年法律第五号）は、廃止する。

　　（金融機能の安定化のための緊急措置に関する法律の廃止に伴う経過措置）

第五条　前条の規定による廃止前の金融機能の安定化のための緊急措置に関する法律（以下「旧金融機能安定化法」という。）第三条第一項の規定に基づく金融機関等の自己資本充実のための業務の委託に関する協定に係る旧協定銀行（旧金融機能安定化法第二条第六項に規定する協定銀行をいう。）の業務（前条の規定の施行の際有する取得優先株式等（旧金融機能安定化法第三条第二項第三号に規定する取得優先株式等をいう。）及び取得貸付債権（同項第四号に規定する取得貸付債権をいう。）に係るものに限る。）及び当該業務に係る機構の業務については、旧金融機能安定化法（第四条第二項及び第三項、第五条、第六条第一項、第三章、第二十八条から第三十三条まで及び第五章の規定を除く。）の規定は、前条の規定の施行後も、なおその効力を有する。（以下略）

○　一部改正法中に規定される罰則の例（別表に掲げられた法律の規定として捉える例）

［参考］工業標準化法の一部を改正する法律（平成 16 年法律第 95 号）

　　　　附　　則

　（表示の禁止等に関する経過措置）

第七条　何人も、附則第四条第一項に規定する場合を除くほか、その取り扱う鉱工業品又はその包装、容器若しくは送り状に、旧法第十九条第一項の表示を付し、又はこれと紛らわしい表示を付してはならない。

2 ～ 6　（略）

7　第一項から第四項までの規定に違反した者は、一年以下の懲役又は百万円以下の罰金に処する。

8　（略）

○　一部改正法中に規定される罰則の例（当該一部改正法を別表に明記している例）

［参考］労働者派遣事業の適正な運営の確保及び派遣労働者の保護等に関する法律等の一部を改正する法律（平成 27 年法律第 73 号）

　　　　附　　則

　（特定労働者派遣事業に関する経過措置）

第六条　この法律の施行の際現に旧法第十六条第一項の規定により届出書を提出して特定労働者派遣事業（旧法第二条第五号に規定する特定労働者派遣事業をいう。）を行っている者は、施行日から起算して三年を経過する日までの間（当該期間内に第四項の規定により労働者派遣事業の廃止を命じられたとき、又は新法第十三条第一項の規定により労働者派遣事業を廃止した旨の届出をしたときは、当該廃止を命じられた日又は当

該届出をした日までの間）は、新法第五条第一項の規定にかかわらず、引き続きその事業の派遣労働者（業として行われる労働者派遣の対象となるものに限る。）が常時雇用される労働者のみである労働者派遣事業を行うことができる。その者がその期間内に同項の許可の申請をした場合において、その期間を経過したときは、その申請について許可又は不許可の処分がある日までの間も、同様とする。

2・3　（略）

4　厚生労働大臣は、第一項の規定による労働者派遣事業を行う者が労働者派遣法第六条各号（第五号から第八号までを除く。）のいずれかに該当するとき、又は施行日前に旧法第四十八条第三項の規定による指示を受け、若しくは施行日以後に労働者派遣法第四十八条第三項の規定による指示を受けたにもかかわらず、なお労働者派遣法第二十三条第三項若しくは第二十三条の二の規定に違反したときは当該労働者派遣事業の廃止を、当該労働者派遣事業（二以上の事業所を設けて当該労働者派遣事業を行う場合にあっては、各事業所ごとの当該労働者派遣事業。以下この項において同じ。）の開始の当時旧法第六条第四号から第七号までのいずれかに該当するときは当該労働者派遣事業の廃止を、命ずることができる。

5　（略）

6　前二項の規定による処分に違反した者は、一年以下の懲役又は百万円以下の罰金に処する。

7　（略）

［参考］労働者派遣事業の適正な運営の確保及び派遣労働者の保護等に関する法律等の一部を改正する法律の施行に伴う関係政令の整備及び経過措置に関する政令（平成27年政令第340号）

　（欠格事由等に関する経過措置）

第五条　当分の間、次の表の上欄に掲げる法令の規定を適用する場合においては、これらの規定中同表の中欄に掲げる字句は、それぞれ同表の下欄に掲げる字句とする。

94 　第2編　逐条解説　　第1章　総則

（略）	（略）	（略）
公益通報者保護法別表第八号の法律を定める政令（平成十七年政令第百四十六号）第二百八十一号	昭和六十年法律第八十八号	昭和六十年法律第八十八号）及び労働者派遣事業の適正な運営の確保及び派遣労働者の保護等に関する法律等の一部を改正する法律（平成二十七年法律第七十三号
（略）	（略）	（略）

○　一部改正法中に規定される罰則の例（別表に掲げられた法律の規定として捉える対象ではないと解される例）

［参考］宅地建物取引業法の一部を改正する法律（昭和39年法律第166号）

　　　附　　則

　（経過規定）

8　この法律の施行の際現に宅地建物取引業を営んでいる信託会社及び信託業務を兼営する銀行は、この法律の施行の日から二週間以内に、建設省令の定めるところにより、その旨を建設大臣に届け出なければならない。

9　前項の規定による届出をせず、又は虚偽の届出をした者は、二万円以下の罰金に処する。

オ　政令及び府省令

　別表に掲げる法律に基づく政令・府省令については、

・　法律と政令・府省令は一つの目的の下、一体的に構成されていること

・　対象法律を別表で規定した際に機械的に範囲が決まること

から、これらの政令・府省令に基づくものについては政令等に委任せず、本項で「……に関わる法律として別表に掲げるもの（これらの法律に基づく命令を含む。）」とされ、別表に掲げる法律と同様の扱いとされている。

カ　条例

　本法では、条例に基づく違反行為は「通報対象事実」に含められていない。これは、地域によって保護される通報の範囲に差が生じることは適当ではないと考えられるためである。

(2)　対象行為

ア　趣旨

　本法における保護対象の通報とすることが考えられる事業者の違法・不当な行為としては、

①　刑罰又は過料が科される違法行為

②　行政処分の対象となる違法行為

③　民事法違反（公序良俗違反、不法行為、債務不履行など）

④　不当な行為（各種基本法の努力義務違反など）

が考えられる。

　このうち、「③　民事法違反」や「④　不当な行為」が公益通報の対象となることについては、

・　公序良俗違反や不法行為の範囲は抽象的なものとならざるを得ず、何が公益通報の対象となるのか、利益侵害の事実や因果関係があったのかどうか等について裁判所の判断を仰がなければならないケースが多いため、公益通報に関する予測可能性を害し、法的安定性を損なうと考えられること

・　現行法で規制の対象とされず、努力義務等にとどまっている危険については、リスク評価をめぐって見解が分かれ、公益通報の対象範囲が不明確になること

から、対象範囲とされなかったものである。

　一方、公益通報の対象を、直接刑罰又は過料が科される違法行為のみとした場合、原始法検討の発端となった企業不祥事において企業が違反した当時の法律の規定のうち、

・　不当景品類及び不当表示防止法第4条（不当な表示の禁止）

96　第2編　逐条解説　第1章　総則

[図表2-3]　分野ごとの具体的な対象法律の例

個人の生命・身体の保護	刑法・特別刑法^(※1)	刑法 組織的な犯罪の処罰及び犯罪収益の規制等に関する法律 自動車の運転により人を死傷させる行為等の処罰に関する法律
	商品・サービスの安全の確保に関わる法律^(※2)	食品衛生法 飼料の安全性の確保及び品質の改善に関する法律 医薬品、医療機器等の品質、有効性及び安全性の確保等に関する法律 消費生活用製品安全法 電気用品安全法 有害物質を含有する家庭用品の規制に関する法律 建築基準法 道路運送車両法 道路運送法 医師法
	危険物等の安全の確保に関わる法律^(※3)	消防法 原子力災害対策特別措置法 石油パイプライン事業法 火薬類取締法 高圧ガス保安法 毒物及び劇物取締法 核原料物質、核燃料物質及び原子炉の規制に関する法律 農薬取締法
	特定の属性を有する個人の生命、身体等の保護に関わる法律^(※4)	労働安全衛生法 じん肺法 船員災害防止活動の促進に関する法律 災害対策基本法 急傾斜地の崩壊による災害の防止に関する法律 児童福祉法 老人福祉法 生活保護法

消費者の利益の擁護	商品・サービスの提供方法の規制に関する法律（※5）	金融商品取引法 不当景品類及び不当表示防止法 日本農林規格等に関する法律 食品表示法 計量法 割賦販売法 家庭用品品質表示法 特定商取引に関する法律 住宅の品質確保の促進等に関する法律 産業標準化法 無限連鎖講の防止に関する法律 電気事業法 ガス事業法
	商品・サービスを提供する事業の規制に関する法律（※6）	貸金業法 銀行法 宅地建物取引業法 旅行業法 電気通信事業法 建設業法 商品投資に係る事業の規制に関する法律 弁護士法
環境の保全	公害の防止に関わる法律（※7）	大気汚染防止法 悪臭防止法 振動規制法 水質汚濁防止法 騒音規制法 土壌汚染対策法
	その他環境の保全に関わる法律（※8）	廃棄物の処理及び清掃に関する法律 家畜排せつ物の管理の適正化及び利用の促進に関する法律 使用済自動車の再資源化等に関する法律 海洋汚染等及び海上災害の防止に関する法律 自然環境保全法 風俗営業等の規制及び業務の適正化等に関する法律
公正な競争の確保	公正な競争の確保に関わる法律（※9）	私的独占の禁止及び公正取引の確保に関する法律 下請代金支払遅延等防止法 卸売市場法

98　第2編　逐条解説　第1章　総則

	個人情報等の保護に関わる法律（※10）	個人情報の保護に関する法律 犯罪捜査のための通信傍受に関する法律 不正アクセス行為の禁止等に関する法律
その他	その他消費者以外の者の利益の保護に関わる法律（※11）	著作権法 意匠法 特許法 商標法 実用新案法 種苗法 労働基準法 労働組合法 厚生年金保険法 国民健康保険法 会社法 破産法

※1　個人の生命、身体等の保護に関わる刑法・特別刑法。

※2　食品、医薬品、家庭用品、建築物、自動車、電気、ガス等の商品、及び、旅客サービス、医療サービス等のサービスによる個人の生命又は身体への危害の防止に関わる法律。

※3　危険物等（石油類、電気、ガス類、火薬類、毒物、核燃料物質、化学兵器、放射線、農薬、車両等をいう。）による個人の生命又は身体への危害の防止に関わる法律として、危険物等の取扱い、危険物等を取り扱う事業設備（貯蔵、処理に供する工作物等）、危険物等により生ずる災害の防止、危険物等の提供、危険物等を使用する際に用いる器具等に関わる法律。

※4　労働者、被災者、児童等の特定の属性を有する個人の生命、身体等への危害の防止に関わる法律。

※5　商品・サービスの表示、計量、取引、販売、価格、品質等を規制することで、商品・サービスを提供される者の利益の保護に関わる法律。

※6　事業の開設やサービスを提供する資格に関する規制を行うことで、商品・サービスを提供される者の利益の保護に関わる法律。

※7　大気の汚染、水質の汚濁、土壌の汚染又は悪臭の原因となる物質の排出、騒音又は振動の発生、地盤の沈下の原因となる地下水の採取その他の行為に関する規制を行う法律。

　［参考］環境基本法（平成5年法律第91号）

　　（定義）

　第二条　1・2　（略）

　3　この法律において「公害」とは、環境の保全上の支障のうち、事業活動その他の人の活動に伴って生ずる相当範囲にわたる大気の汚染、水質の汚濁（水質

以外の水の状態又は水底の底質が悪化することを含む。第二十一条第一項第一号において同じ。）、土壌の汚染、騒音、振動、地盤の沈下（鉱物の掘採のための土地の掘削によるものを除く。以下同じ。）及び悪臭によって、人の健康又は生活環境（人の生活に密接な関係のある財産並びに人の生活に密接な関係のある動植物及びその生育環境を含む。以下同じ。）に係る被害が生ずることをいう。

（環境の保全上の支障を防止するための規制）

第二十一条　国は、環境の保全上の支障を防止するため、次に掲げる規制の措置を講じなければならない。

　一　大気の汚染、水質の汚濁、土壌の汚染又は悪臭の原因となる物質の排出、騒音又は振動の発生、地盤の沈下の原因となる地下水の採取その他の行為に関し、事業者等の遵守すべき基準を定めること等により行う公害を防止するために必要な規制の措置

　二～五（略）

2　（略）

※8　法令違反行為によって国民の生命、身体、財産その他の利益への被害が生じることが想定される法律のうち、公害の防止以外の環境の保全に関わるもの。

※9　公正かつ自由な競争の促進その他取引の公正の確保に関する法律。

※10　個人情報等の保護に関わる法律のうち、個人情報等を保護することを直接的な目的としているもの。

※11　知的財産権、労働基本権、年金受給権等の消費者以外の者の利益の保護に関わる法律で、「その他」の「個人情報等の保護に関わる法律」及び「個人の生命・身体の保護」の「特定の属性を有する個人の生命、身体等の保護に関わる法律」に分類されないもの。

※12　下線を付した法律については、本法の別表中に掲げられている。

100 第2編 逐条解説 第1章 総則

- ・ 農林物資の規格化及び品質表示の適正化に関する法律第19条の8（製造業者等が守るべき表示の基準）
- ・ 原子炉等規制法第37条第4項（保安規定遵守義務）

は直接刑罰又は過料が科される違法行為ではなく、主務大臣による命令等によりその実効性を担保しているため、このような規定に違反する事実が本法の対象外となるという問題が生じることとなる。

　本法が企業不祥事を発端として導入が検討されてきたことを踏まえると、通報の対象としては、これらの規定に違反する事実を含めることが必要であると考えられた。

　上記の企業不祥事において問題となった事例を見れば、当該違反行為が直接刑罰又は過料の対象とはならないものの、法律の規定に違反する場合又は規定に基づく基準を遵守しない場合に主務大臣が命令又は指示を行い、さらにその命令等に違反する場合には刑罰又は過料を科すという形により、最終的には刑罰又は過料でその実効性が担保されている。

　これを踏まえ、通報対象事実としては、

① 犯罪行為及び過料対象行為（「過料の理由となる事実」）

に加え、犯罪行為又は過料対象行為となり得る規制違反行為、すなわち、

② 規定違反に対し、行政処分が用意されており、かつ、当該行政処分に違反することが犯罪行為又は過料対象行為である場合における当該規定に違反する事実等（途中段階に他の命令等が介在する場合も含む。）

を含めることとされた。

　なお、規制法違反行為の中でも、公表といった刑罰及び過料以外の対象とされているものは、手続上の義務違反などの軽微な違反行為であるため、本法の対象とはされなかったものである。

　なお、

- ・ 法令は、それぞれの法目的の達成に必要な範囲内で各条項が置かれており、それらが一体となって法目的の達成のために機能していること

・　通報の対象となる法令の規定の範囲については、明確であること
　　と同時に通報者が理解しやすいものである必要があること
から、本法では、通報対象を、対象法律の規定に違反する行為のうち、
国民の利益の保護に関わる規定に違反する行為に限定することはせず、
対象法律中の犯罪行為及び過料対象行為並びに本項第2号に規定する法
令違反行為は全て通報対象とされている。

イ　「犯罪行為の事実」及び「過料の理由とされている事実」

　本項においては、対象法律に規定する罪の「犯罪行為の事実」及び対
象法律に規定する「過料の理由とされている事実」を本制度の公益通報
の対象行為としている（本項第1号）。
　これに該当する事実としては、
　①　対象法律の規定（これらに基づく命令（政令、府省令、告示等）を
　　　含む。）に違反する事実（例えば、基準に適合しない等）で、直接刑
　　　罰又は過料の対象とされている事実
　②　対象法律に基づく行政処分に違反する事実で、直接刑罰又は過料
　　　の対象とされている事実
がある。

ウ　「処分の理由とされている事実」

　公益通報の対象行為については、前記イのとおり、対象法律に規定す
る罪の犯罪行為及び過料の理由とされている事実（本項第1号）を規定
するほか、対象法律において行政処分違反が犯罪行為又は過料対象行為
となる場合において、当該行政処分を行う理由とされている事実であっ
て直接刑罰又は過料が科されないもの（本項第2号）が規定されている。
　具体的には、本項第2号は、「別表に掲げる法律の規定に基づく処分
に違反することが前号に掲げる事実となる場合における当該処分の理由
とされている事実（当該処分の理由とされている事実が同表に掲げる法律の
規定に基づく他の処分に違反し、又は勧告等に従わない事実である場合にお

ける当該他の処分又は勧告等の理由とされている事実を含む。)」と規定され
ている。

　これは、前記イ①及び②の事実に加え、以下の事実をも対象とするも
のである。

　まず、「別表に掲げる法律の規定に基づく処分に違反することが前号
に掲げる事実となる場合における当該処分の理由とされている事実」(本
項第2号本文)とは、前記イ②の行政処分の理由となり得る事実であっ
て、類型としては、

　③　対象法律の規定（これらに基づく命令（政令、府省令、告示等）を
　　含む。)に違反する事実（例えば、基準に適合しない等。)

　④　対象法律の規定に基づく行政処分に違反する事実又は勧告等に従
　　わない事実

　⑤　その他最終的には行政庁が当該行政処分の理由として判断する事
　　実（例えば、「生命又は身体に重大な危険が生じているおそれがあると
　　認めるとき」、「○○のために必要があると認めるとき」等の規定に基づ
　　き行政庁が行政処分の要否を判断する際の基礎となる事実。)

がある。

　さらに、「当該処分の理由とされている事実が同表に掲げる法律の規
定に基づく他の処分に違反し、又は勧告等に従わない事実である場合に
おける当該他の処分又は勧告等の理由とされている事実を含む。」(本項
第2号括弧書き)とは、上記④の行政処分又は勧告等の理由となる事実
を含むことが規定されており、当該事実についても上記③〜⑤の類型が
ある（例えば、対象法律の規定違反に対し勧告　→　当該勧告違反に対し命
令　→　当該命令違反に対し刑罰、というように最終的に犯罪行為となるま
でに二重の行政処分等が行われる場合。)。

　なお、本法においては、犯罪行為の事実（法第21条）及び過料の理由
とされている事実（法第22条）が規定されていることから、法第2条第
3項第1号において「この法律」と規定されており、これらの事実は通
報対象事実となる。一方、本法においては、一定の事実を理由として処

分（命令、取消しその他の公権力の行使に当たる行為をいう。法第2条第1項）をし、当該処分に違反することが犯罪行為の事実又は過料の理由とされる事実となる規定が設けられていないことから、法第2条第3項第2号においては「この法律」と規定されておらず、同号の対象に本法は含まれない。

[図表2-4] 例：食品表示法の義務規定違反

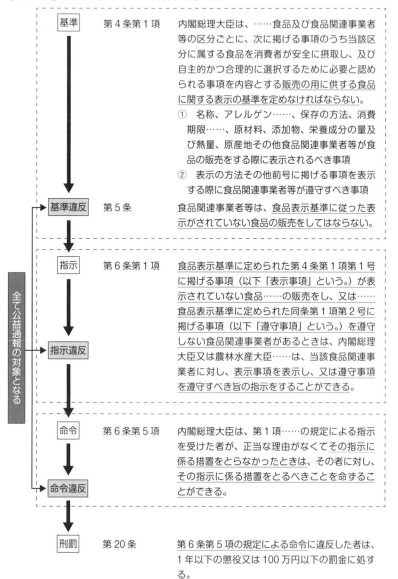

第2条第4項（「行政機関」の定義）　105

第2条第4項（「行政機関」の定義）

> 4　この法律において「行政機関」とは、次に掲げる機関をいう。
> 一　内閣府、宮内庁、内閣府設置法（平成十一年法律第八十九号）第
> 四十九条第一項若しくは第二項に規定する機関、デジタル庁、国家行
> 政組織法（昭和二十三年法律第百二十号）第三条第二項に規定する機
> 関、法律の規定に基づき内閣の所轄の下に置かれる機関若しくはこれ
> らに置かれる機関又はこれらの機関の職員であって法律上独立に権限
> を行使することを認められた職員
> 二　地方公共団体の機関（議会を除く。）

1　本項の概要

　本項は、公益通報を受ける機関としての「行政機関」の範囲を定義す
るものである。

2　本項の趣旨

　公益通報の通報先としては、通報対象事実について処分権限のある行
政機関だけでなく、各法令において通報対象事実について勧告、指示そ
の他の処分に当たらない行為をする権限を有する機関も含めることが適
当である。

　このため、処分権限のある国・地方の行政機関を指す「行政庁」や国
の行政庁を指す「行政官庁」ではなく、次に掲げる「行政機関」が対象
とされたものである。

3　本項の解釈

(1)　国の行政機関

　国の行政機関（本項第1号に掲げる機関）とは、次のア～カの機関をい
い、国会、裁判所、会計検査院、内閣（内閣府、デジタル庁及び復興庁を
除く。）は含まない。

ア 「内閣府、宮内庁、内閣府設置法（平成十一年法律第八十九号）第四十九
　条第一項若しくは第二項に規定する機関」

　内閣府設置法に基づく「内閣府」、宮内庁法に基づく「宮内庁」又は
内閣府設置法の第49条第1項若しくは第2項に規定する機関である
「公正取引委員会」、「国家公安委員会」、「個人情報保護委員会」、「カジ
ノ管理委員会」、「金融庁」及び「消費者庁」を指す。

イ 「デジタル庁」

　デジタル庁設置法に基づく「デジタル庁」を指す。

ウ 復興庁

　復興庁設置法に基づく「復興庁」については、復興庁設置法附則第3
条に基づき、本項第1号の国の行政機関となる。

エ 「国家行政組織法（昭和二十三年法律第百二十号）第三条第二項に規定す
　る機関」

　内閣の所轄の下に行政事務をつかさどる機関として置かれる「省」及
びその外局として置かれる「委員会」及び「庁」をいい、国家行政組織
法の別表第1に列挙されている11省5委員会15庁を指す。

オ 「法律の規定に基づき内閣の所轄の下に置かれる機関」

　国家公務員法第3条に規定される「人事院」がある。

カ 「これらに置かれる機関又はこれらの機関の職員であって法律上独立に権
　限を行使することを認められた職員」

　上記のア～オにこれらの所掌事務を遂行するため又は分掌するために
置かれる機関若しくは部局等（内部部局、地方支分部局、審議会等の合議
制機関のほか、省令等によりこれらに置かれる機関又は部局等）をいう。

　また、これらの組織としての機関のほか、個別の法律において法律上

独立に権限を行使することができるものとして規定される職員については、その旨を別途規定するものである。

具体的には、処分権限を行使する各「行政機関の長」その他の行政庁たる職員（例：警察官、検察官、労働基準監督官、植物防疫官、道路監理員、海上保安官）がこれに該当する。

○　**参照条文**

［参考］内閣府設置法（平成11年法律第89号）

　　　（設置）

　第二条　内閣に、内閣府を置く。

　　　（設置）

　第四十九条　内閣府には、その外局として、委員会及び庁を置くことができる。

　2　法律で国務大臣をもってその長に充てることと定められている前項の委員会には、特に必要がある場合においては、委員会又は庁を置くことができる。

　3　（略）

［参考］宮内庁法（昭和22年法律第70号）

　第一条　内閣府に、内閣総理大臣の管理に属する機関として、宮内庁を置く。

　2　（略）

［参考］国家行政組織法（昭和23年法律第120号）

　　　（行政機関の設置、廃止、任務及び所掌事務）

　第三条　国の行政機関の組織は、この法律でこれを定めるものとする。

　2　行政組織のため置かれる国の行政機関は、省、委員会及び庁とし、その設置及び廃止は、別に法律の定めるところによる。

　3　省は、内閣の統轄の下に第五条第一項の規定により各省大臣の分担管理する行政事務及び同条第二項の規定により当該大臣が掌理する行政事務をつかさどる機関として置かれるものとし、委員会及び庁は、省に、その外局として置かれるものとする。

　4　第二項の国の行政機関として置かれるものは、別表第一にこれを掲げる。

108　第2編　逐条解説　第1章　総則

別表第一（第三条関係）

省	委員会	庁
総務省	公害等調整委員会	消防庁
法務省	公安審査委員会	出入国在留管理庁 公安調査庁
外務省		
財務省		国税庁
文部科学省		スポーツ庁 文化庁
厚生労働省	中央労働委員会	
農林水産省		林野庁 水産庁
経済産業省		資源エネルギー庁 特許庁 中小企業庁
国土交通省	運輸安全委員会	観光庁 気象庁 海上保安庁
環境省	原子力規制委員会	
防衛省		防衛装備庁

［参考］デジタル庁設置法（令和3年法律第36号）

　　　（設置）

　第二条　内閣に、デジタル庁を置く。

［参考］国家公務員法（昭和22年法律第120号）

　　　（人事院）

　第三条　<u>内閣の所轄の下に人事院を置く。</u>人事院は、この法律に定める基準に従つて、内閣に報告しなければならない。

　②〜④　（略）

［参考］復興庁設置法（平成23年法律第125号）

　　　（設置）

　第二条　内閣に、復興庁を置く。

　　　　附　則

　　　（他の法律の適用の特例）

　第三条　復興庁が廃止されるまでの間における次の表の第一欄に掲げる法

律の規定の適用については、同欄に掲げる法律の同表の第二欄に掲げる
規定中同表の第三欄に掲げる字句は、それぞれ同表の第四欄に掲げる字
句とする。

(略)	(略)	(略)	(略)
公益通報者保護法（平成十六年法律第百二十二号）	第二条第四項第一号	デジタル庁	デジタル庁、復興庁
(略)	(略)	(略)	(略)

2・3　（略）

(2)　「地方公共団体の機関」

　「地方公共団体の機関」とは、地方自治法又は個別の法律により地方
公共団体に置かれる執行機関、補助機関、附属機関、分掌機関等をいい、
都道府県知事、市町村長等の行政庁等のほか、個別の法律において規定
される「独立に権限を行使することを認められた職員」も含まれる。た
だし、議会については、国において国会を行政機関に含めていないのと
同様、行政機関たる「地方公共団体の機関」から除かれる。

110　第2編　逐条解説　第2章　公益通報をしたことを理由とする公益通報者の解雇の無効及び不利益な取扱いの禁止等

第2章　公益通報をしたことを理由とする公益通報者の解雇の無効及び不利益な取扱いの禁止等

第3条（解雇の無効）

（解雇の無効）

第三条　労働者である公益通報者が次の各号に掲げる場合においてそれぞれ当該各号に定める公益通報をしたことを理由として前条第一項第一号に定める事業者（当該労働者を自ら使用するものに限る。第九条において同じ。）が行った解雇は、無効とする。

1　本条の概要

　本条は、使用者（法第2条第1項第1号に定める事業者）と労働者である公益通報者が、公益通報をしたことを理由として、当該事業者から指揮命令違反や誠実義務（守秘義務、服務規律など）違反を問われないための保護要件（本条第1号から第3号まで）を明確化し、当該保護要件を満たした公益通報者に対し当該事業者が行った解雇の無効を規定するものである。

　この保護要件として、

① 第1号に、役務提供先等への公益通報（1号通報）に関する保護要件
② 第2号に、権限を有する行政機関等への公益通報（2号通報）に関する保護要件
③ 第3号に、その他の外部通報先への公益通報（3号通報）に関する保護要件

が、それぞれ定められている。

2　本条の趣旨

⑴　保護要件に差を設ける理由

　本法は、公益通報者の保護によって国民の生命、身体、財産などの利

益の保護に関わる法令の遵守を図ろうとするものであるが、これに当たっては、事実に反する通報が権限を有する行政機関等やその他の外部通報先になされることによって事業者が風評被害などを受けないよう配慮することも必要である。このため、本法では、犯罪行為やその他の法令違反行為の通報による公益の実現と、事業者の正当な利益の保護とのバランスを図る観点から、通報先に応じて保護要件に差を設けている。

(2) 無効とする理由

解雇が労働者である公益通報者に与える影響の重大性を考慮すれば、公益に関わる通報という正当な行為を行った公益通報者が一方的に解雇されないよう保護する必要があり、このため、一定の要件を満たす公益通報をしたことを理由とする解雇については、その効力を否定し、無効とすることが適当である。

(3) 罰則が設けられていない理由

民事上の効力の否定のみならず、解雇を禁止した上で違反行為に対する罰則を設けることについて、原始法においては、

- ・ 罰則を設けるかどうかは、その規定によって行おうとする強制の程度等を勘案して決定すべきものと考えられるが、国民生活審議会消費者政策部会報告（平成15年5月28日）においては、「民事ルールを設定すべき」とされ、このルールを罰則により担保すべきとはされなかったこと
- ・ 既存法制において、例えば、原子炉等規制法の従業者による主務大臣への申告制度は、通報者に対する解雇その他不利益な取扱いの禁止を罰則により担保しているが、このような罰則の必要性については、個別法令の実効性確保の観点から個別法令ごとに検討が行われるべきと考えられること

から、本法においては行わないこととされたものである。

また、改正法においても、公益通報者保護制度の実効性の向上に関す

112　第2編　逐条解説　第2章　公益通報をしたことを理由とする公益通報者の解雇の
　　　　無効及び不利益な取扱いの禁止等

る検討会では、裁判による被害の回復には時間、費用、労力が掛かることがあるなど、通報者にとって負担となるため、不利益な取扱い禁止の実効性を高めるためには、不利益な取扱いを行うことにより、かえって被通報事業者が不利益を被る仕組みにする必要があることから、通報を理由とした不利益な取扱いについて罰則規定を導入する必要があるとの意見が多くみられたものの、

- ・　質的な違法性が認められて初めて犯罪になるわけであり抑止力の必要性だけで刑事罰の導入をすることはできない
- ・　不利益な取扱いに関係し得る者は事業者内部の多岐に渡るため、刑事罰を負うべき対象や行為を明確にしなければ事業者内部の大半の者が刑事罰の対象者になりかねない
- ・　行政通報をしたことに対する不利益な取扱いに限って刑事罰を科すべきとの意見、行政による指導、勧告、企業名公表を行い、それでも改善が見られない場合に罰則を科すというやり方がある
- ・　罰則を定めただけでは不十分であり、労働基準監督官のような司法警察官の職務を行える者が必要である

などの意見があったことも踏まえ、今後の検討課題として、行為の可罰性（刑事罰によって保護すべき法益）、刑事罰の対象（行政通報に対する不利益な取扱いのみを対象とするのか）、刑事罰の方式（直罰方式とするか、両罰規定を設けるか）など、構成要件について詳細な検討を要することを確認したものの、罰則を設けることは見送られた（公益通報者保護制度の実効性の向上に関する検討会最終報告書（平成28年12月））。

　なお、英国の「公益開示法（Public Interest Disclosure Act 1998）」においても罰則は設けられていない。

○　参照条文

［参考］核原料物質、核燃料物質及び原子炉の規制に関する法律（昭和32年
　　　　法律第166号）
　　　（原子力規制委員会に対する申告）
　第六十六条　原子力事業者等（外国原子力船運航者を除く。以下この条に

おいて同じ。）がこの法律又はこの法律に基づく命令の規定に違反する事
実がある場合においては、原子力事業者等の従業者は、その事実を原子
力規制委員会に申告することができる。

2　原子力事業者等は、前項の申告をしたことを理由として、その従業者
に対して解雇その他不利益な取扱いをしてはならない。

第七十八条　次の各号のいずれかに該当する者は、一年以下の懲役若しく
は百万円以下の罰金に処し、又はこれを併科する。

一～二十七の四　（略）

二十八　第六十六条第二項の規定に違反した者

二十九～三十二　（略）

3　労働契約法との関係

⑴　労働契約法第16条（解雇）と公益通報

　民法（第627条第1項）では期間の定めのない雇用における解雇は自
由とされているが、判例により「解雇権濫用の法理」が確立しており、
「使用者（事業者）の解雇権の行使も、それが客観的に合理的な理由を
欠き社会通念上相当として是認することができない場合には、権利の濫
用として無効になると解するのが相当である。」（最高裁第二小法廷昭和
50年4月25日判決）とされている。

　また、労働契約法第16条においても、この判例法理と同趣旨の規定
が置かれている。

　公益通報者の解雇に関する裁判においても、事業者が就業規則に基づ
いて行った懲戒解雇や普通解雇が権利の濫用に当たるかどうかが争点と
され、この解雇権濫用法理を基準として判断がなされてきているところ
である。

　もっとも、労働契約法第16条が解雇無効の要件として定めている
「客観的に合理的な理由を欠き、社会通念上相当であると認められない
場合」という要件は権利濫用に関する一般条項であるため、本条項のみ
では、公益通報をしたことを理由とする解雇が当該要件に該当するか否
かが必ずしも明確でなく、事前の予測が困難であると考えられる。

114 第2編 逐条解説 第2章 公益通報をしたことを理由とする公益通報者の解雇の
無効及び不利益な取扱いの禁止等

このため、本法は、公益通報者の解雇について具体的かつ明確な解雇無効の要件を定めることにより、公益に関わる通報という正当な行為をしようとする労働者の保護を図ろうとするものである。

具体的に、本法と労働契約法第16条との差異は次のとおりである。

[図表2-5] 本法と労働契約法の解雇無効の要件の差異

労働契約法第16条で定める要件	本法で定める要件
◎解雇が、客観的に合理的な理由を欠き、社会通念上相当であると認められない場合。	◎解雇の理由が公益通報をしたことであること。
	◎不正の目的の通報ではないこと。 ◎事業者の外部への通報については、通報内容の真実相当性等の保護要件を満たしていること。

○ 参照条文

[参考] 民法（明治29年法律第89号）

(期間の定めのない雇用の解約の申入れ)

第六百二十七条 当事者が雇用の期間を定めなかったときは、各当事者は、いつでも解約の申入れをすることができる。この場合において、雇用は、解約の申入れの日から二週間を経過することによって終了する。

2・3 （略）

[参考] 労働契約法（平成19年法律第128号）

(解雇)

第十六条 解雇は、客観的に合理的な理由を欠き、社会通念上相当であると認められない場合は、その権利を濫用したものとして、無効とする。

○ 解雇権の濫用について判断した判例

[参考] 最高裁第二小法廷昭和50年4月25日判決（日本食塩製造事件）

「使用者の解雇権の行使も、それが客観的に合理的な理由を欠き社会通念上相当として是認することができない場合には、権利の濫用として無効になると解するのが相当である。」

(2) 本条（解雇の無効）の趣旨

　本法では、公益通報をしたことは解雇の「合理的な理由」とならないことを明確化するとともに、

- ・　労働者である公益通報者が事業者と信義誠実の関係にあることから、通報の目的が「不正の目的でない」こと
- ・　権限を有する行政機関等への通報については、①通報によって生じ得る事業者の利益（名誉・信用など）侵害に対して、故意・過失がないこととして、通報内容の「真実相当性」を満たすこと、又は、②通報対象事実が生じ、若しくはまさに生じようとしていると思料し、かつ、法第3条第2号に掲げる事項を記載した書面の提出を必要とすること
- ・　その他の外部通報先への通報については、通報の内容が外部に公開されるため、通報によって事業者の利益が侵害されるおそれがあることから、「不正の目的でなく」、通報内容の「真実相当性」を満たすことに加え、外部に通報することが相当と認められる要件を必要とすること（法第3条第3号参照）
- ・　ただし、権限を有する行政機関等への通報については、行政機関はその他の外部通報先とは異なり、守秘義務・調査権限を有することから、事業者の正当な利益が不当に害されるおそれはないため、その他の外部通報先よりも保護要件を緩和すること

など、通報先に応じた具体的かつ明確な保護要件を設定し、当該要件を満たす公益通報者の保護を図るものである。

　なお、本条に定める要件に該当しない通報については、労働契約法第16条は適用されないとの解釈を避けるため、この趣旨を確認的に法第8条第2項に規定されている（詳細については法第8条の解説を参照。）。

4　立証責任

　民事訴訟においては、一定の法律効果を主張する者が主張立証責任を負うことが原則であり、本制度においても、この原則に従って、基本的

には、保護を受けようとする労働者等が主張立証責任を負うことになる。

本法においては、この原則を踏まえつつ、通報対象事実の範囲、保護要件等をできるだけ明確化することにより、労働者等の立証負担の軽減を図ることとされている。

なお、実際の労働関係の裁判においては、労働者と事業者との立証能力の格差を踏まえて適切な主張立証責任の分配が行われているところであり、公益通報をめぐる裁判においても同様の取扱いがなされ、通報者は、労働者として通常知り得る範囲内で、「通報対象事実があると信ずるに足りる相当の理由」等の要件を立証すれば足りるものと考えられる。

○　**解雇に関する立証責任についての政府見解**

［参考］労働基準法の一部を改正する法律案に関する質問主意書（第156回国会（常会）（衆）城島正光（民））及びその答弁書

　（質問主意書）

　　三　同条（第18条の2）の解釈・適用に関して、労働者が解雇されその効力を争って労働契約上の地位確認請求訴訟を提起した場合の要件事実と証明責任の分配は、①労働者側の請求原因は、労働契約の締結、②使用者側の抗弁は、解雇の意思表示、③労働者側の再抗弁は、解雇が客観的に合理的な理由を欠き、社会通念上相当であると認められないこと、と解釈・適用される可能性はないか。

　（答弁書）

　　三について

　　　二についてで述べたとおり、第十八条の二におけるお尋ねの部分は、解雇が客観的に合理的な理由を欠き、社会通念上相当であると認められない場合にその解雇を無効とするという解雇の法律効果の発生を障害する法律効果を有するものとして規定したものである。したがって、解雇が客観的に合理的な理由を欠き、社会通念上相当であると認められないことを基礎付ける事実については、労働者側に主張立証責任があるものと考えられる。

　　　もっとも、現行法下においても、解雇が客観的に合理的な理由を欠き社会通念上相当であると認められないことを基礎付ける事実の主張立証責任は労働者側にあるものと解されてきたのであるから、最高裁判決の判旨を踏まえて第十八条の二を規定したことによって、主張立証責任の所在が変わることはないものと考えている。

また、政府としては、解雇の効力が争われ、労働契約上の地位の確認を求める訴訟において、現実に、当事者にどのような主張立証活動を行わせるかは、裁判実務上の取扱いであると認識しているが、第十八条の二は、これまで判例法理として裁判実務に定着していたものを法律上規定するものであり、現在の取扱いを変更することを意図したものではない。

○　関連決議

[参考] 衆議院厚生労働委員会　労働基準法の一部を改正する法律案に対する附帯決議（平成 15 年 6 月 4 日）

　一　労働契約の終了が雇用労働者の生活に著しい影響を与えること等を踏まえ、政府は、本法の施行に当たり、次の事項について適切な措置及び特段の配慮を行うべきである。

　　1　本法における解雇ルールの策定については、最高裁判所判決で確立した解雇権濫用法理とこれに基づく民事裁判実務の通例に則して作成されたものであることを踏まえ、解雇権濫用の評価の前提となる事実のうち圧倒的に多くのものについて使用者側に主張立証責任を負わせている現在の裁判上の実務を変更するものではないとの立法者の意思及び本法の精神の周知徹底に努めること。

[参考] 衆議院消費者問題に関する特別委員会　公益通報者保護法の一部を改正する法律案に対する附帯決議（令和 2 年 5 月 21 日）

　八　本法附則第五条に基づく検討に当たっては、行政処分等を含む不利益取扱いに対する行政措置の導入、立証責任の緩和、退職者の期間制限の在り方、通報対象事実の範囲等について検討を加え、その結果に基づいて必要な措置を講ずること。

[参考] 参議院地方創生及び消費者問題に関する特別委員会　公益通報者保護法の一部を改正する法律案に対する附帯決議（令和 2 年 6 月 5 日）

　十三　本法附則第五条に基づく検討に当たっては、行政処分等を含む不利益取扱いに対する行政措置・刑事罰の導入、立証責任の緩和、退職者の期間制限の在り方、通報対象事実の範囲、取引先等事業者による通報、証拠資料の収集・持ち出し行為に対する不利益取扱い等について、諸外国における公益通報者保護に関する法制度の内容及び運用実態を踏まえつつ検討を加え、その結果に基づいて必要な措置を講ずること。

118　第2編　逐条解説　第2章　公益通報をしたことを理由とする公益通報者の解雇の
無効及び不利益な取扱いの禁止等

第3条第1号（役務提供先等への公益通報（内部公益通報／1号通報）の保護要件）

> 一　通報対象事実が生じ、又はまさに生じようとしていると思料する場
> 合　当該役務提供先等に対する公益通報

1　本号の概要

　本号は、労働者である公益通報者が、その役務提供先又はその役員、
従業員等に通報対象事実が生じ、又はまさに生じようとしている旨を、
当該役務提供先等に公益通報（内部公益通報／1号通報）をしたことを理
由として使用者が行った解雇の無効を定めるものである。

2　本号の趣旨

　使用者の指揮命令下に置かれる労働者である公益通報者は、その役務
提供先等に公益通報をした場合であっても、指揮命令違反等を理由とし
て解雇されることが考えられる（例えば、直接の上司を飛び越えて社長に
通報をした場合）。

　このため、本号は、役務提供先等への公益通報をしたことを理由とし
た使用者による解雇から保護される要件を明確化するものである。

　これにより、労働者である公益通報者が不当な解雇を恐れることなく
公益通報をすることが可能となり、事業者が法令違反行為を早期に把握
し、自浄作用を発揮することができるなど、事業者の法令遵守の確保に
寄与することが期待される。

3　本号の解釈
(1)　「生じ、又はまさに生じようとしている」

　「生じ、又はまさに生じようとしている」については、法第2条第1
項の解説を参照。

(2) 「思料する場合」

本条第2号（権限を有する行政機関等への公益通報の保護要件）においては「信ずるに足りる相当の理由がある場合」又は同号に掲げる事項を記載した「書面を提出する場合」と規定し、第3号（その他の外部通報先への公益通報の保護要件）においては「信ずるに足りる相当の理由がある場合」と規定し、真実相当性等が保護の要件とされているのに対し、本号（役務提供先等への公益通報の保護要件）では「思料する場合」と規定し、保護される要件が緩和されている。

その理由は、次のとおりである。

- 公益通報者が通報対象事実の当事者である役務提供先等に公益通報をしただけでは通報内容が外部に流布されることはなく、公益通報によって使用者の利益と密接に関わる当該役務提供先の名誉・信用が毀損されるなど使用者の正当な利益が不当に侵害されるおそれはないと考えられること
- 「公益通報」の定義（法第2条第1項）により、公益通報は不正の目的でないことが要件とされており、このような誠実な通報に対して指揮命令違反を問うことは適当でないと考えられること

なお、公益通報が役務提供先の従業員等の犯罪行為やその他の法令違反行為を内容としている場合、その内容が真実でないときには、従業員等の名誉や信用が毀損されるなど、その正当な利益が不当に害されるおそれがあるとの考え方があるが、次の理由により「真実相当性」を要件としない。

- 事業者にとっては、犯罪行為やその他の法令違反行為が放置されるよりも、その初期段階で通報を受ける方がメリットがあると考えられること
- 「役務提供先」又は「役務提供先があらかじめ定めた者」に対する通報であれば、通報の内容が事業者の外部に広く流布するわけではないこと
- 通報を受けた事業者は、通報内容について社内で必要な調査を行

い得ることから、通報が相当の理由に基づくものでなくても、犯罪行為やその他の法令違反行為を行ってない被通報者が事業者から不利益な取扱いを受けるおそれは低いこと

・　不正の目的の通報は公益通報とはならないため、真実相当性を要件としなくても、このような通報については抑止力が働くと考えられること

・　犯罪に関する捜査機関への告発（刑事訴訟法第239条）については、「犯罪があると思料するとき」に告発が認められており、これと比較してもバランスを欠くとは考えられないこと

○　**参照条文**

［参考］刑事訴訟法（昭和23年法律第131号）

　　第二百三十九条　何人でも、犯罪があると思料するときは、告発をすることができる。

　　②　官吏又は公吏は、その職務を行うことにより犯罪があると思料するときは、告発をしなければならない。

　　第二百四十一条　告訴又は告発は、書面又は口頭で検察官又は司法警察員にこれをしなければならない。

　　②　検察官又は司法警察員は、口頭による告訴又は告発を受けたときは調書を作らなければならない。

⑶　役務提供先との間に資本関係がある事業者

　役務提供先と通報先との間に資本関係がある場合、例えば、親会社とその子会社の関係にある場合の考え方については以下のとおりである。

　子会社の従業員が子会社で行われた法令違反行為を通報する場合、本法では、法令違反の事実を直接調査・是正し得るのは、当該法令違反行為が行われた事業者（子会社）であるとの考えから、当該子会社への通報を内部公益通報と位置付けている。このため、親会社に通報する場合は、外部公益通報に当たり、外部公益通報の要件を満たさなければ保護の対象とならないところである。

　もっとも、グループ会社全体で統一的な通報対応の仕組みを整備・運

第3条第1号（役務提供先等への公益通報（内部公益通報／1号通報）の保護要件）　121

用している場合等において、親会社が設けている通報窓口を子会社が通報先として「あらかじめ定めた」（法第2条第1項）場合には、役務提供先等への通報として保護の対象となる。

122　第2編　逐条解説　第2章　公益通報をしたことを理由とする公益通報者の解雇の無効及び不利益な取扱いの禁止等

第3条第2号（権限を有する行政機関等への公益通報（2号通報）の保護要件）

> 二　通報対象事実が生じ、若しくはまさに生じようとしていると信ずるに足りる相当の理由がある場合又は通報対象事実が生じ、若しくはまさに生じようとしていると思料し、かつ、次に掲げる事項を記載した書面（電子的方式、磁気的方式その他人の知覚によっては認識することができない方式で作られる記録を含む。次号ホにおいて同じ。）を提出する場合　当該通報対象事実について処分又は勧告等をする権限を有する行政機関等に対する公益通報
> 　イ　公益通報者の氏名又は名称及び住所又は居所
> 　ロ　当該通報対象事実の内容
> 　ハ　当該通報対象事実が生じ、又はまさに生じようとしていると思料する理由
> 　ニ　当該通報対象事実について法令に基づく措置その他適当な措置がとられるべきと思料する理由

1　本号の概要

　本号は、公益通報者が、その役務提供先又はその役員、従業員等に通報対象事実が生じ、又はまさに生じようとしている旨を、当該通報対象事実について権限を有する行政機関等に公益通報（2号通報）をしたことを理由として使用者が行った解雇の無効を規定するものである。

2　本号の趣旨

　第1号の役務提供先等への公益通報の場合と異なり、事業者の外部への公益通報については、真実でない通報等によって役務提供先や従業員等の正当な利益が不当に害される可能性がある。行政機関等も事業者の外部の主体であることから、行政機関等への公益通報の保護要件（本号）について、その他の外部通報先への公益通報の保護要件（本条第3号）と同様に設定することも考えられる。

　しかし、権限を有する行政機関等に対する通報は、その他の外部通報

先への通報と異なり、法の適正な執行のために制度上当然に予定されているものであり、例外的な場合に限って保護されることとすることは適切でないと考えられたことから、権限を有する行政機関等への公益通報については、その他の外部通報先への公益通報よりも保護要件を緩和することとされたものである。

○　行政機関等に対する通報について判断した原始法施行前の裁判例
［参考］大阪地裁平成 9 年 7 月 14 日決定（医療法人毅峰会事件）
　　「債権者が……大阪府の社会保険管理課に債務者の不正な保険請求を申告して行政指導を要請した行為につき、債務者は、内部に問題があればまず内部において話し合いをすべきであるという業務命令に違反していると主張する。しかし、病院の違法行為を知った病院職員が内部告発することを業務命令で禁ずることはできない」
［参考］広島地裁平成 13 年 3 月 28 日判決（学校法人古沢学園事件）
　　「通商産業大臣に対する内容証明郵便についても、これは乙山理事長から出席簿等の書き直しを指示されたことを伝えるものであるところ、乙山理事長がかかる指示をして書き直され、これを中国通商産業局に提出したことは到底正当な行為とは評価し得ないのであるから、原告が上司等被告内部の者に相談することなく直接通商産業大臣に対して上記内容証明郵便を送付したとしても、格別不当な行為であったということはできない。」

3　本号の解釈
⑴　「信ずるに足りる相当の理由」

　本条第 1 号（役務提供先等への公益通報の保護要件）では「思料する場合」と規定されているのに対し、本号では通報内容の真実相当性（「信ずるに足りる相当の理由」）が保護の要件の一つとされている。

　これは、公益通報によって役務提供先等の正当な利益が不当に害されないようにするため、事業者の外部への公益通報については、単なる憶測や伝聞等ではなく誤信したことについての相当の資料や根拠が必要との考え方によるものである。

　ここで「信ずるに足りる相当の理由がある場合」とは、例えば、通報対象事実について、単なる憶測や伝聞等ではなく、通報内容を裏付ける

内部資料等がある場合や関係者による信用性の高い供述がある場合など、相当の根拠がある場合をいう。

○ **名誉毀損の民事上の違法性阻却事由について判断した判例**

［参考］最高裁第一小法廷昭和41年6月23日判決

　　「民事上の不法行為たる名誉毀損については、その行為が<u>公共の利害に関</u><u>する事実に係りもつぱら公益を図る目的に出た場合</u>には、摘示された事実が真実であることが証明されたときは、右行為には違法性がなく、不法行為は成立しないものと解するのが相当であり、もし、右事実が真実であることが証明されなくても、その行為者において<u>その事実を真実と信ずるに</u><u>ついて相当の理由があるとき</u>には、右行為には故意もしくは過失がなく結局、<u>不法行為は成立しない</u>ものと解するのが相当である（このことは、刑法二三〇条の二の規定の趣旨からも十分窺うことができる。）。」

○ **行政機関等に対する通報に際して相当の慎重さが必要とした裁判例**

［参考］宮崎地裁延岡支部平成10年6月17日判決（延岡学園事件）

　　「原告は、本件申入書の提出が、県にとっては、一方当事者である本件組合の学園における教育条件の不備・問題点についての主張にすぎず、注意喚起程度の意味しか有していないとも主張するが、労働組合のいわゆる情報宣伝活動一般と一定の法的効果ないし社会的意味合いを有する公的機関に対する申入れとは質的に異なるものであって、相当の慎重さが要求されてしかるべきである。」

(2) **「通報対象事実が生じ、若しくはまさに生じようとしていると思料し、かつ、次に掲げる事項を記載した書面を提出」**

　本号では通報内容の真実相当性に加え、通報対象事実が生じ、又はまさに生じようとしていると思料し、かつ、本号に掲げる事項を記載した書面を提出する場合における通報も保護の対象とされている。

　本保護要件は、改正法により新たに追加された要件であるが、その背景としては、

　　・　原始法の施行後に発覚した企業不祥事において、事業者に対する通報制度の機能不全が指摘されているなど、事業者に対する通報のみにより不正行為の是正を図ることには、一定の限界がある

　　・　権限を有する行政機関に対する通報は、法令の適正な執行のため

第3条第2号（権限を有する行政機関等への公益通報（2号通報）の保護要件）　125

に制度上当然に予定されたものであるとともに、不正行為の是正について有効であり、かつ、事業者の外部に対する通報の中では比較的事業者に損害を与えるおそれも小さいことから、不正行為の是正を強化するためには、これまで以上に行政機関に対する通報を活用していくことが必要である

・　真実相当性の要件が一定の抽象性を有しているために、権限を有する行政機関に対する通報に消極的になっている者がいると考えられる事例や、真実相当性を満たさないと考えられる通報を端緒として不正行為が是正される事例がみられる

・　真実相当性を満たすために証拠・資料を持ち出すことにより、懲戒処分や損害賠償請求を受けるおそれがある

などの事情を踏まえ、権限を有する行政機関に対する通報を活用するため、権限を有する行政機関に対する通報について保護の対象が拡大された。

　本保護要件は、平成27年4月に施行された行政手続法の規定による処分等の求め（行政手続法第36条の3。以下「処分等の求め」という。）を踏まえて設けられた。すなわち、処分等の求めは、不正行為に関する情報の行政機関への提供という点で、権限を有する行政機関に対する通報と関連する制度であるところ、処分等の求めについては、

・　「法令に違反する事実がある場合において、その是正のためにされるべき処分又は行政指導がされていないと思料する」ときに行うことができることとされており、真実相当性までは必要とされていないこと（行政手続法第36条の3第1項）

・　下記の事項を記載した申出書を提出しなければならないこと（行政手続法第36条の3第2項）

①　申出をする者の氏名又は名称及び住所又は居所（第1号）

②　法令に違反する事実の内容（第2号）

③　当該処分又は行政指導の内容（第3号）

④　当該処分又は行政指導の根拠となる法令の条項（第4号）

⑤ 当該処分又は行政指導がされるべきであると思料する理由（第5号）

⑥ その他参考となる事項（第6号）

などを踏まえ、真実相当性を要件とせずに、法第3条第2号イからニまでに定める事項を記載した書面を提出した場合についても2号通報として保護することとされた。

なお、行政手続法第36条の3第2項第2号の「法令に違反する事実の内容」及び同項第5号の「当該処分又は行政指導がされるべきであると思料する理由」については、当該申出を受けた行政庁又は行政機関が必要な調査を行う義務を負うことになるため、合理的な根拠をもって客観的にその旨が考えられる理由が具体的に記載されている必要があるところ、法第3条第2号ロ及びハについても同様に、合理的な根拠に基づく客観的かつ具体的な記載が求められる。

仮に法第3条第2号ロ及びハについて、合理的な根拠に基づき客観的かつ具体的に記載されていなかった場合は、当該通報を受けた行政機関は、「公益通報者の氏名又は名称及び住所又は居所」（法第3条第2号イ）の記載を求めていることにより公益通報者と連絡を取り、補正を求めることができる。単なる憶測や伝聞のみに基づく通報については、こうした補正の求めを受けたとしても、通報対象事実の内容を抽象的に示すにとどまったり、当該通報対象事実が生じ、又はまさに生じようとしていると考える合理的な根拠を示すことができなかったりするため、法第3条第2号ロ及びハに該当せず、2号通報としては保護されないこととなる。

また、2号通報を行う公益通報者は、行政機関において、国民の生命、身体、財産その他の利益が害されることを防止するために、当該法令に基づく措置その他適当な措置がとられることを期待しており、単なる憶測や伝聞のみに基づく通報でなければ、当該法令に基づく措置その他適当な措置がとられるべきと思料する理由についても、合理的な根拠をもって客観的に示すことができるものと考えられるので、当該通報対象

事実について法令に基づく措置その他適当な措置がとられるべきと思料する理由の記載が保護の要件とされている（法第3条第2号ニ）。

　なお、通報対象事実に対してどのような措置をとるかについては、権限を有する行政機関が判断すれば足りることから、具体的な処分等をする義務を行政庁等に負わせる処分等の求めとは異なり、行政手続法第36条の3第2項第3号及び第4号に規定する「当該処分又は行政指導の内容」及び「当該処分又は行政指導の根拠となる法令の条項」に相当する事項の記載は、保護の要件とはされていない。

(3) 「当該通報対象事実について処分又は勧告等をする権限を有する行政機関等」

　本法において、行政機関等に公益通報をする場合、行政機関が通報内容について法的な権限に基づく調査を行い、事実の有無を確認し、当該事実がある場合にはその是正を行うことが可能でなければ、当該公益通報に対処することができないことから、「処分又は勧告等をする権限を有する行政機関等」が通報先とされている。したがって、このような調査権限や是正権限を有しない行政機関等は通報先に含められていない。

　なお、通報者が処分又は勧告等をする権限を有しない行政機関に誤って通報した場合であっても、本法は、そのような場合、当該行政機関は権限を有する行政機関を通報者に教示しなければならないこととされている（詳細については法第14条の解説を参照。）。

4　告発との関係

　法第2条第1項の「通報対象事実について処分若しくは勧告等をする権限を有する行政機関等」には、犯罪行為に対する捜査又は公訴の提起の権限を有する検察官、検察事務官及び司法警察職員が含まれることとなるため、刑事訴訟法第239条第1項の告発との関係が問題となる。

　両者は、

　　・　刑事訴訟法の告発が、捜査機関に対し犯罪事実を申告して、その

訴追を求める意思表示であり、処罰を求める意思表示が必要であるとされるのに対し、

・　本法においては、処罰を求める意思表示は必要ない一方、犯罪行為やその他の法令違反行為の事実について権限を有する行政機関等に対する公益通報をした公益通報者が保護される要件として、

①　不正の目的でないこと（法第2条第1項）

②　通報内容の真実相当性又は一定の事項を記載した書面の提出（法第3条第2号）

などが必要とされており、

その目的や内容を異にしているところであり、本法は刑事訴訟法の告発に何らの影響を及ぼすものではない。

　なお、刑事訴訟法の告発が本法の公益通報の要件を満たす場合には、解雇は本法によって無効となるが、本法の要件を満たさない告発についても、解雇権濫用の法理（労働契約法第16条）に照らして、解雇の合理性等が判断され、解雇が無効となり得るものである。

○　**参照条文**

［参考］刑事訴訟法（昭和23年法律第131号）

　第二百三十九条　何人でも、<u>犯罪があると思料するときは</u>、告発をすることができる。

②　官吏又は公吏は、その職務を行うことにより犯罪があると思料するときは、告発をしなければならない。

　第二百四十一条　告訴又は告発は、書面又は口頭で検察官又は司法警察員にこれをしなければならない。

②　検察官又は司法警察員は、口頭による告訴又は告発を受けたときは調書を作らなければならない。

［参考］労働契約法（平成19年法律第128号）

　（解雇）

　第十六条　<u>解雇は</u>、客観的に合理的な理由を欠き、社会通念上相当であると認められない場合は、その権利を濫用したものとして、<u>無効とする</u>。

○ **告発に際して相当の資料を確認する必要があると判断した裁判例**

［参考］仙台地裁平成9年7月15日判決（学校法人栴檀学園（東北福祉大学）
事件）

「告発は、被告発人等の名誉を損なうおそれがある行為であるから、告発
を行う者は、犯罪の嫌疑をかけるのに相当な合理的資料があることを確認
すべき注意義務を負うものというべきである。」

130　第2編　逐条解説　第2章　公益通報をしたことを理由とする公益通報者の解雇の無効及び不利益な取扱いの禁止等

第3条第3号（その他の外部通報先への公益通報（3号通報）の保護要件）

三　通報対象事実が生じ、又はまさに生じようとしていると信ずるに足りる相当の理由があり、かつ、次のいずれかに該当する場合　その者に対し当該通報対象事実を通報することがその発生又はこれによる被害の拡大を防止するために必要であると認められる者に対する公益通報

イ　前二号に定める公益通報をすれば解雇その他不利益な取扱いを受けると信ずるに足りる相当の理由がある場合

ロ　第一号に定める公益通報をすれば当該通報対象事実に係る証拠が隠滅され、偽造され、又は変造されるおそれがあると信ずるに足りる相当の理由がある場合

ハ　第一号に定める公益通報をすれば、役務提供先が、当該公益通報者について知り得た事項を、当該公益通報者を特定させるものであることを知りながら、正当な理由がなくて漏らすと信ずるに足りる相当の理由がある場合

ニ　役務提供先から前二号に定める公益通報をしないことを正当な理由がなくて要求された場合

ホ　書面により第一号に定める公益通報をした日から二十日を経過しても、当該通報対象事実について、当該役務提供先等から調査を行う旨の通知がない場合又は当該役務提供先等が正当な理由がなくて調査を行わない場合

ヘ　個人の生命若しくは身体に対する危害又は個人（事業を行う場合におけるものを除く。以下このヘにおいて同じ。）の財産に対する損害（回復することができない損害又は著しく多数の個人における多額の損害であって、通報対象事実を直接の原因とするものに限る。第六条第二号ロ及び第三号ロにおいて同じ。）が発生し、又は発生する急迫した危険があると信ずるに足りる相当の理由がある場合

1　本号の概要

　本号は、公益通報者が、役務提供先又はその役員、従業員等に通報対象事実が生じ、又はまさに生じようとしている旨を、「その者に対し当

第3条第3号（その他の外部通報先への公益通報（3号通報）の保護要件）　　131

該通報対象事実を通報することがその発生又はこれによる被害の拡大を防止するために必要であると認められる者」（その他の外部通報先）に公益通報（3号通報）をしたことを理由として使用者が行った当該公益通報者の解雇が無効となる場合の要件を規定するものである。

2　本号の趣旨

　本法は、できるだけ具体的な要件を掲げることにより、通報が保護されるか否かの予測可能性を高め、通報者を保護する場合を明確化することによって通報者保護を図ろうとするものである。

　なお、一般的な保護要件を設けることは、個別の通報が保護されるのか否かについての予測可能性を害し、いたずらに紛争を惹起するおそれがあり、通報者の不利益となりかねない。このため、本法では一般的な保護要件は設けられなかったところである。

○　その他の外部通報先への通報について判断した原始法施行前の裁判例

［参考］東京地裁平成9年5月22日判決（首都高速道路公団事件）

　　「従業員が職場外で新聞に自己の見解を発表等することであっても、これによって企業の円滑な運営に支障をきたすおそれのあるなど、企業秩序の維持に関係を有するものであれば、例外的な場合を除き、従業員はこれを行わないようにする誠実義務を負う一方、使用者はその違反に対し企業秩序維持の観点から懲戒処分を行うことができる。……例外的な場合とは、当該企業が違法行為等社会的に不相当な行為を秘かに行い、その従業員が内部で努力するも右状態が改善されない場合に、右従業員がやむなく監督官庁やマスコミ等に対し内部告発を行い、右状態の是正を行おうとする場合等をいうのであり、このような場合には右企業の利益に反することとなったとしても、公益を一企業の利益に優先させる見地から、その内容が真実であるか、あるいはその内容が真実ではないとしても相当な理由に基づくものであれば、右行為は正当行為として就業規則違反としてその責任を問うことは許されないというべきである。」

［参考］東京高裁平成14年4月17日判決（群英学園（解雇）事件）

　　「マスコミの報道による甚大かつ回復困難な影響を考えると、仮に不正経理問題が合理的な根拠のある事実であったとしても、分別も備えた年齢に達した社会人であり、控訴人に雇用されて予備校とはいえ教育に携わり、

しかも幹部職員でもあった被控訴人らであってみれば、控訴人の事業規模、活動地域……に照らし、そのような事実の公表が控訴人の経営に致命的な影響を与えることに簡単に思い至ったはずであるから、まずは控訴人内において運営委員会、職員会議……、評議委員会、役員会あるいは理事会等の内部の検討諸機関に調査検討を求める等の手順を踏むべきであり、こうした手順を捨象していきなりマスコミ等を通じて外部へ公表するなどという行為は、控訴人との雇用契約において被控訴人らが負担する信頼関係に基づく誠実義務に違背するものであり許されないものというべきである。」

〔参考〕富山地裁平成17年2月23日判決（トナミ運輸事件）

「内部告発方法の妥当性についてみると、原告が最初に告発した……報道機関は本件ヤミカルテルの是正を図るために必要な者といいうるものの、告発に係る違法な行為の内容が不特定多数に広がることが容易に予測され、少なくとも短期的には被告に打撃を与える可能性があることからすると、労働契約において要請される信頼関係維持の観点から、ある程度被告の被る不利益にも配慮することが必要である。」

「しかし、他方、本件ヤミカルテル及び違法運賃収受は、被告が会社ぐるみで、さらには被告を含む運送業界全体で行われていたもので……このような状況からすると、管理職でもなく発言力も乏しかった原告が、仮に本件ヤミカルテルを是正するために被告内部で努力したとしても、被告がこれを聞き入れて本件ヤミカルテルの廃止等のために何らかの措置を講じた可能性は極めて低かったと認められる。」

「このような被告内部の当時の状況を考慮すると、原告が十分な内部努力をしないまま外部の報道機関に内部告発したことは無理からぬことというべきである。したがって、内部告発の方法が不当であるとまではいえない。」

3　本号の解釈

(1)　「信ずるに足りる相当の理由」

その他の外部通報先への公益通報の結果、役務提供先の正当な利益（名誉・信用など）が不当に害されるおそれがあることから、単なる憶測等ではなく、公益通報者に故意又は過失がなく、通報対象事実が生じ、又はまさに生じようとしていると「信ずるに足りる相当の理由」があること（真実相当性）が要件とされている。

第3条第3号（その他の外部通報先への公益通報（3号通報）の保護要件）　133

　ここで「信ずるに足りる相当の理由がある場合」とは、例えば、通報の事実について、単なる伝聞等ではなく通報内容を裏付ける内部資料等がある場合や関係者による信用性の高い供述がある場合など、相当の根拠がある場合をいう。

○　**名誉毀損の民事上の違法性阻却事由について判断した判例**

［参考］最高裁第一小法廷昭和41年6月23日判決

　「民事上の不法行為たる名誉毀損については、その行為が公共の利害に関する事実に係りもっぱら公益を図る目的に出た場合には、摘示された事実が真実であることが証明されたときは、右行為には違法性がなく、不法行為は成立しないものと解するのが相当であり、もし、右事実が真実であることが証明されなくても、その行為者においてその事実を真実と信ずるについて相当の理由があるときには、右行為には故意もしくは過失がなく、結局、不法行為は成立しないものと解するのが相当である（このことは、刑法二三〇条の二の規定の趣旨からも十分窺うことができる。）。」

⑵　「次のいずれかに該当する場合」

　その他の外部通報先に公益通報をすることが相当と認められる要件として、イからヘまでの要件が設けられている。

　労働者である公益通報者が使用者に対して負う誠実義務との関係上、公益通報者は使用者の利益と密接に関わる役務提供先の利益を不当に侵害しないよう配慮して行動する必要がある。

　しかし、役務提供先等（事業者内部）や権限を有する行政機関等に公益通報をすれば公益通報者が不当に解雇その他不利益な取扱いを受けるおそれや公益通報者を特定させる事項を故意に漏らすおそれがある場合や役務提供先等（事業者内部）に公益通報をしても犯罪行為やその他の法令違反行為の是正が期待し得ない場合には、誠実義務を履行することを要求しつつ犯罪行為やその他の法令違反行為を是正することは困難であり、その他の外部通報先に公益通報をすることを許容することが相当と考えられたため、イからホまでの要件のいずれかを満たす場合には、その他の外部通報先への公益通報が認められている。

また、個人の生命・身体に危害や個人の財産に回復不能な損害等が発生する急迫した危険がある場合には、速やかに当該危険を排除する必要性が高いことから、への要件を満たす場合には、その他の外部通報先に公益通報をすることが認められている。

イ　役務提供先等又は権限を有する行政機関等に公益通報をすれば不利益な取扱いを受ける場合

> イ　前二号に定める公益通報をすれば解雇その他不利益な取扱いを受けると信ずるに足りる相当の理由がある場合

役務提供先等（本条第1号）又は権限を有する行政機関等（第2号）に公益通報をすれば使用者から解雇その他不利益な取扱いを受けると信ずるに足りる相当の理由がある場合には、その他の外部通報先への公益通報を保護することが適当である。

なお、過去に役務提供先等に公益通報をした結果、証拠が隠滅され、不利益な取扱いを受けたようなケースは、ロに掲げる「証拠隠滅等のおそれがある場合」にも該当すると考えられるが、イは「公益通報をすることによって公益通報者が不利益な取扱いを受ける場合」、ロは「証拠隠滅等のおそれがある場合」という異なる側面を捉えているため、別の要件として掲げることとされたものである。

「不利益な取扱いを受けると信ずるに足りる相当の理由」は、個別の事案ごとに判断する必要があり一概にいえないものの、例えば、

・　過去に不祥事について役務提供先等に通報をした従業員が不利益な取扱いを受けたケースが実際にあった場合

・　社内規程に通報者に対する不利益な取扱いの禁止や通報者の秘密の保護について明記されていないなど、法定指針及び指針の解説等に沿った、実効性のある内部公益通報制度が整備・運用されていない場合

・　犯罪行為やその他の法令違反行為の実行又は放置について経営者

の関与がうかがわれる場合

・ 社内の多数の者が犯罪行為やその他の法令違反行為に関与している場合

・ 既に発生している犯罪行為やその他の法令違反行為が重大であるため、それが明らかとなることによって経営陣の処分につながるなどの事業者に対する極めて大きな影響がある場合

などの場合には、役務提供先等に通報をすれば解雇その他不利益な取扱いを受けると信ずるに足りる相当の理由があると考えられる。

ロ 役務提供先等に公益通報をすれば証拠隠滅等のおそれがある場合

> ロ 第一号に定める公益通報をすれば当該通報対象事実に係る証拠が隠滅され、偽造され、又は変造されるおそれがあると信ずるに足りる相当の理由がある場合

当該役務提供先等に公益通報をすれば証拠が隠滅されるなどのおそれがあると信ずるに足りる相当の理由がある場合には、当該役務提供先に通報しても犯罪行為やその他の法令違反行為の是正が期待できないばかりか、かえって、証拠隠滅等のおそれがあるため、その他の外部通報先への公益通報を保護することが適当である。

「通報対象事実に係る証拠が隠滅され、偽造され、又は変造されるおそれがあると信ずるに足りる相当の理由」は、個別の事案ごとに判断する必要があり一概にいえないものの、例えば、

・ 過去に役務提供先等になされた通報について、証拠が隠滅されたケースが実際にあった場合

・ 犯罪行為やその他の法令違反行為の実行又は放置について証拠を保有している者や経営者の関与がうかがわれる場合

・ 社内の多数の者が犯罪行為やその他の法令違反行為に関与している場合

・ 既に発生している犯罪行為やその他の法令違反行為が重大である

ため、それが明らかとなることによって経営陣の処分につながるなどの事業者に対する極めて大きな影響がある場合

などの場合には、証拠隠滅等のおそれがあると信ずるに足りる相当の理由があると考えられるほか、

- ・ 重要な証拠が適切に管理されていないなど、証拠隠滅等を行おうとすれば容易に行い得る状況にある
- ・ 社内規程に通報処理に従事する者の利益相反関係の排除や通報に関する情報共有範囲の限定について明記されていないなど、法定指針及び指針の解説等に沿った、実効性のある内部公益通報制度が整備・運用されていない
- ・ 事業者に不利益な事実について、虚偽の報告・公表や不利益な部分を恣意的に伏せた報告・公表がなされたケースが実際にあった

などの事情は、証拠隠滅等のおそれがあると信ずるに足りる相当の理由の有無を判断する際の考慮事情になり得ると考えられる。

ハ 役務提供先等に公益通報をすれば公益通報者を特定させる事項を漏らすおそれがある場合

> ハ 第一号に定める公益通報をすれば、役務提供先が、当該公益通報者について知り得た事項を、当該公益通報者を特定させるものであることを知りながら、正当な理由がなくて漏らすと信ずるに足りる相当の理由がある場合

役務提供先等（本条第1号）又は権限を有する行政機関等（第2号）に公益通報をすれば、公益通報者を特定させる事項を故意に漏らすと信ずるに足りる相当の理由がある場合には、その他の外部通報先への公益通報を保護することが適当である。

「公益通報をすれば」とは、同条第3号ロと同じく、「公益通報を契機として」との意味であり、例えば、公益通報を受け、それについて調査を行う場合等が含まれる。

「公益通報者を特定させるもの」とは、例えば、公益通報者の氏名や役務提供先での内線番号のほか、役務提供先での女性従業員が一人である場合には、公益通報者が女性であることも含まれる（法第12条の解説参照）。

「公益通報者を特定させるものであることを知りながら」とは、過失による漏えいを除外するために規定されたものであり、「当該事項が公益通報者を特定させるものに該当することを認識していながら」という意味である。例えば、ある部署の女性従業員が一人であることを認識していながら、当該部署の女性従業員から公益通報があったことを伝えた場合は、本要件に該当するものと考えられる。他方、ある部署における横領について公益通報があった場合に、当該部署の経理を担当する者は一人のみであり、同人しか当該横領が発生したことを知り得ないにもかかわらず、当該部署の経理担当が一人のみであることを知らなかったため、当該部署から横領についての公益通報があったことを伝えたときは、本要件に該当しないものと考えられる。

「正当な理由」がある場合とは、例えば、公益通報者本人の同意がある場合や法令に基づく場合、重大な不正行為について調査・是正措置を実施するに当たってやむを得ない場合等が該当する（法第12条の解説参照）。

「漏らす」とは、一般に知られていない事実を一般に知らしめること、又は知らしめるおそれのある行為をすることをいう。その漏らす方法については、文書であると口頭であるとを問わず、また、積極的な行為、すなわち作為であると漏えいの黙認、すなわち不作為であるとを問わない。さらに、公益通報者を特定させる事項を漏らす対象は、不特定多数の人々である場合はもちろん、特定の人を対象とした場合であっても、その者を通じて広く流布されるおそれがある以上、漏えいに該当することになる。よって、上司、同僚等の他の労働者に知らせること等も、「漏らす」に該当することとなる（法第12条の解説参照）。

また、3号通報に関しては、通報先が秘密保持義務を負っているとは

限らず、その通報内容が瞬時に拡散してしまうおそれがあることから、その保護要件は一定程度客観性・明確性を有している必要があるため、漏えいのおそれについては、真実相当性を要件としている。この場合における真実相当性は、個別の事案ごとに判断する必要があり一概にいえないものの、例えば、過去に不正行為の調査・是正措置の過程で公益通報者の氏名等が正当な理由なくて当該調査・是正措置の対象者に伝えられた事案が実際に発生したにもかかわらず、適切な再発防止策がとられていない場合等は本要件に該当するものと考えられる。

　なお、法第３条第３号イに規定する「前二号に定める公益通報をすれば解雇その他不利益な取扱いを受けると信ずるに足りる相当な理由がある場合」とは、例えば、ある不正行為について事業者内部に公益通報をした同僚が、その通報をしたことを理由に降格された場合など、公益通報をしたことを理由に公益通報者が不利益な取扱いを受ける場合を意味し、労働者から公益通報を受けた事業者が、公益通報をしたことを理由として公益通報者を特定させる事項（通報者の氏名等の情報）を意図的に事業者内部に漏えいする場合も、そのような漏えいの発生につき真実相当性があれば、同号イに規定する「前二号に定める公益通報をすれば解雇その他不利益な取扱いを受けると信ずるに足りる相当な理由がある場合」に該当し、３号通報が保護の対象となる。

　他方、公益通報をしたことを理由としたものではないが、調査の過程等において、公益通報者を特定させる事項であることを知りながら（意図的に）、当該事項を漏らされることにより、公益通報者が特定され、嫌がらせ等の不利益な取扱いの契機となるおそれがあるものの、この場合は、公益通報をしたことを理由としたものではないため、法第３条第３号イに定める場合に該当しないものの、報道機関等のその他の外部通報先に対する通報として保護する必要があるため、本号ハが規定されたものである。

二 役務提供先等又は権限を有する行政機関等に公益通報をしないことを要求された場合

> 二 役務提供先から前二号に定める公益通報をしないことを正当な理
> 由がなくて要求された場合

役務提供先から、役務提供先等（本条第1号）又は権限を有する行政機関等（第2号）に公益通報をしないことを正当な理由がなくて要求されるなど、これらへの通報が制限されている場合には、当該役務提供先に通報しても犯罪行為やその他の法令違反行為の是正が期待できないばかりか、通報をすれば不利益な取扱いや証拠隠滅等のおそれが考えられるため、その他の外部通報先への公益通報を保護することが適当である。

例えば、

- ・ 上司から、役務提供先の通報対象事実について、正当な理由がなくて、役務提供先等の通報窓口又は権限を有する行政機関等へ通報をすることを口止めされた場合
- ・ 社内規程で権限を有する行政機関等を含む事業者の外部への通報が一律に禁止されている場合
- ・ 社内調査によって通報対象事実の存在が明らかになったにもかかわらず、正当な理由がなくて、会社の方針として権限を有する行政機関等への報告及び公表を行わないことを決定した場合

などの場合には、「前二号に定める公益通報をしないことを正当な理由がなくて要求された場合」に該当し得ると考えられる。

○ **労働者が事業者の外部へ通報をすることを禁じることはできないとした裁判例**

［参考］大阪地裁平成9年7月14日決定（医療法人毅峰会事件）

「債権者が……大阪府の社会保険管理課に債務者の不正な保険請求を申告して行政指導を要請した行為につき、債務者は、内部に問題があればまず内部において話し合いをすべきであるという業務命令に違反していると主張する。しかし、病院の違法行為を知った病院職員が内部告発することを業務命令で禁ずることはできない」

140 第2編 逐条解説 第2章 公益通報をしたことを理由とする公益通報者の解雇の
無効及び不利益な取扱いの禁止等

(ｱ) 「正当な理由」

　ここでいう「正当な理由」としては、例えば、通報対象事実がまさに
生じようとしていた事案について既に改善措置がとられていたり、通報
対象事実が生じた事案について会社として所管の行政機関への報告が既
に適正に行われていたりする場合などが考えられる。

ホ　役務提供先等に公益通報をしても調査が開始されない場合

> 　ホ　書面により第一号に定める公益通報をした日から二十日を経過し
> 　ても、当該通報対象事実について、当該役務提供先等から調査を行
> 　う旨の通知がない場合又は当該役務提供先等が正当な理由がなくて
> 　調査を行わない場合

　役務提供先等に公益通報をしてから相当期間経過しても、当該役務提
供先等が犯罪行為やその他の法令違反行為を是正する見込みがない場合
については、その他の外部通報先への公益通報を保護することが適当と
考えられる。

　国民生活審議会消費者政策部会報告書「21世紀型の消費者政策の在
り方について」（平成15年5月28日）においても、「当該労働者が事業
者内部又は行政機関に当該問題を通報した後、相当の期間内に通報の対
象となった事業者の行為について適当な措置がなされない場合」が要件
の一つとして掲げられていたところである。

　しかし、
・　犯罪行為やその他の法令違反行為の内容、程度等によってその是
　　正を図るのに要する期間は様々であるため、本制度において一律に
　　是正を図るべき具体的期間を定めることは困難と考えられること
・　逆に、「相当期間」との規定では、事業者と通報者との間で解釈
　　に差異が生じ、制度運用が混乱するおそれがあることから、できる
　　だけ客観的かつ具体的な基準を規定することが望ましいこと
という点にも配慮する必要がある。

第3条第3号（その他の外部通報先への公益通報（3号通報）の保護要件）　141

このため、本法では、公益通報者から公益通報を受けた犯罪行為やその他の法令違反行為の是正に向けて、事業者にその意思がないと客観的に認められる場合、具体的には、「書面により第一号に定める公益通報をした日から二十日を経過しても、当該通報対象事実について、当該役務提供先等から調査を行う旨の通知がない場合」が規定されたものである。

　(ア)　「書面により」

　「書面により」とする理由は、仮に、口頭による公益通報を本号の対象に含めた場合、公益通報をしたことについて証拠が残らないため、事業者が「公益通報がされていない」と否認した場合に紛争が生じるおそれがあることを踏まえ、後日紛争が生じることのないように、公益通報者が書面により公益通報をした場合に限るものである。なお、「書面」は、電子的方式、磁気的方式その他人の知覚によっては認識することができない方式で作られる記録を含む（法第3条第2号）。

　(イ)　「公益通報をした日から二十日」

　必要な期間を20日とする理由は、内部公益通報後、「調査を行う旨の通知」までの期間については、事業者側の責任者が通報内容に目を通し、調査が必要かどうかの判断をした上で、通報者に通知するという手続が必要となるが、責任者の不在、通報時期など様々な事情が生じ得ることも考慮して20日は必要とされたものである。

　なお、この20日の計算については、到達主義の原則（民法第97条第1項）の類推適用により書面による公益通報が事業者に到達した時を基準とし、期間の計算に関する初日不算入の原則（民法第140条）に従い初日を算入しない。そのため、この期間は、到達した日の翌日から起算して20日目の終了をもって満了することになる。

142　第2編　逐条解説　第2章　公益通報をしたことを理由とする公益通報者の解雇の
無効及び不利益な取扱いの禁止等

○　参照条文

［参考］民法（明治29年法律第89号）

（意思表示の効力発生時期等）

第九十七条　意思表示は、その通知が相手方に到達した時からその効力を
生ずる。

2・3　（略）

第百四十条　日、週、月又は年によって期間を定めたときは、期間の初日
は、算入しない。ただし、その期間が午前零時から始まるときは、この
限りでない。

㈦　「調査を行う旨の通知」

「調査を行う旨の通知」については、例えば、既に調査が終わってい
て、改めて調査を行う必要がないような場合には、「調査を行った旨の
通知」をすることで代えることができる。

なお、「調査を行う旨の通知」が要件とされた趣旨は、通報者に対し
て事業者の外部へ通報するかどうかの判断の機会を与えるためであるか
ら、匿名通報のため通知ができない場合や通報者があらかじめ通知を不
要としていたような場合などには、調査を行う旨の通知がなかったこと
を理由に、その他の外部通報先に公益通報をしたとしても、本法による
保護を受けることはできないと考えられる。

㈡　「当該役務提供先等が正当な理由がなくて調査を行わない場合」

役務提供先等が調査を行う旨の通知をしたものの、実際には一向に調
査を開始しない場合や、調査を開始しただけで後は放置している場合も、
当該役務提供先が犯罪行為やその他の法令違反行為を是正する見込みが
ないことから、その他の外部通報先への公益通報を保護することが適当
と考えられる。このため、「当該役務提供先等が正当な理由がなくて調
査を行わない場合」を併せて定めるものである。

なお、本号ホは、役務提供先等が内部公益通報後20日以内に「調査
を行う旨の通知」をすることを求めるものであるが、20日以内に調査を

第3条第3号（その他の外部通報先への公益通報（3号通報）の保護要件）　143

行うことまで求めるものではない。これは、犯罪行為やその他の法令違
反行為の内容、程度等によって調査を開始するに当たっての準備や調査
自体に要する期間は様々であるため、本法において一律に具体的期間を
定めることは困難と考えられるためである。

　「正当な理由」がある場合とは、例えば、

・　通報前に既に調査を行っており当該事実がないことが明らかであ
　る場合

・　過去の事案で当時の事実関係を調べる方法がないことが判明した
　場合

などが該当する。

ヘ　個人の生命・身体に危害又は個人の財産に回復不能な損害等が発生し、又は発生の危険がある場合

> 　ヘ　個人の生命若しくは身体に対する危害又は個人（事業を行う場合
> 　におけるものを除く。以下このヘにおいて同じ。）の財産に対する
> 　損害（回復することができない損害又は著しく多数の個人における
> 　多額の損害であって、通報対象事実を直接の原因とするものに限る。
> 　第六条第二号ロ及び第三号ロにおいて同じ。）が発生し、又は発生
> 　する急迫した危険があると信ずるに足りる相当の理由がある場合

(ｱ)　「個人の生命若しくは身体に対する危害……が発生し、又は発生
　する急迫した危険があると信ずるに足りる相当の理由がある場合」

　個人の生命若しくは身体に対する危害が発生し、又は発生する急迫し
た危険がある場合、

・　役務提供先等への公益通報を通じて犯罪行為やその他の法令違反
　行為の是正を図る猶予がない場合があると考えられること

・　個人の生命又は身体への危害の防止は、事業者の正当な利益の保
　護と比較しても特に重大な公益であること

から、国民への被害の未然防止・拡大防止を図るため、その他の外部通

報先への公益通報を保護することが適当である。

なお、事業活動による国民への被害の発生を防止することは、本来、事業者にとっても利益となるものであることなどから、この場合の公益通報は、労働者が使用者に対して負っている誠実義務に違反するものではないと考えられる。

「個人の生命若しくは身体に対し危害……が発生し、又は発生する急迫した危険があると信ずるに足りる相当の理由がある場合」としては、例えば、安全基準を満たさないことを示すデータがある場合や、基準違反による欠陥が原因で実際に危害事故が生じた場合などが考えられる。

㈠ 「個人（事業を行う場合におけるものを除く。以下このへにおいて同じ。）の財産に対する損害（回復することができない損害又は著しく多数の個人における多額の損害であって、通報対象事実を直接の原因とするものに限る。第六条第二号ロ及び第三号ロにおいて同じ。）が発生し、又は発生する急迫した危険があると信ずるに足りる相当の理由がある場合」

原始法では、「財産の被害」は、生命・身体への危害と異なって一般的に回復し難い損害とはいえず、事業者の正当な利益の保護と比較して特に重大な公益とまではいえないと考えられるため、要件に含まれていなかった。

しかし、財産の被害であっても、

・ 事業者が破産したため、個人に回復することができない財産上の損害が生じた事案がみられるところ、このように事後の損害回復ができない事案は、その発生・拡大の防止の緊急性が高い

・ 消費者の財産に対する損害は、その損害について最終的に回復可能であったとしても、その者の生活にとっては無視できない影響を生じさせ得る

・ 同種の損害が拡散的に多発するなどの状況に発展することがあり、社会全体に与える影響に鑑みると、その規模等が著しいものは、そ

の発生・拡大の防止の緊急性が高い

・　著しく多数の個人に対して多額の財産的損害が生じた事例もみられるところ、こうした損害は、事業者と消費者との間の情報の格差等から、内部者からの情報がないと実態把握をすることが困難な場合がある

ことから、報道機関等のその他の外部通報先に対する通報を活用し、重大な財産的損害の未然防止及び拡大防止や適切な回復を強化するため、改正法では、生命又は身体への危害と同様に、財産に対する一定の損害について、3号通報として保護することとされた。

　　a　「事業を行う場合におけるものを除く。」

　生命又は身体に対する危害とは異なり、財産に対する損害については、個人であっても事業を行う場合は、その案件に関する情報や交渉力を一定程度有しており、自ら訴えを提起するなどして損害回復を図ることが困難とはいえないことから、除外されている。

　　b　「回復することができない損害」

　「回復することができない損害」とは、事業者の賠償責任によってその損害が償われないような場合のほか、事業者との取引が海外を経由していたり、事業者の財産が海外にあったりするなどの事情により費用や手数等からみて回復が相当困難な場合も含むものと考えられる。

　　c　「著しく多数の個人における多額の損害」

　多数の個人における財産に対する損害に関しては、当該損害に係る通報対象事実について権限を有する行政機関等への2号通報や、消費者安全法に基づく多数消費者財産被害事態についての勧告・命令等の制度が設けられており、安易にその他の外部通報先への3号通報を認めるのは適当でないところ、損害の広がり及び大きさが著しいものについては、事業者の正当な利益と比較してもその発生・拡大の防止の緊急性が高い

ため、通報対象事実の発生・拡大の防止に資する手段を可能な限り幅広く認めることが適当である。他方、著しく多数の個人の損害であっても、個々の個人の損害が少額にとどまる場合は、事後的な回復がなされれば消費者の生活に対して実質的な影響を与えないため、その他の外部通報先への3号通報を認める必要性は小さい。

そこで、

・「著しく多数」とは、被害拡散型の不法行為を念頭に設けられた民事再生法や会社更生法の職権選任制度において、1,000人単位に被害者数が及ぶ場合を想定して「著しく多数」の語が用いられている例を踏まえ、基本的には1,000人程度であれば該当する

・「多額」とは、近年の一般労働者の賃金（男女計）が30万円程度であり、この程度の金額よりも低額であれば、事後的に回復がなされれば消費者の生活に対して与える実質的な影響は小さいと考えられることを踏まえ、数十万円程度であれば該当する

と考えられる。

○　**参照条文**

［参考］消費者安全法（平成21年法律第50号）

　　（定義）

第二条　（略）

2〜4　（略）

5　この法律において「消費者事故等」とは、次に掲げる事故又は事態をいう。

　一・二　（略）

　三　前二号に掲げるもののほか、虚偽の又は誇大な広告その他の消費者の利益を不当に害し、又は消費者の自主的かつ合理的な選択を阻害するおそれがある行為であって政令で定めるものが事業者により行われた事態

6・7　（略）

8　この法律において「多数消費者財産被害事態」とは、第五項第三号に掲げる事態のうち、同号に定める行為に係る取引であって次の各号のいずれかに該当するものが事業者により行われることにより、多数の消費

第3条第3号（その他の外部通報先への公益通報（3号通報）の保護要件）　147

者の財産に被害を生じ、又は生じさせるおそれのあるものをいう。

一　消費者の財産上の利益を侵害することとなる不当な取引であって、事業者が消費者に対して示す商品、役務、権利その他の取引の対象となるものの内容又は取引条件が実際のものと著しく異なるもの

二　前号に掲げる取引のほか、消費者の財産上の利益を侵害することとなる不当な取引であって、政令で定めるもの

（事業者に対する勧告及び命令）

第四十条　（略）

2・3　（略）

4　内閣総理大臣は、多数消費者財産被害事態が発生した場合（当該多数消費者財産被害事態による被害の拡大又は当該多数消費者財産被害事態と同種若しくは類似の多数消費者財産被害事態の発生（以下この条において「多数消費者財産被害事態による被害の発生又は拡大」という。）の防止を図るために実施し得る他の法律の規定に基づく措置がある場合を除く。）において、多数消費者財産被害事態による被害の発生又は拡大の防止を図るため必要があると認めるときは、当該多数消費者財産被害事態を発生させた事業者に対し、消費者の財産上の利益を侵害することとなる不当な取引の取りやめその他の必要な措置をとるべき旨を勧告することができる。

5　内閣総理大臣は、前項の規定による勧告を受けた事業者が、正当な理由がなくてその勧告に係る措置をとらなかった場合において、多数消費者財産被害事態による被害の発生又は拡大の防止を図るため特に必要があると認めるときは、当該事業者に対し、その勧告に係る措置をとるべきことを命ずることができる。

6〜8　（略）

［参考］民事再生法（平成11年法律第225号）

（裁判所による代理委員の選任）

第九十条の二　裁判所は、共同の利益を有する再生債権者が著しく多数である場合において、これらの者のうちに前条第二項の規定による勧告を受けたにもかかわらず同項の期間内に代理委員を選任しない者があり、かつ、代理委員の選任がなければ再生手続の進行に支障があると認めるときは、その者のために、相当と認める者を代理委員に選任することができる。

2〜6　（略）

148　第2編　逐条解説　第2章　公益通報をしたことを理由とする公益通報者の解雇の
　　　無効及び不利益な取扱いの禁止等

［参考］会社更生法（平成14年法律第154号）

　　（裁判所による代理委員の選任）

　第百二十三条　裁判所は、共同の利益を有する更生債権者等又は株主が著
　　しく多数である場合において、これらの者のうちに前条第二項の規定に
　　よる勧告を受けたにもかかわらず同項の期間内に代理委員を選任しない
　　者があり、かつ、代理委員の選任がなければ更生手続の進行に支障があ
　　ると認めるときは、当該者のために、相当と認める者を代理委員に選任
　　することができる。

　2～6　（略）

　　　d　「通報対象事実を直接の原因とするもの」

　回復することができない損害及び著しく多数の個人における多額の損
害については、「通報対象事実を直接の原因とするもの」に限る。これは、
特段の事象を介在させることなく、通報対象事実により財産に対する損
害が生じる場合を意味するものである。

　すなわち、様々な国民の利益に対する損害は、金銭的な評価が不可能
ではないため、単に個人の財産に対する損害を特定事由とした場合には、
ほぼあらゆる損害が個人の財産に対する損害に該当するとして、特定事
由となるおそれがある。この場合、いたずらに事業者内部の情報が流出
することになり、事業者の正当な利益の保護に欠けることとなることか
ら、特段の事象を介在させることなく、通報対象事実により財産に対す
る損害が生じる場合に限る。

　例えば、表示と異なる劣悪な商品を提供している場合は、特段の事情
を介在させることなく、表示から理解される商品の価値と実際の劣悪な
商品の価値の間に差額が生じているため、保護の対象に該当することに
なる。また、様々な不祥事が発覚した際に生じる株主の株価の下落によ
る損害等の全てについて、保護の対象とすることは適当でないものの、
例えば、有価証券報告書の虚偽記載が発覚し株価が下落した場合は、投
資家の株価判断の重要な前提となる株式に関する基本的な事項の記載を
偽るものであるため、特段の事象を介在させることなく、株価の下落を

第3条第3号（その他の外部通報先への公益通報（3号通報）の保護要件）　149

招くことから、保護の対象に該当する。

　他方、例えば、事業者の幹部が執務時間中に性的な暴行をしたことが発覚し、当該事業者の社会的な信用が低下し、株価が下落した場合は、社会的な評価の下落という特段の事情が介在した上で、株価の下落という財産に対する損害が生じたこととなるため、保護の対象に該当しない。

　なお、経営判断の誤りにより株価が下落した場合は、経営判断の誤りは法令違反ではなく通報対象事実に該当しないため、そもそも保護の対象となる余地はない。

4　役務提供先等への公益通報の保護要件（本条第1号）及び権限を有する行政機関等への公益通報の保護要件（本条第2号）との関係

　本号に規定するその他の外部通報先への公益通報の保護要件を満たしている場合には、役務提供先等（事業者内部）への公益通報（本条第1号）や権限を有する行政機関等への公益通報（本条第2号）の保護要件も満たしていることから、その他の外部通報先へ公益通報をせずに役務提供先等や権限を有する行政機関等に公益通報をすることや役務提供先等や行政機関等に同時に公益通報をする場合も保護の対象となる。

150　第2編　逐条解説　　第2章　公益通報をしたことを理由とする公益通報者の解雇の無効及び不利益な取扱いの禁止等

第4条（労働者派遣契約の解除の無効）

（労働者派遣契約の解除の無効）

第四条　第二条第一項第二号に定める事業者（当該派遣労働者に係る労働者派遣の役務の提供を受けるものに限る。以下この条及び次条第二項において同じ。）の指揮命令の下に労働する派遣労働者である公益通報者が前条各号に定める公益通報をしたことを理由として第二条第一項第二号に定める事業者が行った労働者派遣契約（労働者派遣法第二十六条第一項に規定する労働者派遣契約をいう。）の解除は、無効とする。

1　本条の概要

　本条は、派遣労働者である公益通報者が、その派遣先（その役員、従業員等を含む。）に通報対象事実が生じ、又はまさに生じようとしている旨を、法第3条各号の規定に基づき、当該派遣先、権限を有する行政機関等又はその他の外部通報先に公益通報をしたことを理由として、当該派遣先が行った労働者派遣契約の解除の無効を規定するものである。

2　本条の趣旨

　労働者派遣契約は、派遣元事業主と派遣先との間の契約であり、労働者派遣契約の終了が、派遣労働者である公益通報者の雇用関係の終了に直ちに結びつくものではない。

　しかし、派遣労働者の場合、派遣先において就業するのは、労働者派遣契約に基づくものであり、労働者派遣契約の終了は、少なくとも、当該派遣先における就業の終了につながることから、実体的に、雇用関係の終了に結びつくことが考えられる。

　このため、本条は、公益通報をする派遣労働者の雇用の安定を確保し、本法の実効性を図る観点から、派遣労働者が法第3条各号に定める要件に該当する公益通報をしたことを理由として、派遣先が行った労働者派遣契約の解除を無効とするものである。

　本条は、このように労働者派遣契約の解除を制限することにより、派

遣労働者の派遣先における就業の安定を図り、もって当該派遣労働者の
保護に資するものである。

3 本条の解釈

(1) 「無効とする」

労働者派遣契約は、派遣元事業主と派遣先との間の契約であり、本条
は、派遣先が労働者派遣契約を解除した場合に、当該解除の無効を主張
できる旨を規定するものである。

また、本条はこれらの行為の違法性を明確化していることから、本条
に違反する労働者派遣契約の解除により損害を被った場合には、民法上
の債務不履行又は不法行為として、派遣先に対し損害賠償の請求をする
こともできる。

○ **参照条文**

［参考］労働者派遣事業の適正な運営の確保及び派遣労働者の保護等に関する
法律（昭和60年法律第88号）

（契約の解除等）

第二十七条　労働者派遣の役務の提供を受ける者は、派遣労働者の国籍、
信条、性別、社会的身分、派遣労働者が労働組合の正当な行為をしたこ
と等を理由として、労働者派遣契約を解除してはならない。

（指導及び助言等）

第四十八条　厚生労働大臣は、この法律（第三章第四節の規定を除く。第
四十九条の三第一項、第五十条及び第五十一条第一項において同じ。）の
施行に関し必要があると認めるときは、労働者派遣をする事業主及び労
働者派遣の役務の提供を受ける者に対し、労働者派遣事業の適正な運営
又は適正な派遣就業を確保するために必要な指導及び助言をすることが
できる。

2・3　（略）

152　第2編　逐条解説　　第2章　公益通報をしたことを理由とする公益通報者の解雇の
　　　　　　　　　　　　無効及び不利益な取扱いの禁止等

第5条（不利益取扱いの禁止）

（不利益取扱いの禁止）

第五条　第三条に規定するもののほか、第二条第一項第一号に定める事業
　者は、その使用し、又は使用していた公益通報者が第三条各号に定める
　公益通報をしたことを理由として、当該公益通報者に対して、降格、減
　給、退職金の不支給その他不利益な取扱いをしてはならない。
2　前条に規定するもののほか、第二条第一項第二号に定める事業者は、
　その指揮命令の下に労働する派遣労働者である公益通報者が第三条各号
　に定める公益通報をしたことを理由として、当該公益通報者に対して、
　当該公益通報者に係る労働者派遣をする事業者に派遣労働者の交代を求
　めることその他不利益な取扱いをしてはならない。
3　第二条第一項第四号に定める事業者（同号イに掲げる事業者に限る。
　次条及び第八条第四項において同じ。）は、その職務を行わせ、又は行
　わせていた公益通報者が次条各号に定める公益通報をしたことを理由と
　して、当該公益通報者に対して、報酬の減額その他不利益な取扱い（解
　任を除く。）をしてはならない。

1　本条の概要

　本条は、事業者が、公益通報者が法第3条各号の保護要件を満たす公
益通報をしたことを理由として、公益通報者に対して不利益な取扱いを
することの禁止を規定するものである。

2　本条の趣旨

(1)　労働者に対する不利益取扱いの禁止（第1項）

　本項は、労働者を自ら使用する事業者が、その使用し、又は使用して
いた公益通報者が法第3条各号の保護要件を満たす公益通報をしたこと
を理由として、当該公益通報者に対して、法第3条において無効とされ
る解雇以外にも、降格、減給その他不利益な取扱いをしてはならない旨
を明らかにするものである。

(2) 派遣労働者に対する不利益取扱いの禁止 (第2項)

　派遣労働者は派遣先の指揮命令下に置かれることから、派遣労働者が法第3条各号に定める公益通報をした場合、派遣先の指揮命令に違反したこと等を理由に、不利益な取扱いを受ける可能性があることから、本項は、このような派遣労働者である公益通報者に対する不利益な取扱いを禁止するものである。

(3) 役員に対する不利益取扱いの禁止 (第3項)

　役員が法第6条各号に定める公益通報をした場合、不利益な取扱いを受ける可能性があることから、本項は、このような役員である公益通報者に対する不利益な取扱いを禁止するものである。

3　本条の解釈

(1) 「使用していた公益通報者」

　「使用していた公益通報者」とは公益通報者であって通報後に退職した者のことである。

　このような者については労働契約関係が終了しているため、通常は、元使用者から不利益な取扱いを受けることはないが、元使用者に退職金支給制度がある場合などには、公益通報をした場合の不利益な取扱いとして、退職金を減額されることなどが考えられる。

(2) 「不利益な取扱い」

　使用者と「労働契約関係」にある公益通報者が、法第3条各号に定める公益通報をした場合、指揮命令違反や誠実義務違反を理由として使用者から受けるおそれのある不利益な取扱いは、懲戒処分のほか、事実上の行為も含まれる。

　不利益な取扱いの内容として具体的には、本条第1項で例示として掲げる「降格、減給、退職金の不支給」のほか、

　　・　従業員たる地位の得喪に関する不利益な取扱い（退職願の提出の

154　第2編　逐条解説　第2章　公益通報をしたことを理由とする公益通報者の解雇の無効及び不利益な取扱いの禁止等

強要、労働契約の更新拒否、本採用・再採用の拒否、休職など)

- 　人事上の不利益な取扱い(不利益な配転・出向・転籍・長期出張などの命令、昇進・昇格における不利な取扱い、懲戒処分など)
- 　経済待遇上の不利益な取扱い(基本給・諸手当・一時金・退職金・福利厚生給付などにおける不利益な取扱い、昇給・一時金における査定の差別、損害賠償請求など)
- 　精神上生活上の不利益な取扱い(仕事を回さない、雑作業をさせる、会社行事に参加させない、個人情報・秘密の意図的な漏えいなど)

などが考えられる。

　当該派遣先から受ける不利益な取扱いとしては、具体的には、本条第2項で掲げる「(派遣先が)当該公益通報者に係る労働者派遣をする事業者に派遣労働者の交代を求めること」のほか、専ら雑作業に従事させるなど就業環境を害することなどが考えられる。

　なお、本条第1項及び第2項は、「第三条に規定するもののほか」(本条第1項)、「前条に規定するもののほか」(本条第2項)と規定しているが、法第3条及び第4条に規定する公益通報を理由とした解雇や労働者派遣契約の解除は、民事上無効となるだけではなく、このような解雇等を行った事業者が不法行為に基づく損害賠償責任を負うことも考えられる。

　役員に対する不利益な取扱いとしては、本条第3項で掲げる「報酬の減額」のほか、取締役会招集通知の不送付や事実上の嫌がらせなどが考えられる。なお、「報酬の減額」について、役員の報酬額が具体的に定められることによって、その報酬額が事業者と役員間の契約内容となることから、報酬額が具体的に定められた後にその額を減ずるものを意味し、報酬額が具体的に定められていない場合は含まない。

　他方、役員の不再任については、役員の再任は事業者の裁量であることから、不利益な取扱いには該当しない。

　また、役員は、法人との高度な信頼関係に基づく委任又は準委任の関係にあり、当該委任又は準委任の解除(解任)はいつでもできるものとされていることから(民法第651条第1項、第656条)、不利益な取扱い

から役員の解任が除外されている。

○　「不利益な取扱い」に関する裁判例

［参考］神戸地裁平成 20 年 11 月 10 日判決（神戸司法書士事務所事件）

　　「被告は、本件通報をした原告に大きな不信感を抱き、特に、本件持出しが司法書士の補助者として許されない行為であると考え、本件持出しが違法であったと自認する内容の本件確認書（甲１）への署名押印を求め、さらに、本件通報や本件持ち出しの理由を問い質し、その返答次第では不利益な措置を行うかのような通知書（甲２）を交付し、その上で、書類保管場所を施錠し、あるいは、仕事に使用するパソコンを職場内のネットワークから遮断するなどして、原告に、司法書士の補助者としての仕事を一切与えなかった。これら一連の行為は、公益通報を行った原告に対し義務なき行為（本件持出しが違法であると自認する文書への署名、公益通報の内容と理由の開示）を強いた上、原告を職場で疎外し、原告を職場から排除しようとするものであり、公益通報者保護法５条１項が禁止する『その他不利益な取扱い』に該当する……。」

　　「不利益取扱いをした使用者が、退職する労働者に対し、当該不利益取扱いを理由とする損害賠償債権をも放棄させてしまうと、その使用者は、不利益取扱いをしたことによる法的責任を全部免れてしまうが、この結果は、公益通報者保護法の存在意義を否定するに等しく、著しく正義に反するものである。

　　したがって、公益通報者保護法５条１項所定の不利益取扱いを原因とする損害賠償債権の放棄を求めることも、同項所定の『不利益取扱い』として禁止されているものと解釈しなければならない。」

⑶　「してはならない」

　本条各項に違反して不利益な取扱いをした場合には、これらの行為の効力までを直接否定するものではないが、本条各項でこれらの行為の違法性を明確化することにより、公益通報者は、本条各項違反を理由として不法行為に基づく損害賠償請求をすることが可能となる。

　解雇に関する法第３条の規定でその効力が「無効」とされているのに対し、本条各項が禁止規定とされているのは、

　　・　本条各項においては、法律行為のみならず事実行為も対象として

いること

・　解雇については、その重大性に鑑み、復職を前提とする「無効」が適当と考えられるのに対し、不利益な取扱いについては、一律にその効力を否定するよりも損害賠償請求の対象とした方が公益通報者の利益となる場合（例えば、不利益な取扱いが戒告処分にとどまった場合など）があると考えられること

によるものである。

　なお、本条各項に違反して不利益な取扱いをした場合、労働契約法第14条及び第15条によって当該出向命令や当該懲戒処分が無効となり得るほか、本条各項は強行法規であることから、権利濫用（民法第1条第3項、労働契約法第3条第5項）・公序良俗（民法第90条）に反するものとしても、無効となる余地がある。

○　**参照条文**

［参考］労働契約法（平成19年法律第128号）

　　（出向）

　第十四条　使用者が労働者に出向を命ずることができる場合において、当該出向の命令が、その必要性、対象労働者の選定に係る事情その他の事情に照らして、その権利を濫用したものと認められる場合には、当該命令は、無効とする。

　　（懲戒）

　第十五条　使用者が労働者を懲戒することができる場合において、当該懲戒が、当該懲戒に係る労働者の行為の性質及び態様その他の事情に照らして、客観的に合理的な理由を欠き、社会通念上相当であると認められない場合は、その権利を濫用したものとして、当該懲戒は、無効とする。

［参考］民法（明治29年法律第89号）

　　（基本原則）

　第一条　1・2　（略）

　3　権利の濫用は、これを許さない。

［参考］労働契約法（平成19年法律第128号）

　　（労働契約の原則）

　第三条　1～4　（略）

　5　労働者及び使用者は、労働契約に基づく権利の行使に当たっては、そ

第 5 条（不利益取扱いの禁止）　157

れを濫用することがあってはならない。

［参考］民法（明治 29 年法律第 89 号）

　　　（公序良俗）

　第九十条　公の秩序又は善良の風俗に反する法律行為は、無効とする。

○　**本条違反の行為を無効とした裁判例**

［参考］神戸地裁平成 20 年 11 月 10 日判決（神戸司法書士事務所事件）

　　「本件清算合意のうち、本件不利益取扱いによる損害賠償債権の放棄に関する部分は、強行法規である公益通報者保護法 5 条 1 項の趣旨を没却させるものであって、法秩序維持という観点からその効力を認め難い。

　　したがって、その部分は、民法 90 条により無効と解すべきであり、本件清算合意により、本件不利益取扱いに基づく損害賠償債権が消滅したとする被告の主張は失当である。」

4　他法令との関係

(1)　労働契約法第 14 条（出向）及び第 15 条（懲戒）との関係

　公益通報したことを理由になされる通報者への不利益な取扱いとしての出向命令及び懲戒処分については、労働者の出向・懲戒について広く一般的に制限を加えている労働契約法第 14 条及び第 15 条との関係において、本条第 1 項の規定は、他の既存の法律による労働者の不利益な取扱い制限の規定と同様に、労働契約法第 14 条及び第 15 条の特則ということができる。

　しかし、本条の規定は、一般法の適用を排除するという意味での特別法に当たると解することは適当ではない。

　そのため、本条に定める要件に該当しない通報について、労働契約法第 14 条及び第 15 条は適用されないとの解釈を避けるため、この趣旨が確認的に法第 8 条第 3 項に規定されているところである（なお、詳細については法第 8 条の解説を参照。）。

○　**参照条文**

［参考］労働契約法（平成 19 年法律第 128 号）

　　　（出向）

　第十四条　使用者が労働者に出向を命ずることができる場合において、当

158 第2編　逐条解説　第2章　公益通報をしたことを理由とする公益通報者の解雇の無効及び不利益な取扱いの禁止等

該出向の命令が、その必要性、対象労働者の選定に係る事情その他の事情に照らして、その権利を濫用したものと認められる場合には、当該命令は、無効とする。

（懲戒）

第十五条　使用者が労働者を懲戒することができる場合において、当該懲戒が、当該懲戒に係る労働者の行為の性質及び態様その他の事情に照らして、客観的に合理的な理由を欠き、社会通念上相当であると認められない場合は、その権利を濫用したものとして、当該懲戒は、無効とする。

○　労働者に対する不利益取扱いの禁止を定めた例

［参考］家内労働法（昭和45年法律第60号）

　　　（申告）

第三十二条　委託者に、この法律又はこの法律に基づく命令に違反する事実がある場合には、家内労働者又は補助者は、その事実を都道府県労働局長、労働基準監督署長又は労働基準監督官に申告することができる。

2　委託者は、前項の規定による申告をしたことを理由として、家内労働者に対して工賃の引下げその他不利益な取扱いをしてはならない。

3　（略）

(2)　労働者派遣法第49条の3（厚生労働大臣に対する申告）との関係

本法は、公益通報に共通する基本的事項を定めるものであって、他の個別法令における通報者保護規定の適用を排除するものではなく、本条第2項の規定は、厚生労働大臣へ申告したことを理由とする派遣労働者への不利益な取扱いについて定める労働者派遣法第49条の3の規定の適用を排除するものではない。

○　参照条文

［参考］労働者派遣事業の適正な運営の確保及び派遣労働者の保護等に関する法律（昭和60年法律第88号）

　　　（厚生労働大臣に対する申告）

第四十九条の三　労働者派遣をする事業主又は労働者派遣の役務の提供を受ける者がこの法律又はこれに基づく命令の規定に違反する事実がある場合においては、派遣労働者は、その事実を厚生労働大臣に申告することができる。

2　労働者派遣をする事業主及び労働者派遣の役務の提供を受ける者は、

前項の申告をしたことを理由として、派遣労働者に対して解雇その他不利益な取扱いをしてはならない。

160　第2編　逐条解説　第2章　公益通報をしたことを理由とする公益通報者の解雇の無効及び不利益な取扱いの禁止等

第6条（役員を解任された場合の損害賠償請求）

（役員を解任された場合の損害賠償請求）

第六条　役員である公益通報者は、次の各号に掲げる場合においてそれぞれ当該各号に定める公益通報をしたことを理由として第二条第一項第四号に定める事業者から解任された場合には、当該事業者に対し、解任によって生じた損害の賠償を請求することができる。

一　通報対象事実が生じ、又はまさに生じようとしていると思料する場合　当該役務提供先等に対する公益通報

二　次のいずれかに該当する場合　当該通報対象事実について処分又は勧告等をする権限を有する行政機関等に対する公益通報

　イ　調査是正措置（善良な管理者と同一の注意をもって行う、通報対象事実の調査及びその是正のために必要な措置をいう。次号イにおいて同じ。）をとることに努めたにもかかわらず、なお当該通報対象事実が生じ、又はまさに生じようとしていると信ずるに足りる相当の理由がある場合

　ロ　通報対象事実が生じ、又はまさに生じようとしていると信ずるに足りる相当の理由があり、かつ、個人の生命若しくは身体に対する危害又は個人（事業を行う場合におけるものを除く。）の財産に対する損害が発生し、又は発生する急迫した危険があると信ずるに足りる相当の理由がある場合

三　次のいずれかに該当する場合　その者に対し通報対象事実を通報することがその発生又はこれによる被害の拡大を防止するために必要であると認められる者に対する公益通報

　イ　調査是正措置をとることに努めたにもかかわらず、なお当該通報対象事実が生じ、又はまさに生じようとしていると信ずるに足りる相当の理由があり、かつ、次のいずれかに該当する場合

　　(1)　前二号に定める公益通報をすれば解任、報酬の減額その他不利益な取扱いを受けると信ずるに足りる相当の理由がある場合

　　(2)　第一号に定める公益通報をすれば当該通報対象事実に係る証拠が隠滅され、偽造され、又は変造されるおそれがあると信ずるに足りる相当の理由がある場合

　　(3)　役務提供先から前二号に定める公益通報をしないことを正当な理由がなくて要求された場合

　ロ　通報対象事実が生じ、又はまさに生じようとしていると信ずるに

足りる相当の理由があり、かつ、個人の生命若しくは身体に対する
危害又は個人（事業を行う場合におけるものを除く。）の財産に対
する損害が発生し、又は発生する急迫した危険があると信ずるに足
りる相当の理由がある場合

1　本条の概要

　本条は、役員である公益通報者（法第2条第1項第4号）が、公益通
報をしたことを理由として、役員を解任した事業者に対し、解任により
生じた損害の賠償を請求することができることを規定し、損害賠償をす
るための要件を規定するものである。

　この要件として、

① 第1号に、役務提供先等への公益通報（1号通報）に関する要件

② 第2号に、権限を有する行政機関等への公益通報（2号通報）に
関する要件

③ 第3号に、その他の外部通報先への公益通報（3号通報）に関す
る要件

が、それぞれ規定されている。

2　本条の趣旨

　公益通報をしたことを理由として役員を解任することは、役員に対す
る不利益な取扱いから除かれており（法第5条第3項）、公益通報をした
ことを理由とした役員の解任自体は禁止されない。しかし、公益通報を
したことは解任の正当な理由には当たらす、解任により役員に生じた損
害を当該役員に負担させることは適当でないことから、公益通報を理由
とした解任により当該役員に生じた損害を、事業者に対して賠償請求で
きることとして、役員を保護するものである。

　役員については、法人との高度な信頼関係に基づく委任又は準委任の
関係にあり、当該委任又は準委任の解除、すなわち、解任は、いつでも
できるものとされている（民法第651条第1項及び第656条）。他方、民

法第709条の規定に基づく損害賠償責任が成立するためには違法性が、民法第415条の規定に基づく損害賠償責任が成立するためには債務者の責めに帰すべき事由が、それぞれ必要とされているところ、役員の解任については、違法性及び委任者の責めに帰すべき事由を有することとはならず、これらの規定に基づく損害賠償責任は成立しないこととなる。

この点、株式会社の役員については、会社法第339条第2項の規定により、その解任について「正当な理由」がある場合を除き、株式会社に対して、解任によって生じた損害の賠償を請求できることとされている。他の法令でも同様の規定が設けられている場合がある（一般社団・財団法人法第70条第2項等）。

しかしながら、本法による保護を与えて通報を促す必要がある役員の全てについて、同様の規定が設けられているとは限らない。同様の規定が設けられている場合であっても、どのような場合に「正当な理由」が否定されるかの判断が容易でなく、役員が通報に消極的となるおそれがある。

そこで、法第6条各号においては、公益通報をしたことを理由とした役員の解任について、これによって生じた損害の賠償を請求できることとすることで本法による保護を与える必要がある場合として想定されるものを、できるだけ具体的に類型化することにより、通報が保護されるか否かの予測可能性を高め、役員による通報を促すこととされている。

他方で、特殊な事情の存在や今後の事情の変化までを網羅して類型化することは困難であり、同条各号に掲げる場合に該当しない場合であっても、個別具体的な事情によっては「正当な理由」が否定されることも考えられる。また、事案によっては、関連する他の事情（例えば、株主総会の決議の有効性等）と合わせて、個別の法令に基づく損害賠償請求を行う方が、通報者の保護に資する場合も考えられる。

第6条（役員を解任された場合の損害賠償請求）　163

3　本条の解釈

(1)　役務提供先等に対する公益通報（本条第1号）

> 一　通報対象事実が生じ、又はまさに生じようとしていると思料する場
> 合　当該役務提供先等に対する公益通報

　本号は、役員である公益通報者が、その役務提供先又はその役員、従業員等に通報対象事実が生じ、又はまさに生じようとしている旨を、当該役務提供先に公益通報（内部公益通報／1号通報）をしたことを理由として、事業者から解任された場合に、当該公益通報者が当該事業者に対して損害賠償を請求できる旨を規定するものである。

　役員による役務提供先等への公益通報の場合、公益通報をしたことを理由として役員を解任された公益通報者が損害賠償を請求するための要件は、労働者による役務提供先等への公益通報の保護要件と同じである（「生じ、又はまさに生じようとしている」及び「思料する場合」については、法第3条第1号の解説を参照。）。

(2)　権限を有する行政機関等への公益通報（本条第2号）

> 二　次のいずれかに該当する場合　当該通報対象事実について処分又は
> 勧告等をする権限を有する行政機関等に対する公益通報
> 　イ　調査是正措置（善良な管理者と同一の注意をもって行う、通報対
> 　　象事実の調査及びその是正のために必要な措置をいう。次号イにお
> 　　いて同じ。）をとることに努めたにもかかわらず、なお当該通報対象
> 　　事実が生じ、又はまさに生じようとしていると信ずるに足りる相
> 　　当の理由がある場合
> 　ロ　通報対象事実が生じ、又はまさに生じようとしていると信ずるに
> 　　足りる相当の理由があり、かつ、個人の生命若しくは身体に対する
> 　　危害又は個人（事業を行う場合におけるものを除く。）の財産に対
> 　　する損害が発生し、又は発生する急迫した危険があると信ずるに足
> 　　りる相当の理由がある場合

　本号は、公益通報者が、その役務提供先又はその役員、従業員等に通

報対象事実が生じ、又はまさに生じようとしている旨を、当該通報対象
事実について権限を有する行政機関等に公益通報（2号通報）をしたこ
とを理由として、事業者が役員である公益通報者を解任した場合に、当
該役員が当該事業者に対して損害賠償を請求できることを規定するもの
である。

ア 「調査是正措置をとることに努めたにもかかわらず、なお当該通報対象事
　実が生じ、又はまさに生じようとしていると信ずるに足りる相当の理由が
　ある場合」（本号イ）

　善管注意義務を負う役員については、事業者における不正行為を発見
した場合、自ら積極的に法令等によって与えられた権限等を行使して、
その調査及び是正に当たるべき立場にある。

　しかしながら、事業者に対する通報を行ったとしても不正行為を是正
できない、又はその是正を期待できない場合、その是正を図るため、事
業者の外部に対する通報をする必要がある。

　したがって、法律上善管注意義務を負う役員については、取締役会へ
の付議、監査役会への報告その他の善管注意義務の履行として必要な調
査を行い、通報対象事実の中止その他是正のために必要と認める措置
（調査是正措置）がとられている場合に限り、当該調査是正措置を行った
としても不正行為を是正できない、又はその是正を期待できないため、
権限を有する行政機関等に対する通報が保護の対象とされたものである。

イ 「通報対象事実が生じ、又はまさに生じようとしていると信ずるに足りる
　相当の理由があり、かつ、個人の生命若しくは身体に対する危害又は個人
　（事業を行う場合におけるものを除く。）の財産に対する損害が発生し、又
　は発生する急迫した危険があると信ずるに足りる相当の理由がある場合」
　（本号ロ）

　個人の生命若しくは身体に対する危害又は個人（事業を行う場合にお
けるものを除く。）の財産に対する損害（回復することができない損害又は

著しく多数の個人における多額の損害であって、通報対象事実を直接の原因とするものに限る。）が発生し、又は発生する急迫した危険があると信ずるに足りる相当の理由がある場合（法第3条第3号への解説を参照。）には、重大な利益の保護のため速やかに不正行為の是正を図る必要があるため、事業者内部における調査是正措置がとられていないときであっても、保護の対象とされたものである。

ウ　労働者等による権限を有する行政機関等への公益通報に関する保護要件との相違

　労働者等による権限を有する行政機関等への公益通報については、公益通報者の氏名等一定の事項を記載した書面を提出する場合にも保護される（法第3条第2号）。他方、役員による行政機関等に対する公益通報については、法律上善管注意義務を負っている関係上、通報対象事実が生じ、又はまさに生じようとしていると「信ずるに足りる相当の理由がある場合」（法第3条第2号）の要件を維持し、公益通報者の氏名等一定の事項を記載した書面を提出する場合における保護要件の緩和をしないこととされた。

○　役員が有する調査権等の根拠規定の例

［参考］会社法（平成17年法律第86号）

　　　（業務の執行）

　第三百四十八条　取締役は、定款に別段の定めがある場合を除き、株式会社（取締役会設置会社を除く。以下この条において同じ。）の業務を執行する。

　2〜4　（略）

　　　（取締役会の権限等）

　第三百六十二条　（略）

　2　取締役会は、次に掲げる職務を行う。

　　一　取締役会設置会社の業務執行の決定

　　二　取締役の職務の執行の監督

　　三　代表取締役の選定及び解職

　3〜5　（略）

166　第2編　逐条解説　第2章　公益通報をしたことを理由とする公益通報者の解雇の無効及び不利益な取扱いの禁止等

（監査役の権限）

第三百八十一条　監査役は、取締役（会計参与設置会社にあっては、取締役及び会計参与）の職務の執行を監査する。この場合において、監査役は、法務省令で定めるところにより、監査報告を作成しなければならない。

2　監査役は、いつでも、取締役及び会計参与並びに支配人その他の使用人に対して事業の報告を求め、又は監査役設置会社の業務及び財産の状況の調査をすることができる。

3　監査役は、その職務を行うため必要があるときは、監査役設置会社の子会社に対して事業の報告を求め、又はその子会社の業務及び財産の状況の調査をすることができる。

4　（略）

（執行役の権限）

第四百十八条　執行役は、次に掲げる職務を行う。

一　第四百十六条第四項の規定による取締役会の決議によって委任を受けた指名委員会等設置会社の業務の執行の決定

二　指名委員会等設置会社の業務の執行

（業務の執行）

第五百九十条　社員は、定款に別段の定めがある場合を除き、持分会社の業務を執行する。

2・3　（略）

（業務を執行する社員を定款で定めた場合）

第五百九十一条　業務を執行する社員を定款で定めた場合において、業務を執行する社員が二人以上あるときは、持分会社の業務は、定款に別段の定めがある場合を除き、業務を執行する社員の過半数をもって決定する。この場合における前条第三項の規定の適用については、同項中「社員」とあるのは、「業務を執行する社員」とする。

2〜6　（略）

［参考］一般社団法人及び一般財団法人に関する法律（平成18年法律第48号）

（業務の執行）

第七十六条　理事は、定款に別段の定めがある場合を除き、一般社団法人（理事会設置一般社団法人を除く。以下この条において同じ。）の業務を執行する。

第6条（役員を解任された場合の損害賠償請求）　167

2～4　（略）
（理事会の権限等）
第九十条　理事会は、すべての理事で組織する。
2　理事会は、次に掲げる職務を行う。
　一　理事会設置一般社団法人の業務執行の決定
　二　理事の職務の執行の監督
　三　代表理事の選定及び解職
3～5　（略）
（監事の権限）
第九十九条　監事は、理事の職務の執行を監査する。この場合において、
　監事は、法務省令で定めるところにより、監査報告を作成しなければな
　らない。
2　監事は、いつでも、理事及び使用人に対して事業の報告を求め、又は
　監事設置一般社団法人の業務及び財産の状況の調査をすることができる。
3　監事は、その職務を行うため必要があるときは、監事設置一般社団法
　人の子法人に対して事業の報告を求め、又はその子法人の業務及び財産
　の状況の調査をすることができる。
4　（略）

⑶　その他の外部通報先への公益通報（本条第3号）

　三　次のいずれかに該当する場合　その者に対し通報対象事実を通報す
　　ることがその発生又はこれによる被害の拡大を防止するために必要で
　　あると認められる者に対する公益通報
　　イ　調査是正措置をとることに努めたにもかかわらず、なお当該通報
　　　対象事実が生じ、又はまさに生じようとしていると信ずるに足りる
　　　相当の理由があり、かつ、次のいずれかに該当する場合
　　　⑴　前二号に定める公益通報をすれば解任、報酬の減額その他不利
　　　　益な取扱いを受けると信ずるに足りる相当の理由がある場合
　　　⑵　第一号に定める公益通報をすれば当該通報対象事実に係る証拠
　　　　が隠滅され、偽造され、又は変造されるおそれがあると信ずるに
　　　　足りる相当の理由がある場合
　　　⑶　役務提供先から前二号に定める公益通報をしないことを正当な
　　　　理由がなくて要求された場合

ロ 通報対象事実が生じ、又はまさに生じようとしていると信ずるに
　足りる相当の理由があり、かつ、個人の生命若しくは身体に対する
　危害又は個人（事業を行う場合におけるものを除く。）の財産に対
　する損害が発生し、又は発生する急迫した危険があると信ずるに足
　りる相当の理由がある場合

　本号は、公益通報者が、その役務提供先又はその役員、従業員等に通
報対象事実が生じ、又はまさに生じようとしている旨を、「その者に対
し当該通報対象事実を通報することがその発生又はこれによる被害の拡
大を防止するために必要であると認められる者」に公益通報（3号通
報）をしたことを理由として、事業者が役員である公益通報者を解任し
た場合に、当該役員が当該事業者に対して損害賠償を請求できることを
規定するものである。

ア 「調査是正措置をとることに努めたにもかかわらず、なお当該通報対象事
　実が生じ、又はまさに生じようとしていると信ずるに足りる相当の理由が
　あり、かつ、次のいずれかに該当する場合」（本号イ）

　役員による権限を有する行政機関等への公益通報と同様、役員につい
ては、調査是正措置がとられている場合に限り、当該調査是正措置を
行ったとしても不正行為を是正できない、又はその是正を期待できない
ため、その他の外部通報先に対する通報が保護の対象とされた。

　「次のいずれかに該当する場合」として、

・　第1号及び第2号に定める公益通報をすれば解任、報酬の減額そ
　の他不利益な取扱いを受けると信ずるに足りる相当の理由がある場
　合（本号イ(1)）

・　第1号に定める公益通報をすれば当該通報対象事実に係る証拠が
　隠滅され、偽造され、又は変造されるおそれがあると信ずるに足り
　る相当の理由がある場合（本号イ(2)）

・　役務提供先から第1号及び第2号に定める公益通報をしないこと

を正当な理由がなくて要求された場合（本号イ(3)）

が規定されており、労働者等が権限を有する行政機関等に公益通報する場合の保護要件を規定した法第3条第3号のうち、同号イ、ロ及びニに相当する。

なお、役員によるその他の外部通報先への公益通報については、「公益通報をすれば、役務提供先が、当該公益通報者について知り得た事項を、当該公益通報者を特定させるものであることを知りながら、正当な理由がなくて漏らすと信ずるに足りる相当の理由がある場合」（法第3条第3号ハ）及び「書面により第一号に定める公益通報をした日から二十日を経過しても、当該通報対象事実について、当該役務提供先等から調査を行う旨の通知がない場合又は当該役務提供先等が正当な理由がなくて調査を行わない場合」（法第3条第3号ホ）に相当する要件は規定されていない。

前者について、役員は、善管注意義務として、不当に役務提供先の利益を侵害しないように行動する義務を負っているため、情報漏えいについて信ずるに足りる相当の理由がある場合、すなわち、解任や報酬の減額等の不利益な取扱いがなされる契機が生じるおそれがあるにとどまる場合であって、公益通報をすれば解任や不利益な取扱いを受けると信ずるに足りる相当な理由がある場合にまで至っていない場合は、3号通報として保護することは適当でないことから規定されていない。

後者について、調査是正措置を行ったとしても不正行為を是正できない、又はその是正を期待できないことが前提であることから、本号イでは規定されていない。

170　第2編　逐条解説　第2章　公益通報をしたことを理由とする公益通報者の解雇の無効及び不利益な取扱いの禁止等

イ　「通報対象事実が生じ、又はまさに生じようとしていると信ずるに足りる相当の理由があり、かつ、個人の生命若しくは身体に対する危害又は個人（事業を行う場合におけるものを除く。）の財産に対する損害が発生し、又は発生する急迫した危険があると信ずるに足りる相当の理由がある場合」（本号ロ）

役員による権限を有する行政機関等への公益通報（法第6条第2号ロ）の場合と同様に、重大な利益の保護のため速やかに不正行為の是正を図る必要があるため、事業者内部における調査是正措置がとられていないときであっても、保護の対象とされた。

○　解任によって生じた損害の賠償を請求することができる旨の他の法令の規定の例

［参考］会社法（平成17年法律第86号）

（解任）

第三百三十九条　役員及び会計監査人は、いつでも、株主総会の決議によって解任することができる。

2　前項の規定により解任された者は、その解任について正当な理由がある場合を除き、株式会社に対し、解任によって生じた損害の賠償を請求することができる。

（執行役の解任等）

第四百三条　執行役は、いつでも、取締役会の決議によって解任することができる。

2　前項の規定により解任された執行役は、その解任について正当な理由がある場合を除き、指名委員会等設置会社に対し、解任によって生じた損害の賠償を請求することができる。

3　第四百一条第二項から第四項までの規定は、執行役が欠けた場合又は定款で定めた執行役の員数が欠けた場合について準用する。

［参考］一般社団法人及び一般財団法人に関する法律（平成18年法律第48号）

（解任）

第七十条　役員及び会計監査人は、いつでも、社員総会の決議によって解任することができる。

2　前項の規定により解任された者は、その解任について正当な理由がある場合を除き、一般社団法人に対し、解任によって生じた損害の賠償を

請求することができる。

［参考］資産の流動化に関する法律（平成 10 年法律第 105 号）

　　（解任）

　第七十四条　役員及び会計監査人は、いつでも、社員総会の決議によって
　　解任することができる。

　2　前項の規定により解任された者は、その解任について正当な理由があ
　　る場合を除き、特定目的会社に対し、解任によって生じた損害の賠償を
　　請求することができる。

　3・4　（略）

［参考］保険業法（平成 7 年法律第 105 号）

　　（解任）

　第五十三条の八　相互会社の役員及び会計監査人は、いつでも、社員総会
　　の決議によって解任することができる。

　2　前項の規定により解任された者は、その解任について正当な理由があ
　　る場合を除き、相互会社に対し、解任によって生じた損害の賠償を請求
　　することができる。

　　（執行役の解任等）

　第五十三条の二十七　執行役は、いつでも、取締役会の決議によって解任
　　することができる。

　2　前項の規定により解任された執行役は、その解任について正当な理由
　　がある場合を除き、指名委員会等設置会社に対し、解任によって生じた
　　損害の賠償を請求することができる。

　3　（略）

［参考］中小企業団体の組織に関する法律（昭和 32 年法律第 185 号）

　　（解任）

　第五条の二十一　役員は、いつでも、総会の決議によつて解任することが
　　できる。

　2　前項の規定により解任された者は、その解任について正当な理由があ
　　る場合を除き、協業組合に対し、解任によつて生じた損害の賠償を請求
　　することができる。

［参考］酒税の保全及び酒類業組合等に関する法律（昭和 28 年法律第 7 号）

　　（役員の解任）

　第二十四条の三　役員は、いつでも、総会の議決によつて解任することが
　　できる。

172 第2編 逐条解説 第2章 公益通報をしたことを理由とする公益通報者の解雇の
無効及び不利益な取扱いの禁止等

　2　前項の規定により解任された者は、その解任について正当な理由があ
　る場合を除き、酒類業組合に対し、解任によつて生じた損害の賠償を請
　求することができる。

［参考］医療法（昭和23年法律第205号）

　第四十六条の五の二　社団たる医療法人の役員は、いつでも、社員総会の
　決議によつて解任することができる。

　2　前項の規定により解任された者は、その解任について正当な理由があ
　る場合を除き、社団たる医療法人に対し、解任によつて生じた損害の賠
　償を請求することができる。

　3〜5　（略）

第7条（損害賠償の制限）　173

第7条（損害賠償の制限）

（損害賠償の制限）
第七条　第二条第一項各号に定める事業者は、第三条各号及び前条各号に
　　定める公益通報によって損害を受けたことを理由として、当該公益通報
　　をした公益通報者に対して、賠償を請求することができない。

1　本条の概要

　本条は、法第2条第1項各号に定める事業者は、法第3条各号及び第
6条各号に定める公益通報によって損害を受けたことを理由として、当
該公益通報をした公益通報者に対し、賠償を請求することができない旨
を規定するものである。

2　本条の趣旨

　法第5条の規定により、法第3条各号に定める公益通報をしたことを
理由として、公益通報者に対して「不利益な取扱い」をすることが禁止
されているところ、損害賠償の支払の請求についても、「不利益な取扱
い」に該当するものと解されているものの、法第5条の規定は、損害賠
償の支払義務を免責する効果を有するものではない。

　実際の裁判においては、法に定める要件を満たす公益通報をしたこと
によって民事責任を問われることはないと考えられるものの、損害賠償
の支払義務の免責を受けるために立証すべき事実が、実体法上明確にさ
れていないため、労働者等にとっては予測可能性が乏しく、通報に消極
的になることが考えられる。

　そこで、公益通報をしたことによる損害賠償の支払義務の免責につい
て、明文の規定が設けられたものである。

174　第2編　逐条解説　第2章　公益通報をしたことを理由とする公益通報者の解雇の無効及び不利益な取扱いの禁止等

3　本条の解釈

(1)　損害賠償の請求の主体（不利益な取扱いの主体との差異）

　本条は、法第2条第1項各号に定める事業者が賠償を請求することができないこととするものである。

　この点、原始法では、法第2条第1項第1号の事業者（以下「1号事業者」という。）及び同項第2号の事業者（以下「2号事業者」という。）を主体とする不利益な取扱いのみが禁止されていた（原始法第5条）。同項第3号の事業者（以下「3号事業者」という。）を不利益な取扱いの主体としていない理由は、原始法の立法当時、主として指揮監督権限があることに伴い行われる不利益な取扱いが念頭に置かれており、1号事業者及び2号事業者は、それぞれ、労働者及び派遣労働者に対し、指揮監督権限があり、指揮監督権限があることに伴う不利益な取扱いを行うことが想定されるのに対し、3号事業者は労働者に対し指揮監督権限がなく、労働者に対し指揮監督権限があることに伴う不利益な取扱いを行うことが想定されなかったためである。

　しかしながら、原始法の制定後、損害賠償請求という形で通報者が報復される事例がみられた。損害賠償請求については、債務不履行に基づく損害賠償請求（民法第415条等）だけではなく、不法行為に基づく損害賠償請求（民法第709条等）も想定されるところ、不法行為に基づく損害賠償請求は、契約の当事者以外の者に対しても請求できることから、3号事業者や法第2条第1項第4号ロの事業者（以下「4号ロ事業者」という。）との間で直接の契約関係も指揮監督関係もない公益通報者が、3号事業者や4号ロ事業者から不法行為に基づく損害賠償請求をされることが想定される。

　例えば、事業者Aの従業員Bが、事業者Aと事業者Cとの間の請負契約に基づき、事業者Cに役務提供をしていた場合、事業者Cは法第2条第1項第3号の「他の事業者」として法第2条第1項柱書の「役務提供先」に当たり、従業員Bが事業者Cにおいて生じた通報対象事実を通報することは、法第2条第1項柱書の「公益通報」に当たる。この

場合、実際に信用毀損により損害を被るのは、従業員Bの雇用主である事業者A（1号事業者）ではなく、事業者C（3号事業者）であることから、事業者Cが従業員Bに対して不法行為に基づき損害賠償請求を行うことが想定される。

　そこで、1号事業者及び2号事業者による請求だけでなく、3号事業者及び4号ロ事業者による請求についても、免責の対象とされている。

　なお、3号事業者及び4号ロ事業者が損害賠償請求という形で公益通報者に報復することを想定しつつも、損害賠償請求に関しては、法第7条により免責されることで保護の効果が得られ、3号事業者及び4号ロ事業者からその他の不利益な取扱いを受けるおそれはないと考えられることから、3号事業者及び4号ロ事業者による不利益な取扱いについては、本法により禁止する必要はなく、本法においても不利益な取扱いの主体とされていない。

(2)　「公益通報によって損害を受けたことを理由として」

　通報行為により損害を受けた事業者が、通報者に対して、債務不履行又は不法行為に基づく損害賠償責任を追及するためには、通報行為が債務不履行又は不法行為に該当すると主張した上、当該通報行為と損害について因果関係があると主張する必要がある。

　「公益通報によって損害を受けたことを理由として」とは、このように事業者が被った損害と因果関係があるとされる通報行為が公益通報に当たる場合に、法第7条の規定による免責の対象となることを意味するものである。

　例えば、事業者が、通報者による行政機関や報道機関への情報提供を理由に損害を受けたと主張して損害賠償を請求する場合、通報者においては、当該情報提供が「公益通報」（法第2条第1項）に該当すると主張して、法第7条の規定の適用を求めることとなる。

　なお、損害賠償請求をするに当たり、公益通報と因果関係のある損害と共に、公益通報以外の事情により生じた損害についても主張されてい

る場合には、公益通報と因果関係のある損害のみを免責するものである。損害が公益通報と因果関係があるかが争われた場合、その立証責任は通報者が負担することとなる。

(3) 「当該公益通報をした公益通報者に対して」

損害賠償の原因となる行為の違法性が否定される理由は、当該行為が法の要件を満たす公益通報であるためであり、公益通報者以外の者による行為の違法性まで否定される理由はないことから、公益通報による損害賠償からの免責の対象を、当該公益通報をした公益通報者に限定するものである。

(4) 「賠償を請求」

「賠償を請求」とは、不法行為に基づく損害賠償責任（民法第709条）や債務不履行に基づく損害賠償責任（民法第415条）等の、公益通報により被った損害の塡補を求める性質の請求を指すものである。

(5) 「することができない」

本条の要件を満たす公益通報について違法性がないことにより、公益通報により生じた損害について、公益通報者が損害賠償責任を負わないことを明確にしている。

なお、公益通報者は、当該損害賠償責任を免れる結果、当該損害賠償責任を負うことを前提とする請求をも免れることになる。例えば、1号事業者である事業者Aに雇用される労働者Xが、3号事業者である事業者Bの通報対象事実について公益通報をしたことにより事業者Bが損害を被り、当該損害を事業者Aが賠償したケースにおいて、法第7条が適用される結果、労働者Xは事業者Aの行為によって責任を免れるという関係は生じないことから、事業者Aが労働者Xに対して民法第715条第3項の規定を根拠に求償することはできない。

4 損害賠償請求の要件との関係

⑴ 損害賠償請求の要件

　事業者が公益通報をしたことを理由として公益通報者に対して損害賠償請求をする場合は、民法第709条及び第415条並びに会社法第423条第1項の規定を根拠とすることが想定されるところ、これらの規定に基づく損害賠償責任が成立するためには、

①　損害が発生していること

②　加害行為、債務不履行又は任務懈怠（以下「加害行為等」という。）があること

③　加害行為等と損害との間に因果関係があること

④　加害行為等が違法性を有する行為であること

が必要とされる。公益通報をした結果、事業者の名誉毀損等が発生した場合は、上記①から③までを満たすこととなるところ、上記④との関係で、公益通報をする行為が違法性を有するか否かが論点となる。

⑵ 違法性に関する裁判例

　民法第709条の規定に基づき不法行為による損害賠償請求がされた裁判例では、損害賠償責任が成立しないための判断基準には、基本的に、

①　公表内容が公共の利害に関する事実に関するものであること

②　公表が公益目的によるものであること

③　公表内容の主要部分が真実である、又は真実であると信ずるに足りる相当の理由があること

④　公表の手段方法が社会的相当性を逸脱しないこと

を用いている。

　これらの判断基準は、いずれも上記⑴④との関係で、行政機関や報道機関といった事業者の外部への通報を「公表」と捉え、当該公表をする行為が違法性を有するか否かを判断する上でのメルクマールを示したものと考えられる。

⑶ 公益通報の検討

ア 公表内容が公共の利害に関する事実に関するものであること（上記⑵①）

本法の要件を満たす公益通報は、通報対象事実が生じ、又はまさに生じようとしている旨を通報するものであり（法第2条第1項）、通報対象事実は、国民の生命、身体、財産その他の利益の保護に関わる法律に規定する罪の犯罪行為の事実等である（法第2条第3項）。

よって、公益通報の内容である通報対象事実については、国民の生命、身体、財産その他の利益の保護という公共の利害に関する事実に当たり、上記⑵①を満たすものと考えられる。

イ 公表内容の主要部分が真実である、又は真実であると信ずるに足りる相当の理由があること（上記⑵③）

法第3条各号に定める公益通報のうち、事業者の名誉毀損等が問題となるのは、2号通報及び3号通報である。

2号通報については、原始法第3条第2号の規定により、通報対象事実が生じ、又はまさに生じようとしていることにつき、真実相当性の要件が満たされる場合は、保護の対象とされていたところ、改正法では、真実相当性の要件が満たされていない場合であっても、一定の事項を記載した書面を提出する場合は、保護の対象とすることとされた。すなわち、憶測や伝聞のみに基づき当該事項を記載することは困難であることから、当該書面を提出する場合は、真実相当性の要件が満たされている場合と同程度に、通報対象事実が生じ、又はまさに生じようとしていることを客観的に示すことができているものと考えられることから、同様に保護することとされたものである。

3号通報については、法第3条第3号の規定により、通報対象事実が生じ、又はまさに生じようとしていることにつき、真実相当性の要件が満たされる場合は、保護の対象とされている。

よって、法第3条第2号又は第3号の要件を満たす公益通報については、その内容である通報対象事実について、真実であると信ずるに足り

第 7 条（損害賠償の制限）　　179

る相当の理由がある、又はこれと同程度に客観的に示すことができているものであることから、上記(2)③を満たすものと考えられる。

ウ　公表の手段方法が社会的相当性を逸脱しないこと（上記(2)④）

　法第 3 条第 2 号又は第 3 号の要件を満たす公益通報は、法定の通報先に対して、事業者の利益侵害のおそれの程度に配慮して加重された法定の要件を満たした上で、通報をする行為である。

　よって、法第 3 条第 2 号又は第 3 号の要件を満たす公益通報については、公表の手段方法が社会的相当性を逸脱するとはいえないことから、上記(2)④を満たすものと考えられる。

エ　公表が公益目的によるものであること（上記(2)②）

　法の要件を満たす公益通報は、「不正の利益を得る目的、他人に損害を加える目的その他の不正の目的」でないことが必要とされている（法第 2 条第 1 項）。刑法の名誉毀損（同法第 230 条及び第 230 条の 2 ）が「目的が専ら公益を図ること」である場合に違法性を阻却することとしているのに対し、本法が「不正の目的でないこと」を要件としているのは、
- 　名誉毀損が「公然と事実を摘示」する、すなわち、不特定多数の者が知り得ることができる状態にすることを要件としているのに対し、本法は、通報先を、事業者内部、権限を有する行政機関等又は報道機関等のその他の外部通報先に限定していること
- 　報道機関等のその他の外部通報先への通報については、通報の保護要件を加重していること（法第 3 条第 3 号）
- 　本法は、国民生活の安定及び社会経済の健全な発展に資するために、一定の犯罪行為やその他の法令違反行為に限って公益通報を制度化したものであり、通報目的を必要以上に限定することはこの目的との関係上適当でないこと
- 　公益通報をする者は様々な事情につき悩んだ末に通報をすることが多く、純粋に公益目的だけのために通報がされることを期待する

180　第2編　逐条解説　第2章　公益通報をしたことを理由とする公益通報者の解雇の
無効及び不利益な取扱いの禁止等

のは非現実的と考えられること

から、刑法の名誉毀損の違法性脱却の要件とされている「専ら公益を図
る目的であること」のような厳格な限定は適当ではないと考えられたた
めである。

　よって、本法の要件を満たす公益通報については、上記アからウまで
のとおり、上記(2)①、③及び④を満たすものと考えられるのに対し、上
記(2)②を満たすとは限らないものと考えられる。

　しかしながら、国民生活の安定及び社会経済の健全な発展に資すると
いう本法の目的に照らし、本法の体系において公益通報の目的を公益目
的に限定することは公益通報の促進上適当でないという立法者の意思が
示されており、かつ、公益通報の目的が「不正の目的でないこと」に限
定されていることを踏まえると、上記(2)②を満たしていないことのみを
もって、法の要件を満たす公益通報をする行為について、違法性を有す
るものとして、損害賠償責任の成立を肯定することは適当でないものと
考えられる。

○　**参照条文**

[参考] 民法（明治29年法律第89号）

　　（債務不履行による損害賠償）

　第四百十五条　債務者がその債務の本旨に従った履行をしないとき又は債
　　務の履行が不能であるときは、債権者は、これによって生じた損害の賠
　　償を請求することができる。ただし、その債務の不履行が契約その他の
　　債務の発生原因及び取引上の社会通念に照らして債務者の責めに帰する
　　ことができない事由によるものであるときは、この限りでない。

　2　（略）

　　（不法行為による損害賠償）

　第七百九条　故意又は過失によって他人の権利又は法律上保護される利益
　　を侵害した者は、これによって生じた損害を賠償する責任を負う。

　　（使用者等の責任）

　第七百十五条　ある事業のために他人を使用する者は、被用者がその事業
　　の執行について第三者に加えた損害を賠償する責任を負う。ただし、使
　　用者が被用者の選任及びその事業の監督について相当の注意をしたとき、

又は相当の注意をしても損害が生ずべきであったときは、この限りでない。

2　（略）

3　前二項の規定は、使用者又は監督者から被用者に対する求償権の行使を妨げない。

　　（正当防衛及び緊急避難）

第七百二十条　他人の不法行為に対し、自己又は第三者の権利又は法律上保護される利益を防衛するため、やむを得ず加害行為をした者は、損害賠償の責任を負わない。ただし、被害者から不法行為をした者に対する損害賠償の請求を妨げない。

2　（略）

［参考］会社法（平成17年法律第86号）

　　（役員等の株式会社に対する損害賠償責任）

第四百二十三条　取締役、会計参与、監査役、執行役又は会計監査人（以下この章において「役員等」という。）は、その任務を怠ったときは、株式会社に対し、これによって生じた損害を賠償する責任を負う。

2〜4　（略）

［参考］労働組合法（昭和24年法律第174号）

　　（損害賠償）

第八条　使用者は、同盟罷業その他の争議行為であつて正当なものによつて損害を受けたことの故をもつて、労働組合又はその組合員に対し賠償を請求することができない。

○　**事業者の外部への情報提供の違法性を否定した裁判例**

［参考］東京地裁平成16年7月26日判決（学校法人日本医科大学事件）

　　労働者（医師）が、勤務先（病院）において医療ミスがあった旨の情報を報道機関に提供し、記者会見において当該情報に関する文書を配布した行為について、勤務先から、当該提供行為により名誉や信用が毀損されたとして、1億円の損害賠償を請求された事例。以下のとおり、情報提供行為は不法行為に当たらない等として損害賠償請求が棄却された。

　　「被告には、真実と信じることについて相当な理由があると認められるから、被告の……発言行為、本件インタビュー番組における発言行為及び記者会見における情報提供行為について、被告には故意又は過失が認められず、名誉・信用毀損による不法行為は成立しないというべきである。」

182　第2編　逐条解説　第2章　公益通報をしたことを理由とする公益通報者の解雇の
無効及び不利益な取扱いの禁止等

[参考] 福岡高裁平成19年4月27日判決

　　元労働者が、元の勤務先において顧客に対し表示している内容と異なる
工程でクリーニングしている事実を、新聞社の記者に明らかにしたところ、
元の勤務先から、当該情報提供により社会的評価及び信用が損なわれたと
して5,500万円の損害賠償を請求された事例。以下のとおり、情報提供は
違法ではないとして損害賠償請求が棄却された。

　　「被控訴人Y1が作成したメモやノートの信憑性を慎重に判断すべきであ
るとしても、これらが虚偽の内容を記載したものとまで認めるに足りる証
拠はなく、また、前記のとおり、被控訴人Y1がC記者に対して情報を提
供し、それを発端として本件記事が掲載されることになったということが
できるとしても、被控訴人Y1が意図的に控訴人に不利益な虚偽の内容の
記事を掲載させようとした事実はもとより、掲載前の本件記事のゲラを同
被控訴人がチェックするなどしていたものと認めるべき証拠もないことか
らすれば、本件記事の内容によって、控訴人に社会的評価の低下等の損害
が生じていたとしても、そのことについて、被控訴人Y1に控訴人に対す
る不法行為が成立するものということはできない。

　　さらに、被控訴人Y1は、C記者に対して自ら見聞きした控訴人の一部工
場における実態やマネージャー会議の際のやり取りを伝え、また、同様の
体験をしたFを紹介するなどしたに過ぎないともいい得るところであり、
控訴人に不利益な真実に反する事実を故意又は過失に基づいて提供するな
どした事実を認めるに足りる証拠はない」

[参考] 東京地裁平成19年11月21日判決

　　在職中に勤務先の内部書類を複写した上で、退職後に、東京国税局や取
引先に情報提供したところ、元の勤務先から、当該情報提供により取引先
との契約関係解消等の損害を被ったとして約4,400万円の損害賠償を請求
された事例。以下のとおり、情報提供は違法ではないとして損害賠償請求
が棄却された。

　　「原告は、被告が原告を害する目的で本件告発を行ったとも主張するが、
本件告発は、A社に対して不正請求により本来支払う必要のない工事代金
を支払っていることを知らせるものであり、被告は本件告発により何ら経
済的利益を受けるものではないこと、自己に有利になる事項を要求しては
いないことなどからすれば、その目的は公益目的であると認められる。

　　なお、被告は、本件告発状で原告らとの取引解消を要求事項に掲げてお
り、不正請求が事実であることが明らかになれば、A社が原告らとの取引

第 7 条（損害賠償の制限）　183

を解消したとしても不思議はない。しかし、原告の代表者らが不正請求に関与している以上、取引先に直接告発をすることが不当であるとはいえないし、これをもって、直ちに原告を害する目的であったとはいえない。また、被告が原告での処遇に不満をもっていたこと、退職後に原告の取引先と自分が取引をする意図であったことなどの原告を害する目的であったことを窺わせる事実を認めるに足りる証拠もない。……

　　……本件告発の手段・方法については、取引先の代表者に文書と資料を送付するという、比較的穏当な方法によっていること（被告は、Ａ社関係者を名乗って本件告発を行い、ゆうパックの発信者欄にも「Ａ川」という偽名を記載しているが、原告退職後に本件告発を行ったとはいえ、被告自身が本名で告発行為を行った場合に、原告からどのような対応がとられるかを心配して偽名をつかうことも、本件告発の内容や原告が不正請求への関与を否定していることなどからすれば、無理もないことといえ、これをもって、本件告発の手段・方法が不相当とはいえないことを総合すると、本件告発は本件告発内容の主要部分が事実に基づくもので、その目的も公益目的であり、告発の手段・方法も社会的相当性を逸脱するものではないことから、本件告発は正当行為として違法性を阻却されるというべきである。」

［参考］札幌高裁平成 20 年 5 月 16 日判決（上告審：最高裁第二小法廷平成
　　　　21 年 10 月 23 日判決、差戻審：札幌高裁平成 22 年 5 月 25 日判決）
　　　　（札幌市老人ホーム事件）

　勤務先が経営する特別養護老人ホームにおいて入所者へ虐待行為が行われている旨を、行政機関や労働組合、新聞社に情報提供をし、報道されたところ、勤務先から、当該通報により信用及び名誉が損なわれたとして 1,000 万円の損害賠償を請求された事例。「本訴の提起は、被上告人らの報道機関に対する情報提供の内容が虚偽のものであることを前提とするものであるところ、その内容はいずれも主たる部分において真実であると認められる」として、情報提供は違法ではないとして、損害賠償請求は棄却された。

184　第2編　逐条解説　第2章　公益通報をしたことを理由とする公益通報者の解雇の
無効及び不利益な取扱いの禁止等

第8条（解釈規定）

> **（解釈規定）**
> 第八条　第三条から前条までの規定は、通報対象事実に係る通報をしたことを理由として第二条第一項各号に掲げる者に対して解雇その他不利益な取扱いをすることを禁止する他の法令の規定の適用を妨げるものではない。
> 2　第三条の規定は、労働契約法（平成十九年法律第百二十八号）第十六条の規定の適用を妨げるものではない。
> 3　第五条第一項の規定は、労働契約法第十四条及び第十五条の規定の適用を妨げるものではない。
> 4　第六条の規定は、通報対象事実に係る通報をしたことを理由として第二条第一項第四号に定める事業者から役員を解任された者が当該事業者に対し解任によって生じた損害の賠償を請求することができる旨の他の法令の規定の適用を妨げるものではない。

1　本条の概要

　本条第1項は、法第3条に規定する解雇の無効、第4条に規定する労働者派遣契約の解除の無効、第5条に規定する不利益な取扱いの禁止、第6条に規定する役員を解任された場合の損害賠償請求及び第7条に規定する損害賠償の制限は、公益通報に共通する基本的事項を定めるものであるところ、これらの規定は労働基準法等の他の個別の通報者保護規定の適用を妨げるものではない旨を確認的に規定するものである。

　また、本条第2項は、法第3条（解雇の無効）に定める要件に該当しない通報を理由とする解雇についても、労働契約法第16条の解雇権濫用の要件を満たす場合には、その適用を排除するものではない旨を確認的に規定するものである。

　さらに、本条第3項は、法第5条（不利益取扱いの禁止）第1項の要件に該当しない通報についても、労働契約法第14条及び第15条の出向命令権・懲戒権の濫用の要件を満たす場合には、同様にその適用を排除するものではない旨を確認的に規定するものである。

第8条（解釈規定）　185

そして、本条第4項において、法第6条（役員を解任された場合の損害賠償請求）の規定は、通報対象事実に係る通報をしたことを理由として事業者から役員を解任された者が、解任によって生じた損害の賠償を請求することができる旨の他の法令の規定の適用を妨げないことを確認的に規定するものである。

2　本条の趣旨

⑴　解雇の無効及び不利益な取扱いの禁止に関する解釈規定（本条第2項及び第3項）

法第3条は公益通報を理由とする解雇を無効とし、第5条は公益通報を理由とする不利益な取扱いを禁止しているところ、労働契約法は、出向命令権、懲戒権及び解雇権を濫用したものと認められる場合には、当該出向命令、懲戒及び解雇は無効となる旨が規定されている（労働契約法第14条から第16条まで）。

そのため、公益通報したことを理由になされる通報者への解雇や不利益な取扱いとしての出向命令・懲戒処分については、労働契約法第14条から第16条までに規定する権利濫用に該当し、無効となり得ると考えられる。

したがって、そのような形式をとって行われる解雇・不利益な取扱いについては、労働者の出向・懲戒・解雇について広く一般的に制限を加えている労働契約法第14条から第16条までとの関係において、法第3条及び第5条の規定は、他の既存の法律による労働者の解雇・不利益な取扱いの制限規定と同様に、労働契約法第14条から第16条までの特則ということができる。

しかし、法第3条及び第5条の規定は、

- ・　労働者保護自体を目的とするものではなく、あくまで公益通報をした者の保護を目的とするものであること
- ・　保護される公益通報の要件を具体的かつ明確に規定していること

との関係上、例えば、その他の外部通報先への公益通報の保護要件

（法第3条第2号及び第3号）に該当しない場合であっても、解雇・出向命令・懲戒処分に合理性や社会的相当性のないことも考えられ、このような事例について、労働契約法第14条から第16条までの権利濫用の要件を満たす場合には、その適用を排除することは適当ではないこと

から、法第3条各号に定める要件に該当しない通報についても、労働契約法第14条から第16条までは適用され得ることを明らかにする必要がある。

　そして、労働契約法第14条から第16条までは、あくまでも労働者保護のための一般規定であり、特段通報者に対する不利益な取扱いを禁止する旨を限定的に規定したものではなく、第1項の「通報対象事実に係る通報をしたことを理由として第二条第一項各号に掲げる者に対して解雇その他不利益な取扱いをすることを禁止する他の法令」には該当しないと解する余地があることから、第1項とは別建てで、第2項及び第3項が確認規定として置かれたものである。

　なお、労働者派遣契約については、派遣先と派遣労働者との間に労働契約関係が存在しないことから、派遣先と派遣労働者の関係について労働契約法の適用がなく、本法の規定の反対解釈がなされたとしても通報者を保護する他の法令の適用が排除されるおそれがないため、同様の確認規定は設けないこととされた。

⑵　役員を解任された場合の損害賠償請求に関する解釈規定（本条第4項）

　法第6条各号は、本法による保護を与える必要がある場合を具体的に類型化したものであるが、特殊な事情の存在や今後の事情の変化までを網羅して類型化することは困難であり、同条各号に掲げる場合に該当しない場合であっても、個別具体的な事情によっては役員解任の「正当な理由」が否定されることも考えられる。そこで、役員の解任によって生じた損害の賠償を請求できることを定めている個別の法令が適用され得

ることを明らかにするために、「第六条の規定は、通報対象事実に係る
通報をしたことを理由として……事業者から役員を解任された者が当該
事業者に対し解任によって生じた損害の賠償を請求することができる旨
の他の法令の規定の適用を妨げるものではない」との確認規定が第4項
に置かれたものである。

○ **参照条文**

［参考］労働契約法（平成 19 年法律第 128 号）

（出向）

第十四条　使用者が労働者に出向を命ずることができる場合において、当
該出向の命令が、その必要性、対象労働者の選定に係る事情その他の事
情に照らして、その権利を濫用したものと認められる場合には、当該命
令は、無効とする。

（懲戒）

第十五条　使用者が労働者を懲戒することができる場合において、当該懲
戒が、当該懲戒に係る労働者の行為の性質及び態様その他の事情に照ら
して、客観的に合理的な理由を欠き、社会通念上相当であると認められ
ない場合は、その権利を濫用したものとして、当該懲戒は、無効とする。

（解雇）

第十六条　解雇は、客観的に合理的な理由を欠き、社会通念上相当である
と認められない場合は、その権利を濫用したものとして、無効とする。

［参考］民法（明治 29 年法律第 89 号）

（委任の解除）

第六百五十一条　委任は、各当事者がいつでもその解除をすることができ
る。

2　前項の規定により委任の解除をした者は、次に掲げる場合には、相手
方の損害を賠償しなければならない。ただし、やむを得ない事由があっ
たときは、この限りでない。

一　相手方に不利な時期に委任を解除したとき。

二　委任者が受任者の利益（専ら報酬を得ることによるものを除く。）を
も目的とする委任を解除したとき。

（準委任）

第六百五十六条　この節の規定は、法律行為でない事務の委託について準
用する。

188 　第2編　逐条解説　　第2章　公益通報をしたことを理由とする公益通報者の解雇の
無効及び不利益な取扱いの禁止等

（不法行為による損害賠償）

第七百九条　故意又は過失によって他人の権利又は法律上保護される利益
を侵害した者は、これによって生じた損害を賠償する責任を負う。

［参考］会社法（平成17年法律第86号）

（解任）

第三百三十九条　役員及び会計監査人は、いつでも、株主総会の決議に
よって解任することができる。

2　前項の規定により解任された者は、その解任について正当な理由があ
る場合を除き、株式会社に対し、解任によって生じた損害の賠償を請求
することができる。

○　**通報者に対する解雇を解雇権の濫用として無効とし、不法行為の成立を認めた
裁判例**

［参考］大阪地裁堺支部平成15年6月18日判決（いずみ市民生協事件）

「本件のようないわゆる内部告発においては、これが虚偽事実により占め
られているなど、その内容が不当である場合には、内部告発の対象となっ
た組織体等の名誉、信用等に大きな打撃を与える危険性がある一方、これ
が真実を含む場合には、そうした組織体等の運営方法等の改善の契機とも
なりうるものであること、内部告発を行う者の人格権ないしは人格的利益
や表現の自由等との調整の必要も存することなどからすれば、内部告発の
内容の根幹的部分が真実ないしは内部告発者において真実と信じるについ
て相当な理由があるか、内部告発の目的が公益性を有するか、内部告発の
内容自体の当該組織体等にとっての重要性、内部告発の手段・方法の相当
性等を総合的に考慮して、当該内部告発が正当と認められた場合には、当
該組織体等としては、内部告発者に対し、当該内部告発により、仮に名誉、
信用等を毀損されたとしても、これを理由として懲戒解雇をすることは許
されないものと解するのが相当である。」

3　本条の解釈

(1)　「他の法令の規定」

個別法における通報者保護制度としては、例えば、労働条件や労働安
全衛生などに係る法令違反に関する行政官庁及び労働基準監督官への申
告制度（労働基準法第104条等）、原子力事業者等による法令違反に関す
る原子力規制委員会への申告制度（原子炉等規制法第66条）などがある。

○　主務大臣等への申告を理由とする解雇その他不利益な取扱いの禁止規定の例

［参考］核原料物質、核燃料物質及び原子炉の規制に関する法律（昭和 32 年法律第 166 号）

　　　（原子力規制委員会に対する申告）

　第六十六条　原子力事業者等（外国原子力船運航者を除く。以下この条において同じ。）がこの法律又はこの法律に基づく命令の規定に違反する事実がある場合においては、原子力事業者等の従業者は、その事実を原子力規制委員会に申告することができる。

　2　原子力事業者等は、前項の申告をしたことを理由として、その従業者に対して解雇その他不利益な取扱いをしてはならない。

　第七十八条　次の各号のいずれかに該当する者は、一年以下の懲役若しくは百万円以下の罰金に処し、又はこれを併科する。

　　一～二十七の四　（略）

　　二十八　第六十六条第二項の規定に違反した者

　　二十九～三十二　（略）

○　労働基準監督署等への申告を理由とする解雇その他不利益な取扱いの禁止規定の例

［参考］労働基準法（昭和 22 年法律第 49 号）

　　　（監督機関に対する申告）

　第百四条　事業場に、この法律又はこの法律に基いて発する命令に違反する事実がある場合においては、労働者は、その事実を行政官庁又は労働基準監督官に申告することができる。

　②　使用者は、前項の申告をしたことを理由として、労働者に対して解雇その他不利益な取扱をしてはならない。

　第百十九条　次の各号のいずれかに該当する者は、六箇月以下の懲役又は三十万円以下の罰金に処する。

　　一　第三条、（中略）又は第百四条第二項の規定に違反した者

　　二～四　（略）

［参考］労働安全衛生法（昭和 47 年法律第 57 号）

　　　（労働者の申告）

　第九十七条　労働者は、事業場にこの法律又はこれに基づく命令の規定に違反する事実があるときは、その事実を都道府県労働局長、労働基準監督署長又は労働基準監督官に申告して是正のため適当な措置をとるように求めることができる。

　2　事業者は、前項の申告をしたことを理由として、労働者に対し、解雇

190 第2編 逐条解説 第2章 公益通報をしたことを理由とする公益通報者の解雇の無効及び不利益な取扱いの禁止等

その他不利益な取扱いをしてはならない。

第百十九条　次の各号のいずれかに該当する者は、六月以下の懲役又は五十万円以下の罰金に処する。

　一　第十四条、（中略）、<u>第九十七条第二項</u>、（中略）の規定に違反した者

　二～四　（略）

［参考］賃金の支払の確保等に関する法律（昭和51年法律第34号）

　　（労働者の申告）

第十四条　労働者は、事業主にこの法律又はこれに基づく命令の規定に違反する事実があるときは、その事実を都道府県労働局長、労働基準監督署長又は労働基準監督官に申告して是正のため適当な措置をとるように求めることができる。

　2　事業主は、前項の申告をしたことを理由として、労働者に対し、解雇その他不利益な取扱いをしてはならない。

第十七条　事業主が<u>第十四条第二項</u>の規定に違反したときは、六月以下の懲役又は十万円以下の罰金に処する。

［参考］労働者派遣事業の適正な運営の確保及び派遣労働者の保護等に関する法律（昭和60年法律第88号）

　　（厚生労働大臣に対する申告）

第四十九条の三　労働者派遣をする事業主又は労働者派遣の役務の提供を受ける者がこの法律又はこれに基づく命令の規定に違反する事実がある場合においては、派遣労働者は、その事実を厚生労働大臣に申告することができる。

　2　労働者派遣をする事業主及び労働者派遣の役務の提供を受ける者は、<u>前項の申告をしたことを理由として</u>、派遣労働者に対して<u>解雇その他不利益な取扱いをしてはならない</u>。

第六十条　次の各号のいずれかに該当する者は、六月以下の懲役又は三十万円以下の罰金に処する。

　一　第四十九条の規定による処分に違反した者

　二　<u>第四十九条の三第二項</u>の規定に違反した者

［参考］家内労働法（昭和45年法律第60号）

　　（申告）

第三十二条　委託者に、この法律又はこの法律に基づく命令に違反する事実がある場合には、家内労働者又は補助者は、その事実を都道府県労働局長、労働基準監督署長又は労働基準監督官に申告することができる。

　2　委託者は、前項の規定による<u>申告をしたことを理由として</u>、家内労働

者に対して工賃の引下げその他不利益な取扱いをしてはならない。

3　委託者が家内労働者に対して前項の規定に違反する取扱いをした場合には、都道府県労働局長、労働基準監督署長又は労働基準監督官は、厚生労働省令で定めるところにより、当該委託者に対し、その取扱いの是正を命ずることができる。

第三十五条　次の各号の一に該当する者は、五千円以下の罰金に処する。

一・二　（略）

三　第十八条の規定による命令（委託をすることを禁止する命令を除く。）又は第三十二条第三項の規定による命令に違反した者

四～七　（略）

［参考］船員法（昭和22年法律第100号）

（船員の申告）

第百十二条　この法律、労働基準法又はこの法律に基づいて発する命令に違反する事実があるときは、船員は、国土交通省令の定めるところにより、国土交通大臣、地方運輸局長、運輸支局長、地方運輸局、運輸監理部若しくは運輸支局の事務所の長又は船員労務官にその事実を申告することができる。

②　船舶所有者は、前項の申告をしたことを理由として、船員を解雇しその他船員に対して不利益な取扱を与えてはならない。

第百三十条　船舶所有者が第三十三条、（中略）、第百十二条第二項、（中略）若しくは第百十八条の四第四項の規定に違反し、又は第七十三条の規定に基づく国土交通省令に違反したときは、当該違反行為をした者は、六月以下の懲役又は三十万円以下の罰金に処する。

［参考］港湾労働法（昭和63年法律第40号）

（公共職業安定所長に対する申告）

第四十四条　港湾労働者は、事業主が第三章（これに基づく命令を含む。）又は前条の規定に違反する事実がある場合においては、その事実を公共職業安定所長に申告することができる。

2　事業主は、前項の申告をしたことを理由として、港湾労働者に対して解雇その他不利益な取扱いをしてはならない。

第四十九条　次の各号のいずれかに該当する者は、六月以下の懲役又は三十万円以下の罰金に処する。

一　第十条第一項又は第四十四条第二項の規定に違反した者

二・三　（略）

192　第2編　逐条解説　第2章　公益通報をしたことを理由とする公益通報者の解雇の無効及び不利益な取扱いの禁止等

[参考] じん肺法（昭和35年法律第30号）

　　（労働者の申告）

　第四十三条の二　労働者は、事業場にこの法律又はこれに基づく命令の規定に違反する事実があるときは、その事実を都道府県労働局長、労働基準監督署長又は労働基準監督官に申告して是正のため適当な措置をとるように求めることができる。

　2　事業者は、前項の申告をしたことを理由として、労働者に対して、解雇その他不利益な取扱いをしてはならない。

　第四十五条　次の各号のいずれかに該当する者は、三十万円以下の罰金に処する。

　　一　第六条、（中略）又は<u>第四十三条の二第二項</u>の規定に違反した者

　　二～五　（略）

[参考] 鉱山保安法（昭和24年法律第70号）

　　（経済産業大臣等に対する申告）

　第五十条　この法律若しくはこの法律に基づく経済産業省令に違反する事実が生じ、又は生ずるおそれがあると信ずるに足りる相当の理由があるときは、鉱山労働者（第二条第二項及び第四項に規定する附属施設における労働者を含む。次項において同じ。）は、その事実を経済産業大臣、産業保安監督部長又は鉱務監督官に申告することができる。

　2　鉱業権者は、前項の申告をしたことを理由として、鉱山労働者に対して解雇その他不利益な取扱いをしてはならない。

　第六十一条　次の各号のいずれかに該当する者は、一年以下の懲役又は百万円以下の罰金に処する。

　　一～五　（略）

　　六　第二十七条第三項又は第五十条第二項の規定に違反して解雇その他不利益な取扱いをした者

　　七　（略）

[参考] 船員災害防止活動の促進に関する法律（昭和42年法律第61号）

　　（船員の申告）

　第六十四条　この法律又はこの法律に基づく命令に違反する事実があるときは、船員は、地方運輸局長（運輸監理部長を含む。以下同じ。）、運輸支局長、地方運輸局、運輸監理部若しくは運輸支局の事務所の長又は船員労務官にその事実を申告することができる。

　2　船舶所有者は、前項の<u>申告をしたことを理由として</u>、船員を<u>解雇し</u>、その他船員に対し<u>不利益な取扱いをしてはならない</u>。

第六十七条　船舶所有者が<u>第六十四条第二項</u>の規定に違反したときは、六月以下の懲役又は十万円以下の罰金に処する。

○　その他の個別法の解雇等の制限規定の例

［参考］労働組合法（昭和24年法律第174号）

（不当労働行為）

第七条　使用者は、次の各号に掲げる行為をしてはならない。

一　<u>労働者が労働組合の組合員であること、労働組合に加入し、若しくはこれを結成しようとしたこと若しくは労働組合の正当な行為をしたこと</u>の故をもつて、<u>その労働者を解雇し、その他これに対して不利益な取扱いをすること</u>又は労働者が労働組合に加入せず、若しくは労働組合から脱退することを雇用条件とすること。ただし、労働組合が特定の工場事業場に雇用される労働者の過半数を代表する場合において、その労働者がその労働組合の組合員であることを雇用条件とする労働協約を締結することを妨げるものではない。

二・三　（略）

四　労働者が労働委員会に対し使用者がこの条の規定に違反した旨の申立てをしたこと若しくは中央労働委員会に対し第二十七条の十二第一項の規定による命令に対する再審査の申立てをしたこと又は労働委員会がこれらの申立てに係る調査若しくは審問をし、若しくは当事者に和解を勧め、若しくは労働関係調整法（昭和二十一年法律第二十五号）による労働争議の調整をする場合に労働者が証拠を提示し、若しくは発言をしたことを理由として、その労働者を解雇し、その他これに対して不利益な取扱いをすること。

（不当労働行為事件の審査の開始）

第二十七条　労働委員会は、使用者が第七条の規定に違反した旨の申立てを受けたときは、遅滞なく調査を行い、必要があると認めたときは、当該申立てが理由があるかどうかについて審問を行わなければならない。この場合において、審問の手続においては、当該使用者及び申立人に対し、証拠を提出し、証人に反対尋問をする充分な機会が与えられなければならない。

2　（略）

（救済命令等）

第二十七条の十二　労働委員会は、事件が命令を発するのに熟したときは、事実の認定をし、この認定に基づいて、申立人の請求に係る救済の全部若しくは一部を認容し、又は申立てを棄却する命令（以下「救済命令等」

194 　第2編　逐条解説　　第2章　公益通報をしたことを理由とする公益通報者の解雇の
　　　　無効及び不利益な取扱いの禁止等

という。）を発しなければならない。

　2〜4　（略）

第二十八条　救済命令等の全部又は一部が確定判決によつて支持された場
　合において、その違反があつたときは、その行為をした者は、一年以下
　の禁錮若しくは百万円以下の罰金に処し、又はこれを併科する。

［参考］雇用保険法（昭和49年法律第116号）

　　（確認の請求）

第八条　被保険者又は被保険者であつた者は、いつでも、次条の規定によ
　る確認を請求することができる。

　　（確認）

第九条　厚生労働大臣は、第七条の規定による届出若しくは前条の規定に
　よる請求により、又は職権で、<u>労働者が被保険者となつたこと又は被保
　険者でなくなつたことの確認</u>を行うものとする。

　2　（略）

　　（不利益取扱いの禁止）

第七十三条　事業主は、労働者が第八条の規定による確認の請求又は第
　三十七条の五第一項の規定による申出をしたことを理由として、労働者
　に対して解雇その他不利益な取扱いをしてはならない。

第八十三条　事業主が次の各号のいずれかに該当するときは、六箇月以下
　の懲役又は三十万円以下の罰金に処する。

　　一　（略）

　　二　<u>第七十三条の規定</u>に違反した場合

　　三〜五　（略）

［参考］個別労働関係紛争の解決の促進に関する法律（平成13年法律第112
　　　　号）

　　（当事者に対する助言及び指導）

第四条　都道府県労働局長は、個別労働関係紛争（労働関係調整法（昭和
　二十一年法律第二十五号）第六条に規定する労働争議に当たる紛争及び
　行政執行法人の労働関係に関する法律（昭和二十三年法律第二百五十七
　号）第二十六条第一項に規定する紛争を除く。）に関し、当該個別労働関
　係紛争の当事者の双方又は一方からその解決につき援助を求められた場
　合には、当該個別労働関係紛争の当事者に対し、必要な助言又は指導を
　することができる。

　2　（略）

　3　事業主は、労働者が<u>第一項の援助を求めたことを理由として、当該労</u>

働者に対して解雇その他不利益な取扱いをしてはならない。

（あっせんの委任）

第五条　都道府県労働局長は、前条第一項に規定する個別労働関係紛争（労働者の募集及び採用に関する事項についての紛争を除く。）について、当該個別労働関係紛争の当事者（以下「紛争当事者」という。）の双方又は一方からあっせんの申請があった場合において当該個別労働関係紛争の解決のために必要があると認めるときは、紛争調整委員会にあっせんを行わせるものとする。

2　前条第三項の規定は、労働者が前項の申請をした場合について準用する。

《罰則規定なし》

［参考］雇用の分野における男女の均等な機会及び待遇の確保等に関する法律（昭和47年法律第113号）

（職場における性的な言動に起因する問題に関する雇用管理上の措置等）

第十一条　事業主は、職場において行われる性的な言動に対するその雇用する労働者の対応により当該労働者がその労働条件につき不利益を受け、又は当該性的な言動により当該労働者の就業環境が害されることのないよう、当該労働者からの相談に応じ、適切に対応するために必要な体制の整備その他の雇用管理上必要な措置を講じなければならない。

2　事業主は、労働者が前項の相談を行つたこと又は事業主による当該相談への対応に協力した際に事実を述べたことを理由として、当該労働者に対して解雇その他不利益な取扱いをしてはならない。

3〜5　（略）

（紛争の解決の援助）

第十七条　都道府県労働局長は、前条に規定する紛争に関し、当該紛争の当事者の双方又は一方からその解決につき援助を求められた場合には、当該紛争の当事者に対し、必要な助言、指導又は勧告をすることができる。

2　第十一条第二項の規定は、労働者が前項の援助を求めた場合について準用する。

《罰則規定なし》

［参考］育児休業、介護休業等育児又は家族介護を行う労働者の福祉に関する法律（平成3年法律第76号）

（不利益取扱いの禁止）

第十条　事業主は、労働者が育児休業申出をし、又は育児休業をしたこと

196　第2編　逐条解説　第2章　公益通報をしたことを理由とする公益通報者の解雇の無効及び不利益な取扱いの禁止等

を理由として、当該労働者に対して解雇その他不利益な取扱いをしてはならない。

（準用）

第十六条　第十条の規定は、介護休業申出及び介護休業について準用する。

（準用）

第十六条の四　第十条の規定は、第十六条の二第一項の規定による申出及び子の看護休暇について準用する。

（準用）

第十六条の七　第十条の規定は、第十六条の五第一項の規定による申出及び介護休暇について準用する。

《罰則規定なし》

［参考］運輸安全委員会設置法（昭和48年法律第113号）

（事故等調査）

第十八条　（略）

2　委員会は、事故等調査を行うため必要があると認めるときは、次に掲げる処分をすることができる。

一　航空機の使用者、航空機設計者等（航空機又は航空機の装備品若しくは部品の設計、製造、整備、改造又は検査をする者をいう。第四号において同じ。）、航空機に乗り組んでいた者、航空事故に際し人命又は航空機の救助に当たつた者その他の航空事故等の関係者（以下「航空事故等関係者」という。）から報告を徴すること。

二　鉄道事業者、軌道経営者、列車又は車両に乗務していた者、鉄道事故に際し人命の救助に当たつた者その他の鉄道事故等の関係者（以下「鉄道事故等関係者」という。）から報告を徴すること。

三　船舶の使用者、船舶に乗り組んでいた者、船舶事故に際し人命又は船舶の救助に当たつた者その他の船舶事故等の関係者（以下「船舶事故等関係者」という。）から報告を徴すること。

四　事故等の現場、航空機の使用者、航空機設計者等、鉄道事業者、軌道経営者又は船舶の使用者の事務所その他の必要と認める場所に立ち入つて、航空機、鉄道施設、船舶、帳簿、書類その他の事故等に関係のある物件（以下「関係物件」という。）を検査し、又は航空事故等関係者、鉄道事故等関係者若しくは船舶事故等関係者（以下「関係者」という。）に質問すること。

五　関係者に出頭を求めて質問すること。

六　関係物件の所有者、所持者若しくは保管者に対し当該物件の提出を

求め、又は提出物件を留め置くこと。

七　関係物件の所有者、所持者若しくは保管者に対し当該物件の保全を命じ、又はその移動を禁止すること。

八　事故等の現場に、公務により立ち入る者及び委員会が支障がないと認める者以外の者が立ち入ることを禁止すること。

3　委員会は、必要があると認めるときは、委員長、委員又は事務局の職員に前項各号に掲げる処分を、専門委員に同項第四号に掲げる処分をさせることができる。

4・5　（略）

（国土交通大臣の援助）

第二十二条　委員会は、事故等調査を行うため必要があると認めるときは、国土交通大臣に対し、事故等についての事実の調査又は物件の収集の援助その他の必要な援助を求めることができる。

2　国土交通大臣は、前項の規定により事故等についての事実の調査の援助を求められた場合において、必要があると認めるときは、その職員に第十八条第二項第四号に掲げる処分をさせることができる。

3　国土交通大臣は、事故等が発生したことを知つたときは、直ちに当該事故等について事実の調査、物件の収集その他の委員会が事故等調査を円滑に開始することができるための適切な措置をとらなければならない。

4　国土交通大臣は、前項の規定による措置をとるため必要があると認めるときは、その職員に第十八条第二項各号に掲げる処分をさせることができる。

5　（略）

（不利益取扱いの禁止）

第三十条　何人も、第十八条第二項若しくは第三項又は第二十二条第二項若しくは第四項の規定による処分に応ずる行為をしたことを理由として、解雇その他の不利益な取扱いを受けない。

《罰則規定なし》

4　その他

⑴　同様の解釈規定を置いている例

　同様の解釈規定を置いている例として、民法第96条（詐欺・強迫の取消し）と、消費者契約の場合の民法の特例を定めた消費者契約法第4条

との関係について定めた消費者契約法第6条の規定がある。

○ 「適用を妨げるものではない」との解釈規定の例

［参考］消費者契約法（平成12年法律第61号）

（解釈規定）

第六条　第四条第一項から第四項までの規定は、これらの項に規定する消費者契約の申込み又はその承諾の意思表示に対する民法（明治二十九年法律第八十九号）第九十六条の規定の適用を妨げるものと解してはならない。

(2)　公益通報者保護法案附帯決議

　原始法制定時の国会での法案審議の際、衆・参双方の内閣委員会において原始法に対する附帯決議が行われ、いずれの決議でも、原始法の保護の対象とならない通報については、従来どおり一般法理が適用されること等を事業者等に周知徹底することが求められている。

○ 関連決議

［参考］衆議院内閣委員会　公益通報者保護法案に対する附帯決議（平成16年5月21日）

　一　本法の立法趣旨や各条項の解釈等について、労働者、事業者、地方公共団体等に十分周知徹底すること。

　　特に、本法の保護の対象とならない通報については、従来どおり一般法理が適用されるものであって、いやしくも本法の制定により反対解釈がなされてはならないとの趣旨及び本法によって通報者の保護が拡充・強化されるものであるとの趣旨を周知徹底すること。

［参考］参議院内閣委員会　公益通報者保護法案に対する附帯決議（平成16年6月11日）

　一　本法の立法趣旨が通報者の利益の保護を拡充・強化しようとするものであること、及び本法による保護対象に含まれない通報については従来どおり一般法理が適用されるものであることを、労働者、事業者等に周知徹底すること。

第9条（一般職の国家公務員等に対する取扱い）　199

第9条（一般職の国家公務員等に対する取扱い）

（一般職の国家公務員等に対する取扱い）
第九条　第三条各号に定める公益通報をしたことを理由とする一般職の国
　　家公務員、裁判所職員臨時措置法（昭和二十六年法律第二百九十九号）
　　の適用を受ける裁判所職員、国会職員法（昭和二十二年法律第八十五
　　号）の適用を受ける国会職員、自衛隊法（昭和二十九年法律第百六十五
　　号）第二条第五項に規定する隊員及び一般職の地方公務員（以下この条
　　において「一般職の国家公務員等」という。）に対する免職その他不利
　　益な取扱いの禁止については、第三条から第五条までの規定にかかわら
　　ず、国家公務員法（昭和二十二年法律第百二十号。裁判所職員臨時措置
　　法において準用する場合を含む。）、国会職員法、自衛隊法及び地方公務
　　員法（昭和二十五年法律第二百六十一号）の定めるところによる。この
　　場合において、第二条第一項第一号に定める事業者は、第三条各号に定
　　める公益通報をしたことを理由として一般職の国家公務員等に対して免
　　職その他不利益な取扱いがされることのないよう、これらの法律の規定
　　を適用しなければならない。

1　本条の概要

　本条は、本法が、民間部門の労働者と公務員の双方に適用されるとこ
ろ、公務員は、国家公務員法等において身分保障や分限・懲戒事由が法
定されていること等を踏まえて、公益通報をしたことを理由とする公務
員に対する不利益な取扱いの禁止については、法第3条から第5条まで
の規定にかかわらず、国家公務員法等の定めるところによる旨を規定す
るものである。

2　本条の趣旨

　行政機関内部においても犯罪行為やその他の法令違反行為は考えられ
るため、民間部門の労働者のみならず、公務員が公益通報を行った場合
についても保護の対象とすることが不可欠である。
　他方、例えば、一般職の国家公務員は、

200 第2編 逐条解説 第2章 公益通報をしたことを理由とする公益通報者の解雇の無効及び不利益な取扱いの禁止等

- ・ 国家公務員法第33条第1項の規定により、「職員の任用は、……その者の受験成績、人事評価又はその他の能力の実証に基づいて行わなければならない。」とされていること

- ・ 国家公務員法第74条第1項の規定により、「すべての職員の分限、懲戒及び保障については、公正でなければならない。」とされていること

- ・ 国家公務員法第75条第1項の規定により、「職員は、法律又は人事院規則に定める事由による場合でなければ、その意に反して、降任され、休職され、又は免職されることはない。」とされていること

- ・ 刑事訴訟法第239条の規定により、「その職務を行うことにより犯罪があると思料するときは、告発をしなければならない。」とされていること

から、職員が公益通報をしたことを理由として免職その他不利益な取扱いを行うことが禁止されているといえる。

　さらに、国家公務員法は、第27条において平等取扱いの原則を定めていることから、公益通報をした職員に対し、そのことを理由として事実上の不利益な取扱いが行われることを許容するものではなく、同条に違反して不利益な取扱いを行った場合には「第二十七条の規定に違反して差別をした者」として第109条第8号に該当し、同条で罰則が定められている。

　また、上記のとおり、国家公務員法において、職員に対する事実上の行為を含む「免職その他不利益な取扱い」を禁止しているにもかかわらず、国家公務員法第108条の7、国家公務員の育児休業等に関する法律第11条など、一般職の職員が不利益な取扱いを受けない旨規定されている例が見られるが、これらの規定はいずれも一般職の国家公務員を適用対象とした法令において、国家公務員法の規定に基づき既に担保されていることを確認的に規定しているものと考えられる。

　こうしたことから、一般職の国家公務員については、公益通報をした

職員に対して解雇その他不利益な取扱いを禁止することは現行の国家公務員法上も担保されている。この趣旨を明確化するため、本条で「公益通報をしたことを理由とする公務員に対する不利益な取扱いの禁止については、第3条から第5条までの規定にかかわらず、国家公務員法等の定めるところによる。」旨が規定されたものである。

ただし、公務員法制においては本法に相当する公益通報の具体的要件等が明確に規定されているわけではないことから、本条後段において、任命権者等に本法に規定する公益通報であれば免職その他不利益な取扱いがなされないよう公務員法制を適用すべきことが明確に義務付けられたものである。

○　原始法制定当時の意見

［参考］国民生活審議会消費者政策部会「21世紀型の消費者政策の在り方について」（平成15年5月28日）

　第4章　消費者政策の実効性確保

　第4節　公益通報者保護制度の整備

　　3．通報者の保護

　⑵　通報者の範囲

　　②　<u>公務員についても、民間部門の労働者と同様に通報者が保護される必要がある。</u>公務員は、身分保障や分限・懲戒事由が法定されていること、犯罪についての告発義務が課されていること等から、公務員が、公益のためにその認知した法令違反行為を適宜の方法で通報しても、そのことを理由として不利益な取扱いを受けることは現行法上も許容されるものではない。この趣旨を明確にし、十分な周知を図るとともに、通報を受ける窓口の明確化等により、迅速かつ適切に通報に対処していく必要がある。

○　公務員に対する身分保障等を定めた規定の例

［参考］国家公務員法（昭和22年法律第120号）

　　（平等取扱いの原則）

　第二十七条　<u>全て国民は、この法律の適用について、平等に取り扱われ、</u>人種、信条、性別、社会的身分、門地又は第三十八条第四号に該当する場合を除くほか政治的意見若しくは政治的所属関係によつて、差別されてはならない。

202　第2編　逐条解説　第2章　公益通報をしたことを理由とする公益通報者の解雇の無効及び不利益な取扱いの禁止等

（任免の根本基準）

第三十三条　職員の任用は、この法律の定めるところにより、その者の受験成績、人事評価又はその他の能力の実証に基づいて行わなければならない。

②　（略）

③　職員の免職は、法律に定める事由に基づいてこれを行わなければならない。

④　（略）

（分限、懲戒及び保障の根本基準）

第七十四条　すべて職員の分限、懲戒及び保障については、公正でなければならない。

②　（略）

（身分保障）

第七十五条　職員は、法律又は人事院規則に定める事由による場合でなければ、その意に反して、降任され、休職され、又は免職されることはない。

②　職員は、人事院規則の定める事由に該当するときは、降給されるものとする。

（本人の意に反する降任及び免職の場合）

第七十八条　職員が、次の各号に掲げる場合のいずれかに該当するときは、人事院規則の定めるところにより、その意に反して、これを降任し、又は免職することができる。

　一　人事評価又は勤務の状況を示す事実に照らして、勤務実績がよくない場合

　二　心身の故障のため、職務の遂行に支障があり、又はこれに堪えない場合

　三　その他その官職に必要な適格性を欠く場合

　四　官制若しくは定員の改廃又は予算の減少により廃職又は過員を生じた場合

（幹部職員の降任に関する特例）

第七十八条の二　任命権者は、幹部職員（幹部職のうち職制上の段階が最下位の段階のものを占める幹部職員を除く。以下この条において同じ。）について、次の各号に掲げる場合のいずれにも該当するときは、人事院規則の定めるところにより、当該幹部職員が前条各号に掲げる場合のい

第9条（一般職の国家公務員等に対する取扱い） 203

ずれにも該当しない場合においても、その意に反して降任（直近下位の職制上の段階に属する幹部職への降任に限る。）を行うことができる。

一　当該幹部職員が、人事評価又は勤務の状況を示す事実に照らして、他の官職（同じ職制上の段階に属する他の官職であつて、当該官職に対する任命権が当該幹部職員の任命権者に属するものをいう。第三号において「他の官職」という。）を占める他の幹部職員に比して勤務実績が劣つているものとして人事院規則で定める要件に該当する場合

二　当該幹部職員が現に任命されている官職に幹部職員となり得る他の特定の者を任命すると仮定した場合において、当該他の特定の者が、人事評価又は勤務の状況を示す事実その他の客観的な事実及び当該官職についての適性に照らして、当該幹部職員より優れた業績を挙げることが十分見込まれる場合として人事院規則で定める要件に該当する場合

三　当該幹部職員について、欠員を生じ、若しくは生ずると見込まれる他の官職についての適性が他の候補者と比較して十分でない場合として人事院規則で定める要件に該当すること若しくは他の官職の職務を行うと仮定した場合において当該幹部職員が当該他の官職に現に就いている他の職員より優れた業績を挙げることが十分見込まれる場合として人事院規則で定める要件に該当しないことにより、転任させるべき適当な官職がないと認められる場合又は幹部職員の任用を適切に行うため当該幹部職員を降任させる必要がある場合として人事院規則で定めるその他の場合

（本人の意に反する休職の場合）

第七十九条　職員が、左の各号の一に該当する場合又は人事院規則で定めるその他の場合においては、その意に反して、これを休職することができる。

一　心身の故障のため、長期の休養を要する場合

二　刑事事件に関し起訴された場合

（懲戒の場合）

第八十二条　職員が、次の各号のいずれかに該当する場合においては、これに対し懲戒処分として、免職、停職、減給又は戒告の処分をすることができる。

一　この法律若しくは国家公務員倫理法又はこれらの法律に基づく命令（国家公務員倫理法第五条第三項の規定に基づく訓令及び同条第四項の

規定に基づく規則を含む。）に違反した場合

二　職務上の義務に違反し、又は職務を怠つた場合

三　国民全体の奉仕者たるにふさわしくない非行のあつた場合

②　（略）

［参考］裁判所職員臨時措置法（昭和 26 年法律第 299 号）

　裁判官及び裁判官の秘書官以外の裁判所職員の採用試験、任免、給与、人事評価、能率、分限、懲戒、保障、服務、退職管理及び退職年金制度に関する事項については、他の法律に特別の定めのあるものを除くほか、当分の間、次に掲げる法律の規定を準用する。（中略）

　一　国家公務員法（第一条から第三条まで、第四条から第二十五条まで、第二十八条、第三十三条第二項第二号、第三十三条の二、第三十四条第一項第六号及び第七号、第四十五条の二、第四十五条の三、第五十四条、第五十五条、第六十一条の二から第六十一条の十一まで、第六十四条第二項、第六十七条、第七十条の三第二項、第七十条の六第一項各号及び第三項から第五項まで、第七十条の七、第七十三条第二項、第七十三条の二、第七十八条の二、第九十五条、第百六条の七から第百六条の十三まで、第百六条の十四第三項から第五項まで、第百六条の十五、第百六条の二十五、第百六条の二十六、第百八条並びに第百八条の五の二の規定並びにこれらの規定に関する罰則並びに執行官について第八十一条の二から第八十一条の六までの規定を除く。）

　二〜十　（略）

［参考］国会職員法（昭和 22 年法律第 85 号）

第九条　国会職員は、この法律で定める事由による場合でなければ、その意に反して、降任され、休職され、又は免職されることはない。

②・③　（略）

［参考］自衛隊法（昭和 29 年法律第 165 号）

　（身分保障）

第四十二条　隊員は、懲戒処分による場合及び次の各号のいずれかに該当する場合を除き、その意に反して、降任され、又は免職されることがない。

一　人事評価又は勤務の状況を示す事実に照らして、勤務実績がよくない場合

二　心身の故障のため、職務の遂行に支障があり、又はこれに堪えない場合

三　前二号に規定する場合のほか、その職務に必要な適格性を欠く場合

四　組織、編成若しくは定員の改廃又は予算の減少により、廃職又は過員を生じた場合

［参考］地方公務員法（昭和 25 年法律第 261 号）

（平等取扱いの原則）

第十三条　全て国民は、この法律の適用について、平等に取り扱われなければならず、人種、信条、性別、社会的身分若しくは門地によつて、又は第十六条第四号に該当する場合を除くほか、政治的意見若しくは政治的所属関係によつて、差別されてはならない。

（分限及び懲戒の基準）

第二十七条　すべて職員の分限及び懲戒については、公正でなければならない。

2　職員は、この法律で定める事由による場合でなければ、その意に反して、降任され、若しくは免職されず、この法律又は条例で定める事由による場合でなければ、その意に反して、休職されず、又、条例で定める事由による場合でなければ、その意に反して降給されることがない。

3　職員は、この法律で定める事由による場合でなければ、懲戒処分を受けることがない。

（降任、免職、休職等）

第二十八条　職員が、次の各号に掲げる場合のいずれかに該当するときは、その意に反して、これを降任し、又は免職することができる。

一　人事評価又は勤務の状況を示す事実に照らして、勤務実績がよくない場合

二　心身の故障のため、職務の遂行に支障があり、又はこれに堪えない場合

三　前二号に規定する場合のほか、その職に必要な適格性を欠く場合

四　職制若しくは定数の改廃又は予算の減少により廃職又は過員を生じた場合

2　職員が、次の各号に掲げる場合のいずれかに該当するときは、その意に反して、これを休職することができる。

一　心身の故障のため、長期の休養を要する場合

二　刑事事件に関し起訴された場合

3・4　（略）

206 第2編　逐条解説　第2章　公益通報をしたことを理由とする公益通報者の解雇の
　　　無効及び不利益な取扱いの禁止等

　（懲戒）

　第二十九条　職員が次の各号の一に該当する場合においては、これに対し、懲戒処分として戒告、減給、停職又は免職の処分をすることができる。

　　一　この法律若しくは第五十七条に規定する特例を定めた法律又はこれに基く条例、地方公共団体の規則若しくは地方公共団体の機関の定める規程に違反した場合

　　二　職務上の義務に違反し、又は職務を怠つた場合

　　三　全体の奉仕者たるにふさわしくない非行のあつた場合

　　2〜4　（略）

○　**公務員に対する「不利益な取扱いの禁止」を定めた規定の例**

［参考］国家公務員法（昭和22年法律第120号）

　　（不利益取扱いの禁止）

　第百八条の七　職員は、職員団体の構成員であること、これを結成しようとしたこと、若しくはこれに加入しようとしたこと、又はその職員団体における正当な行為をしたことのために不利益な取扱いを受けない。

［参考］国家公務員の育児休業等に関する法律（平成3年法律第109号）

　　（育児休業を理由とする不利益取扱いの禁止）

　第十一条　職員は、育児休業を理由として、不利益な取扱いを受けない。

［参考］国家公務員倫理規程（平成12年政令第101号）

　　（各省各庁の長等の責務）

　第十四条　各省各庁の長等は、法又はこの政令に定める事項の実施に関し、次に掲げる責務を有する。

　　一〜三　（略）

　　四　当該各省各庁又は行政執行法人に属する職員が法又は法に基づく命令に違反する行為について倫理監督官その他の適切な機関に通知をしたことを理由として、不利益な取扱いを受けないよう配慮すること。

　　五　（略）

3　本条の解釈

(1)　「第二条第一項第一号に定める事業者」

　原始法において、本条後段は、「一般職の国家公務員等の任命権者その他の第二条第一項第一号に掲げる事業者は」と規定されていた。「一般職の国家公務員等の任命権者」については、国という「事業者」内部

第9条（一般職の国家公務員等に対する取扱い）　207

で免職等を行う権限を有しているにすぎず、「事業者」そのものではないものの、国家公務員法等に照らし、「事業者」内部において免職その他不利益な取扱いの主体となり得る者として、例示されていたものである。

　この点、本法において「事業者」は「法人その他の団体及び事業を行う個人」と定義されているところ（法第2条第1項）、法第3条の規定による解雇の無効、第4条の規定による労働者派遣契約の解除の無効及び第5条の規定による不利益な取扱いの禁止等については、いずれも「事業者」を主体とする規範として定められている。「事業者」に含まれる「法人」は、自然人以外の法律上の権利義務の主体を意味するものであり、国、地方公共団体等の公法人も含まれるところ、株式会社等の民間法人と同様に、法人単位で「事業者」を主体とする規範に服することとなる。このように、「事業者」を主体とする規範に服するのは、あくまで国、地方公共団体等の公法人であることから、この点を明確にするため、改正法により「一般職の国家公務員等の任命権者」を例示する部分が削除された。

　また、本条の「事業者」については、法第2条第1項第1号に定める事業者を「当該労働者を自ら使用するもの」に限る旨の法第3条柱書における限定が及ぶ。これは、一般職の国家公務員等が在職中に公益通報をした場合、在職中については、国家公務員法等の定めるところにより保護されるものの、退職後については、国家公務員法等による保護の対象とならないところ、一般職の国家公務員等が退職後に公益通報をした場合についても、退職金の不支給等の不利益な取扱いを受けるおそれがある。そのため、退職後については、法第5条第1項の規定の適用を排除せず、同項の規定により保護することが必要であることから、「事業者」を「当該労働者を自ら使用するもの」に限る旨の限定を本条にも及ぶこととされたものである。

　なお、国家公務員が退職した場合に支給する退職手当の基準については、国家公務員退職手当法により定められており、退職手当の支給制限

等の根拠についても規定されているところ（国家公務員退職手当法第4章）、国家公務員退職手当法は本条の対象とされていないため、一般職の国家公務員等が在職中又は退職後に公益通報をした場合における退職金の不支給については、法第5条第1項の規定により保護されることとなる。

(2) 公益通報と公務員の守秘義務との関係

国家公務員法第100条の守秘義務の対象となる「秘密」とは、単に形式的に秘扱の指定をしただけでは足りず、非公知の事実であって、実質的にもそれを秘密として保護するに値すると認められるものをいうと解すべきとされているところである（最高裁第二小法廷昭和52年12月19日決定）。

本法における公益通報の対象は犯罪行為やその他の法令違反行為という反社会性が明白な行為であり、秘密として保護するに値しないと考えられることから、通常、これらの事実について本法に定める要件に該当する公益通報をしても、守秘義務違反を問われることはないと考えられる。

もっとも、公益通報に当たって、例えば、第三者の営業秘密や国の安全に関わる情報で通報に必要のないものなどを漏らした場合には、守秘義務違反に問われる場合も考えられる。

○ 「秘密」の意義について判断した裁判例

［参考］最高裁第二小法廷昭和52年12月19日決定（徴税トラの巻事件）

「国家公務員法100条1項の文言及び趣旨を考慮すると、同条項にいう「秘密」であるためには、国家機関が単にある事項につき形式的に秘扱の指定をしただけでは足りず、右「秘密」とは、非公知の事項であつて、実質的にもそれを秘密として保護するに価すると認められるものをいうと解すべき」

［参考］東京地裁昭和49年1月31日判決（外務省機密漏えい事件第一審）

「国家公務員法109条12号、100条1項にいわゆる「秘密」の意義については、同法の目的、性格及び全体的構成を考慮して検討しなければならな

第9条（一般職の国家公務員等に対する取扱い）　209

いが、同法が「上司の職務上の命令に忠実に従わなければならない」という義務（98条1項）に対する違反行為には何ら刑罰規定を定めず懲戒規定（82条）を設けているに過ぎないことにかんがみると、同法109条12号の規定は行政機関による秘密指定（これは単に「職務上の命令」という性格を有するにとどまる。）を保護するものではなく、秘密それ自体を保護するものであり、ここにいわゆる「秘密」とは「1年以下の懲役又は3万円以下の罰金」という刑罰をもつて保護するに足りるだけの価値ないし必要性を備えているものでなければならないと解するのを相当とする。

そうすると同法109条12号、100条1項にいわゆる「秘密」とは、実質的にも秘密として保護するに値すると客観的に認められ得る事項、すなわち、通常の知識経験を有する多数の者にいまだ知られておらず（非公知性）、秘匿の必要性を具備している事項（知識、文書又は物件）を意味するものといわなければならない。」

「更に、公務の内容が違法であつて当該公務の民主的な運営ということ自体が無意味である場合には、民主的運営の保障のための秘密保持義務は考えられない（このことは、公務執行妨害罪の構成要件として「当該公務が適法であること」を要するとされていること、及び公務員が法規遵守義務を負つていることから推しても是認される。）から、かかる公務に関する事項は国家公務員法にいわゆる「秘密」として保護する必要性を具備しないといわなければならない。」

(3)　公益通報と刑事訴訟法の告発義務との関係

刑事訴訟法第239条の「告発」とは、犯人及び告訴権者以外の者が捜査機関に対し犯罪事実を申告し、犯人の処罰を求める意思表示であり、本法の「公益通報」と重なり合う部分がある。

しかし、本法が定める「公益通報」と刑事訴訟法第239条が定める「告発」とでは、

- ・　刑事訴訟法の「告発」が処罰を求める意思表示であるのに対し、本法の「公益通報」は処罰を求める意思表示は必要としないこと
- ・　刑事訴訟法の「告発」の告発先が検察官又は司法警察員に限定されるのに対し、本法の「公益通報」の通報先にはそれ以外の行政機関や、報道機関等の行政機関以外の者を含むこと

など、その目的や要件を異にしていることから、本法は公務員の刑事訴訟法上の告発義務に何ら変更を加えるものではないと考えられる。

○　**参照条文**

[参考] 刑事訴訟法（昭和23年法律第131号）

　第二百三十九条　何人でも、犯罪があると思料するときは、告発をすることができる。

　②　官吏又は公吏は、その職務を行うことにより犯罪があると思料するときは、告発をしなければならない。

4　その他

⑴　公務員による通報対象行為

　本法が公益通報の対象とする「通報対象事実」は、国民の生命、身体、財産その他の利益の保護に関わる対象法律に規定する犯罪行為やその他の法令違反行為の事実である。

　このうち、公務員による犯罪行為としては、公務員が刑法第2編の罪を犯す場合が考えられ、具体例として、通常の犯罪行為である業務上過失致死傷罪（刑法第211条）、業務上横領罪（刑法第253条）等のほかに、公務員であることを要件とする身分犯としての虚偽公文書作成罪（刑法第156条）、公務員職権濫用罪（刑法第193条）等が考えられる。

　また、刑法のほかにも、個人情報保護法や水道法など、公務員による犯罪を定めた法律で国民の生活に密接に関わるものがある。

　このほかにも、

- ・　公務員である医師、歯科医師、保健師・助産師・看護師、歯科衛生士がそれぞれ医師法、歯科医師法、保健師助産師看護師法、歯科衛生士法に違反する場合
- ・　国や地方公共団体の開設する病院、診療所及び助産所が医療法に違反する場合
- ・　ガス事業を営む地方公共団体がガス事業法に違反する場合
- ・　鉄道事業を経営する地方公共団体が鉄道事業法に違反する場合

などが考えられる。

第9条（一般職の国家公務員等に対する取扱い）　211

　なお、法令の中には、行政機関等に一定の作為を義務付ける規定も見られるが、不作為について罰則が用意されていない限り、これらの規定に違反する事実は法第2条第3項の通報対象事実の要件を満たさず、公益通報の対象とはならない。

○　刑法第2編の罪のうち、公務員という身分を要件とするものの例

［参考］刑法（明治40年法律第45号）

　　（定義）

第七条　この法律において「公務員」とは、国又は地方公共団体の職員その他法令により公務に従事する議員、委員その他の職員をいう。

2　（略）

　　（詔書偽造等）

第百五十四条　行使の目的で、御璽、国璽若しくは御名を使用して詔書その他の文書を偽造し、又は偽造した御璽、国璽若しくは御名を使用して詔書その他の文書を偽造した者は、無期又は三年以上の懲役に処する。

2　御璽若しくは国璽を押し又は御名を署した詔書その他の文書を変造した者も、前項と同様とする。

　　（公文書偽造等）

第百五十五条　行使の目的で、公務所若しくは公務員の印章若しくは署名を使用して公務所若しくは公務員の作成すべき文書若しくは図画を偽造し、又は偽造した公務所若しくは公務員の印章若しくは署名を使用して公務所若しくは公務員の作成すべき文書若しくは図画を偽造した者は、一年以上十年以下の懲役に処する。

2　公務所又は公務員が押印し又は署名した文書又は図画を変造した者も、前項と同様とする。

3　前二項に規定するもののほか、公務所若しくは公務員の作成すべき文書若しくは図画を偽造し、又は公務所若しくは公務員が作成した文書若しくは図画を変造した者は、三年以下の懲役又は二十万円以下の罰金に処する。

　　（虚偽公文書作成等）

第百五十六条　公務員が、その職務に関し、行使の目的で、虚偽の文書若しくは図画を作成し、又は文書若しくは図画を変造したときは、印章又は署名の有無により区別して、前二条の例による。

　　（公務員職権濫用）

第百九十三条　公務員がその職権を濫用して、人に義務のないことを行わ

せ、又は権利の行使を妨害したときは、二年以下の懲役又は禁錮に処する。

（特別公務員職権濫用）

第百九十四条　裁判、検察若しくは警察の職務を行う者又はこれらの職務を補助する者がその職権を濫用して、人を逮捕し、又は監禁したときは、六月以上十年以下の懲役又は禁錮に処する。

（特別公務員暴行陵虐）

第百九十五条　裁判、検察若しくは警察の職務を行う者又はこれらの職務を補助する者が、その職務を行うに当たり、被告人、被疑者その他の者に対して暴行又は陵辱若しくは加虐の行為をしたときは、七年以下の懲役又は禁錮に処する。

２　法令により拘禁された者を看守し又は護送する者がその拘禁された者に対して暴行又は陵辱若しくは加虐の行為をしたときも、前項と同様とする。

（特別公務員職権濫用等致死傷）

第百九十六条　前二条の罪を犯し、よって人を死傷させた者は、傷害の罪と比較して、重い刑により処断する。

（収賄、受託収賄及び事前収賄）

第百九十七条　公務員が、その職務に関し、賄賂を収受し、又はその要求若しくは約束をしたときは、五年以下の懲役に処する。この場合において、請託を受けたときは、七年以下の懲役に処する。

２　公務員になろうとする者が、その担当すべき職務に関し、請託を受けて、賄賂を収受し、又はその要求若しくは約束をしたときは、公務員となった場合において、五年以下の懲役に処する。

（第三者供賄）

第百九十七条の二　公務員が、その職務に関し、請託を受けて、第三者に賄賂を供与させ、又はその供与の要求若しくは約束をしたときは、五年以下の懲役に処する。

（加重収賄及び事後収賄）

第百九十七条の三　公務員が前二条の罪を犯し、よって不正な行為をし、又は相当の行為をしなかったときは、一年以上の有期懲役に処する。

２　公務員が、その職務上不正な行為をしたこと又は相当の行為をしなかったことに関し、賄賂を収受し、若しくはその要求若しくは約束をし、又は第三者にこれを供与させ、若しくはその供与の要求若しくは約束を

したときも、前項と同様とする。

3　公務員であった者が、その在職中に請託を受けて職務上不正な行為を
　したこと又は相当の行為をしなかったことに関し、賄賂を収受し、又は
　その要求若しくは約束をしたときは、五年以下の懲役に処する。

　（あっせん収賄）

第百九十七条の四　公務員が請託を受け、他の公務員に職務上不正な行為
　をさせるように、又は相当の行為をさせないようにあっせんをすること
　又はしたことの報酬として、賄賂を収受し、又はその要求若しくは約束
　をしたときは、五年以下の懲役に処する。

○　**刑法以外の法律の罪で公務員が対象となるものの例**

［参考］個人情報の保護に関する法律（平成 15 年法律第 57 号）

第百七十一条　行政機関等の職員若しくは職員であった者、第六十六条第
　二項各号に定める業務若しくは第七十三条第五項若しくは第百十九条第
　三項の委託を受けた業務に従事している者若しくは従事していた者又は
　行政機関等において個人情報、仮名加工情報若しくは匿名加工情報の取
　扱いに従事している派遣労働者若しくは従事していた派遣労働者が、正
　当な理由がないのに、個人の秘密に属する事項が記録された第六十条第
　二項第一号に係る個人情報ファイル（その全部又は一部を複製し、又は
　加工したものを含む。）を提供したときは、二年以下の懲役又は百万円以
　下の罰金に処する。

第百七十五条　第百七十一条に規定する者が、その業務に関して知り得た
　保有個人情報を自己若しくは第三者の不正な利益を図る目的で提供し、
　又は盗用したときは、一年以下の懲役又は五十万円以下の罰金に処する。

第百七十六条　行政機関等の職員がその職権を濫用して、専らその職務の
　用以外の用に供する目的で個人の秘密に属する事項が記録された文書、
　図画又は電磁的記録を収集したときは、一年以下の懲役又は五十万円以
　下の罰金に処する。

［参考］水道法（昭和 32 年法律第 177 号）

　（事業の認可及び経営主体）

第六条　水道事業を経営しようとする者は、厚生労働大臣の認可を受けな
　ければならない。

2　水道事業は、原則として市町村が経営するものとし、市町村以外の者
　は、給水しようとする区域をその区域に含む市町村の同意を得た場合に
　限り、水道事業を経営することができるものとする。

214　第2編　逐条解説　第2章　公益通報をしたことを理由とする公益通報者の解雇の無効及び不利益な取扱いの禁止等

（衛生上の措置）

第二十二条　水道事業者は、厚生労働省令の定めるところにより、水道施設の管理及び運営に関し、消毒その他衛生上必要な措置を講じなければならない。

（給水の緊急停止）

第二十三条　水道事業者は、その供給する水が人の健康を害するおそれがあることを知つたときは、直ちに給水を停止し、かつ、その水を使用することが危険である旨を関係者に周知させる措置を講じなければならない。

2　（略）

第五十二条　次の各号のいずれかに該当する者は、三年以下の懲役又は三百万円以下の罰金に処する。

一　（略）

二　第二十三条第一項（第三十一条及び第三十四条第一項において準用する場合を含む。）の規定に違反した者

三　（略）

第五十四条　次の各号のいずれかに該当する者は、百万円以下の罰金に処する。

一〜四　（略）

五　第二十二条（第三十一条及び第三十四条第一項において準用する場合を含む。）の規定に違反した者

六〜八　（略）

第 10 条（他人の正当な利益等の尊重）　　215

第 10 条（他人の正当な利益等の尊重）

> **（他人の正当な利益等の尊重）**
> 第十条　第三条各号及び第六条各号に定める公益通報をする者は、他人の
> 　正当な利益又は公共の利益を害することのないよう努めなければならな
> 　い。

1　本条の概要

　本条は、法第 3 条各号及び法第 6 条各号に定める公益通報をする労働
者等に対し、他人の正当な利益等を尊重するよう努力義務を規定するも
のである。

2　本条の趣旨

　本法が定める「公益通報」は、国民の生命、身体、財産等の利益の保
護に関わる法令に違反する犯罪行為やその他の法令違反行為を通報する
ものであり、国民生活の安定や社会経済の健全な発展という公益に資す
るものである。

　しかし、公益通報に際して、例えば、

- ・　取引先事業者の営業秘密
- ・　顧客の個人情報・信用情報
- ・　国の安全に関わる情報

などが併せて通報された場合や、窃盗などの犯罪行為等が行われた場合
には、他人の正当な利益や公共の利益が害されることも考えられる。

　また、軽率に報道機関等のその他の外部通報先に通報した場合には、
その内容や通報先の対処の仕方によっては名指しされた事業者やその従
業員、取引先事業者等に回復し難い信用上の損害を与える可能性もある。

　このため、公益通報者といえども、可能な限り、他人の正当な利益や
公共の利益にも配慮すべきと考えられることから、本条は、本法による
保護の対象となる公益通報をする労働者等は、他人の正当な利益又は公

共の利益を侵害することのないように努めるべきことが規定されたものである。

もっとも、個々の事例によっては、他人の正当な利益や公共の利益を全く害さずに通報することが非常に困難な場合もあり得ると考えられることから、本条は努力義務にとどめ、法的義務とはされていないところである。

なお、本条は、原始法の法案の検討に当たって行われた「公益通報者保護法案（仮称）の骨子（案）」に対する意見公募手続において、「取引事業者の営業秘密や個人情報を公表した場合には、通報者も損害賠償責任等を免れないこととすべき」との意見があったことを踏まえ、置くこととされたものである。

○ **通報が他人の正当な利益を著しく害すると認定した裁判例**

［参考］東京地裁平成 13 年 12 月 26 日判決（コニカ（東京事業場日野）事件）

「原告は、上司に社内の機密を漏えいすると発言し、上司から注意を受けたにもかかわらず、この発言の撤回を拒否したが、このような原告の言動は、同業他社との間で製品開発や販売活動などにおいて激しい競争を展開する大手カメラフィルムメーカーである被告の業務に大きな損害を与えるおそれがあるものであり、このような状況下で原告に責任ある仕事を任せることは困難といわざるを得ない。そして、原告は、実際にも、被告の PS 版事業の譲渡に関する重要な経営情報を外部にもらした……。さらに、原告は、自らの労働問題の交渉を有利に進めるため、被告の最高の意思決定機関である株主総会において、株主権の行使と称して執拗に質問を繰り返したり、他の株主と口論したり、威圧的な言動を行うなどして議事を妨害した。これら一連の原告の行為は、いずれも被告の正当な業務を著しく妨害し、または妨害しようとするものである。」

3 その他

なお、国会での原始法の法案審議の際、衆・参双方の内閣委員会において原始法に対する附帯決議が行われ、いずれの決議でも、本条の規定が公益通報をする労働者を萎縮させることのないよう十分留意することが求められたところである。

○　**関連決議**

［参考］衆議院内閣委員会　公益通報者保護法案に対する附帯決議（平成 16
　　　年 5 月 21 日）

　四　他人の正当な利益等の尊重の規定が公益通報をする労働者を萎縮させ
　ることのないよう、十分留意すること。

［参考］参議院内閣委員会　公益通報者保護法案に対する附帯決議（平成
　　　16 年 6 月 11 日）

　二　他人の正当な利益等の尊重の規定が公益通報をする労働者を萎縮させ
　ることのないよう、十分留意すること。

218　第2編　逐条解説　第3章　事業者がとるべき措置等

第3章　事業者がとるべき措置等

第11条（事業者がとるべき措置）

> **（事業者がとるべき措置）**
>
> 第十一条　事業者は、第三条第一号及び第六条第一号に定める公益通報を
> 受け、並びに当該公益通報に係る通報対象事実の調査をし、及びその是
> 正に必要な措置をとる業務（次条において「公益通報対応業務」とい
> う。）に従事する者（次条において「公益通報対応業務従事者」とい
> う。）を定めなければならない。
>
> 2　事業者は、前項に定めるもののほか、公益通報者の保護を図るととも
> に、公益通報の内容の活用により国民の生命、身体、財産その他の利益
> の保護に関わる法令の規定の遵守を図るため、第三条第一号及び第六条
> 第一号に定める公益通報に応じ、適切に対応するために必要な体制の整
> 備その他の必要な措置をとらなければならない。
>
> 3　常時使用する労働者の数が三百人以下の事業者については、第一項中
> 「定めなければ」とあるのは「定めるように努めなければ」と、前項中
> 「とらなければ」とあるのは「とるように努めなければ」とする。
>
> 4　内閣総理大臣は、第一項及び第二項（これらの規定を前項の規定によ
> り読み替えて適用する場合を含む。）の規定に基づき事業者がとるべき
> 措置に関して、その適切かつ有効な実施を図るために必要な指針（以下
> この条において単に「指針」という。）を定めるものとする。
>
> 5　内閣総理大臣は、指針を定めようとするときは、あらかじめ、消費者
> 委員会の意見を聴かなければならない。
>
> 6　内閣総理大臣は、指針を定めたときは、遅滞なく、これを公表するも
> のとする。
>
> 7　前二項の規定は、指針の変更について準用する。

1　本条の概要

　本条第1項は、事業者が、公益通報対応業務に従事する者を定めなけ
ればならない旨を規定するものである。

　また、本条第2項は、事業者が、公益通報者の保護を図るとともに、
公益通報の内容の活用により国民の生命、身体、財産その他の利益の保

護に関わる法令の規定の遵守を図るため、内部公益通報対応体制の整備その他の必要な措置をとらなければならない旨を規定するものである。

本条第3項は、常時使用する労働者の数が300人以下の事業者について、本条第1項及び第2項に定める義務を、努力義務とする旨を規定するものである。

その他、内閣総理大臣は、本条第1項及び第2項に基づき事業者がとるべき措置に関して、その適切かつ有効な実施を図るために必要な法定指針を定めることとされ（本条第4項）、法定指針を定めようとするときは、あらかじめ、消費者委員会の意見を聴くものとされ（本条第5項）、法定指針を定めたときは、遅滞なく、これを公表するものとし（本条第6項）、法定指針の変更についても同様とする（本条第7項）ことが規定されたものである。

2　本条の趣旨

(1)　背景

ア　原始法の概要

公益通報をされた事業者において、当該公益通報を活用し、国民の生命、身体、財産その他の利益の保護に関わる法令の規定の遵守を図るためには、事業者の自浄機能を発揮し、必要な調査を行い、当該公益通報に係る通報対象事実があるときは是正措置等をとることにより、不正行為を防止することが必要である。また、公益通報を活用する前提として、公益通報者を保護することにより、公益通報を促すことが必要である。

調査の実施については、原始法第3条第3号ニ（本法第3条第3号ホ）の規定により、事業者に書面による公益通報をしてから20日を経過しても、当該事業者から調査を行う旨の通知がない場合又は当該事業者が正当な理由がなくて調査を行わない場合には、報道機関等のその他の外部通報先に対する通報を保護することとされていた。公益通報をされた事業者においては、調査を実施する法的義務はないものの、報道機関等のその他の外部通報先に対する通報を回避するため、調査を実施するイ

ンセンティブが働くことが期待されたものである。

是正措置については、原始法第9条の規定により、書面により公益通報をされた事業者においては、調査・是正措置をとったときはその旨を、当該公益通報に係る通報対象事実がないときはその旨を、遅滞なく通知することが、努力義務とされている。公益通報をされた事業者においては、是正措置をとる法的義務はなく、当然考えられる必要最小限の努力義務として、公益通報者への通知のみが規定されていた。

公益通報者の保護については、原始法第3条から第5条までに、不利益な取扱いの禁止等の民事ルールが規定されているものの、事業者が積極的にとるべき措置については、特に規定されていない。

このように、事業者の自浄機能を発揮し、不正行為を防止するためにとるべき措置や、公益通報者の保護についてとるべき措置は、原始法において義務付けられておらず、具体的にどのような措置をとるかは、事業者の自主的な取組に委ねられており、特段の措置をとらない事業者であっても、原始法の規定により制裁を受けることとはならなかった。

イ　本条の必要性

原始法の施行後、消費者庁においては、公益通報を事業者において適切に取り扱うための指針として、「公益通報者保護法を踏まえた内部通報制度の整備・運用に関する民間事業者向けガイドライン」を策定し、特に以下の事項に重点を置いて、部署間横断的に通報を取り扱うよう、事業者による自主的な取組を推奨してきた。

① 公益通報を部署間横断的に取り扱うために必要な能力・適性を有する担当者の配置及び教育訓練の実施

② 公益通報を受け付ける窓口の設置及び制度の周知

③ 公益通報に基づく調査・是正措置

④ 公益通報を理由とした不利益な取扱いの禁止及び公益通報者に関する情報漏えいの防止並びに事後の措置

しかしながら、従業員数300人超の事業者に対する消費者庁のアン

ケート調査によると、

- ・ 公益通報を部署間横断的に取り扱う担当に人的・経済的資源を割いている事業者は約2割にとどまる
- ・ 9割超の事業者が窓口を設置している一方で、その周知に関する内規を整備している事業者は約5割にとどまる
- ・ 公益通報に基づく調査・是正措置に関する内規を整備している事業者は約5割にとどまる
- ・ 約9割の事業者が公益通報を理由とした不利益な取扱いの禁止に関し、約8割の事業者が公益通報者に関する情報漏えいの禁止に関し、内規を整備している一方で、実効性の担保（違反者への制裁等）に関する内規を整備している事業者は約5割にとどまる

という状況であった。

　また、体制が整備されている場合であっても、

- ・ 各事業者において公益通報に対応する体制が一応は設けられていたものの、従業員に対する周知不足によりパワハラやセクハラの通報に限定されているとの誤解を受ける
- ・ 従業員からの信頼不足により通報を理由とした報復を懸念される
- ・ 組織立って事案を管理する仕組みが適切に整備されておらず不正行為を防止できなかった
- ・ 実際に通報を理由とした不利益な取扱いがなされる

といったように、当該体制が機能不全に陥っている状況がみられており、その結果、不正行為を認識していた従業員による上司への報告や窓口への通報が行われない事例や、従業員による通報を活用した調査・是正措置が行われない事例が発生した。

　このように、事業者においては、原始法の制定時に期待された自主的な取組が適切に行われていないため、公益通報の活用により自浄機能を発揮し、不正行為を防止することが困難な状況にあるものと考えられた。

　そこで、上記①から④までのように事業者がとるべき措置については、その自主的な取組に委ねるのではなく、部署間横断的な制度の適切な管

理の下、公益通報を適切に取り扱うべきことについて、法の規定により義務又は努力義務を課すこととされた。

(2) 事業者がとるべき措置の義務（本条第1項及び第2項）

ア 公益通報対応業務従事者を定める義務

事業者は、公益通報対応業務に従事する者を定めなければならない（本条第1項）。

公益通報対応業務従事者としては、不正行為が発生しやすい現場を持つ業務執行部門とは一線を画すコンプライアンス部門や総務部門、人事部門等に所属する者のほか、社外取締役や監査役、公益通報対応業務の一部を外部委託する場合にその外部機関（社外法律事務所等）の者が想定される。法第11条第1項の規定により公益通報対応業務従事者を定め、同条第2項の規定により公益通報対応業務従事者に教育訓練を受けさせることで、公益通報への対応に長けた、利益相反になりにくい体制を確保し、重大な不正行為に対しても迅速かつ実効的な調査・是正措置をすることが可能となるところ、不正行為が重大であればあるほど、このような体制がなければ、自浄作用を発揮することがますます難しくなるものと考えられる。また、一般的に労働者にとって分かりにくい通報先が明確となり、このような体制に公益通報が集約される効果も期待できる。

このように、上記2(1)イの①から④までの事業者がとるべき措置の中でも、①の公益通報を部署間横断的に取り扱う担当者、すなわち、公益通報対応業務従事者は、②から④までの措置の中核的役割を果たす特に重要なものであることから、公益通報者対応業務従事者を定めることについて、特に義務付けがされた。

イ 内部公益通報対応体制の整備義務

事業者は、公益通報者の保護を図るとともに、公益通報の内容の活用により国民の生命、身体、財産その他の利益の保護に関わる法令の規定

の遵守を図るため、法第3条第1号及び第6条第1号に定める公益通報に応じ、適切に対応するために必要な体制（内部公益通報対応体制）の整備その他の必要な措置をとらなければならない（本条第2項）。

ウ　義務の主体

　法第2条第1項の規定により、「事業者」は「法人その他の団体及び事業を行う個人」と定義されているところ、法第3条の規定による解雇の無効、法第4条の規定による労働者派遣契約の解除の無効、法第5条の規定による降格、減給その他不利益な取扱いの禁止については、いずれも「事業者」を主体とする規範として定められている。

　事業者内部において、具体的にこれらの行為の主体となるのは、様々な立場や権限を有する役職員である。例えば、不利益な取扱いには嫌がらせも含まれるところ、職場の状況によっては、直属の上司だけでなく、同僚等が主体となることも想定される。また、調査・是正措置については、基本的には、コンプライアンス部門や総務部門、人事部門等のほか、社外取締役や監査役が主体となることが想定される。他方、通報対象事実が発生した部門はもとより、事案によっては、全社的な経理や生産管理を担当する部門の役職員が主体となることも想定される。このため、各事業者の状況や事案の内容にかかわらず、一律に「事業者」を単位として、規範の遵守を求めているものである。

　上記2(1)イの①から④までのように事業者がとるべき措置についても、事業者内部で様々な立場や権限を有する役職員が主体となり得ることから、「事業者」を主体とする規範として定められたものである。

(3)　事業者がとるべき措置の努力義務（本条第3項）

　常時使用する労働者の数が300人以下の事業者は、公益通報対応業務従事者を定めるよう努めなければならない（本条第3項の規定により読み替えて適用する同条第1項）。

　また、常時使用する労働者の数が300人以下の事業者は、公益通報者

224　第2編　逐条解説　第3章　事業者がとるべき措置等

の保護を図るとともに、公益通報の内容の活用により国民の生命、身体、財産その他の利益の保護に関わる法令の規定の遵守を図るため、内部公益通報対応体制の整備その他の必要な措置をとるよう努めなければならない（本条第3項の規定により読み替えて適用する同条第2項）。

　事業者の規模によっては、公益通報への対応を含む法令遵守に関係する業務に従事する恒常的な人員が確保されているとは限らないため、その規模にかかわらず一律に義務を課すと過大な負担となるおそれがあることから、一定規模の事業者については、努力義務にとどめることとされた。

　なお、「300人以下」については、例えば、中小企業基本法第2条第1項において、一部の業種を除き、資本金の額又は出資の総額が3億円以下の会社並びに常時使用する従業員の数が300人以下の会社及び個人を中小企業者と定義していることも参考としつつ、法令遵守に関係する業務を恒常的に実施する人員を確保する必要性に鑑み、資本の規模ではなく人員の規模に着目し、常時使用する労働者の数が300人以下の事業者を対象に、努力義務を課すこととされた。

○　参照条文

［参考］中小企業基本法（昭和38年法律第154号）

　　（中小企業者の範囲及び用語の定義）

　第二条　この法律に基づいて講ずる国の施策の対象とする中小企業者は、おおむね次の各号に掲げるものとし、その範囲は、これらの施策が次条の基本理念の実現を図るため効率的に実施されるように施策ごとに定めるものとする。

　　一　資本金の額又は出資の総額が三億円以下の会社並びに常時使用する従業員の数が三百人以下の会社及び個人であつて、製造業、建設業、運輸業その他の業種（次号から第四号までに掲げる業種を除く。）に属する事業を主たる事業として営むもの

　　二　資本金の額又は出資の総額が一億円以下の会社並びに常時使用する従業員の数が百人以下の会社及び個人であつて、卸売業に属する事業を主たる事業として営むもの

　　三　資本金の額又は出資の総額が五千万円以下の会社並びに常時使用す

る従業員の数が百人以下の会社及び個人であつて、サービス業に属する事業を主たる事業として営むもの

　四　資本金の額又は出資の総額が五千万円以下の会社並びに常時使用する従業員の数が五十人以下の会社及び個人であつて、小売業に属する事業を主たる事業として営むもの

　2～5　（略）

○　**常時使用する従業員（労働者）の数が一定数以下の事業者に対し努力義務を規定している他法の例**

［参考］女性の職業生活における活躍の推進に関する法律（平成27年法律第64号）

　　　（一般事業主行動計画の策定等）

　第八条　（略）

　2～6　（略）

　7　一般事業主であって、<u>常時雇用する労働者の数が百人以下のもの</u>は、事業主行動計画策定指針に即して、一般事業主行動計画を定め、厚生労働省令で定めるところにより、厚生労働大臣に届け出るよう努めなければならない。これを変更したときも、同様とする。

　8　（略）

［参考］次世代育成支援対策推進法（平成15年法律第120号）

　　　（一般事業主行動計画の策定等）

　第十二条　（略）

　2・3　（略）

　4　一般事業主であって、<u>常時雇用する労働者の数が百人以下のもの</u>は、行動計画策定指針に即して、一般事業主行動計画を策定し、厚生労働省令で定めるところにより、厚生労働大臣にその旨を届け出るよう努めなければならない。これを変更したときも同様とする。

　5・6　（略）

⑷　法定指針（本条第4項から第7項まで）

ア　指針を定めることとした趣旨

　内閣総理大臣は、事業者がとるべき措置に関して、その適切かつ有効な実施を図るために必要な指針を定めるものとする（本条第4項）。また、指針を定めようとするときは、あらかじめ、消費者委員会の意見を聴く

226 第2編 逐条解説 第3章 事業者がとるべき措置等

ものとし（本条第5項）、指針を定めたときは、遅滞なく、これを公表するものとし（本条第6項）、指針の変更についても同様とする（本条第7項）。

　事業者がとるべき措置の具体的な内容については、各事業者の事業や組織の実情に応じて異なるものであるところ、本法はあらゆる業種の事業者を対象としていることから、一律に定めることが困難である。

イ　内閣総理大臣が指針を定めることとした趣旨

　内閣府及び消費者庁は、公益通報者の保護に関する事務を所掌しており（内閣府設置法第4条第3項第61号及び消費者庁及び消費者委員会設置法第4条第1項第22号）、本法についても所管している。

　そこで、当該事務の主任の大臣である内閣総理大臣に、指針を策定する権限が付与された。

　法第19条の規定により、内閣総理大臣は、政令で定めるものを除き、本法による権限を消費者庁長官に委任することとしているところ、指針については、事業者にとらせる措置の内容に関わるという性質のものであり重要性が高いことから、その策定する権限は、消費者庁長官に委任する権限から除外する旨が、同条の規定に基づく政令に規定された（公益通報者保護法第十九条の規定により消費者庁長官に委任されない権限を定める政令）。

○　体制の整備その他の必要な措置義務の具体的内容を指針に定めている他法の例

［参考］不当景品類及び不当表示防止法（昭和37年法律第134号）

　　　　（事業者が講ずべき景品類の提供及び表示の管理上の措置）

　第二十六条　事業者は、自己の供給する商品又は役務の取引について、景品類の提供又は表示により不当に顧客を誘引し、一般消費者による自主的かつ合理的な選択を阻害することのないよう、景品類の価額の最高額、総額その他の景品類の提供に関する事項及び商品又は役務の品質、規格その他の内容に係る表示に関する事項を適正に管理するために必要な体制の整備その他の必要な措置を講じなければならない。

　2　内閣総理大臣は、前項の規定に基づき事業者が講ずべき措置に関して、

その適切かつ有効な実施を図るために必要な指針（以下この条において単に「指針」という。）を定めるものとする。

3　内閣総理大臣は、指針を定めようとするときは、あらかじめ、事業者の事業を所管する大臣及び公正取引委員会に協議するとともに、消費者委員会の意見を聴かなければならない。

4　内閣総理大臣は、指針を定めたときは、遅滞なく、これを公表するものとする。

5　前二項の規定は、指針の変更について準用する。

（指導及び助言）

第二十七条　内閣総理大臣は、前条第一項の規定に基づき事業者が講ずべき措置に関して、その適切かつ有効な実施を図るため必要があると認めるときは、当該事業者に対し、その措置について必要な指導及び助言をすることができる。

（勧告及び公表）

第二十八条　内閣総理大臣は、事業者が正当な理由がなくて第二十六条第一項の規定に基づき事業者が講ずべき措置を講じていないと認めるときは、当該事業者に対し、景品類の提供又は表示の管理上必要な措置を講ずべき旨の勧告をすることができる。

2　内閣総理大臣は、前項の規定による勧告を行つた場合において当該事業者がその勧告に従わないときは、その旨を公表することができる。

第二十九条　内閣総理大臣は、第七条第一項の規定による命令、課徴金納付命令又は前条第一項の規定による勧告を行うため必要があると認めるときは、当該事業者若しくはその者とその事業に関して関係のある事業者に対し、その業務若しくは財産に関して報告をさせ、若しくは帳簿書類その他の物件の提出を命じ、又はその職員に、当該事業者若しくはその者とその事業に関して関係のある事業者の事務所、事業所その他その事業を行う場所に立ち入り、帳簿書類その他の物件を検査させ、若しくは関係者に質問させることができる。

2　前項の規定により立入検査をする職員は、その身分を示す証明書を携帯し、関係者に提示しなければならない。

3　第一項の規定による権限は、犯罪捜査のために認められたものと解釈してはならない。

（権限の委任等）

第三十三条　内閣総理大臣は、この法律による権限（政令で定めるものを

228　第2編　逐条解説　第3章　事業者がとるべき措置等

除く。）を消費者庁長官に委任する。

2～11　（略）

第三十七条　第二十九条第一項の規定による報告若しくは物件の提出をせ
ず、若しくは虚偽の報告若しくは虚偽の物件の提出をし、又は同項の規
定による検査を拒み、妨げ、若しくは忌避し、若しくは同項の規定によ
る質問に対して答弁をせず、若しくは虚偽の答弁をした者は、一年以下
の懲役又は三百万円以下の罰金に処する。

［参考］不当景品類及び不当表示防止法施行令（平成21年政令第218号）

　　　（消費者庁長官に委任されない権限）

第十四条　法第三十三条第一項の政令で定める権限は、法第二条第三項及
び第四項、第三条第一項（消費者委員会からの意見の聴取に係る部分に
限る。）及び第二項、第四条、第五条第三号、第六条第一項（消費者委員
会からの意見の聴取に係る部分に限る。）及び第二項、第二十六条第二項
並びに同条第三項及び第四項（これらの規定を同条第五項において準用
する場合を含む。）の規定による権限とする。

3　本条の解釈

(1)　「（公益通報対応業務従事者）を定めなければならない」

　公益通報対応業務従事者を定めるよう求めることは、公益通報対応業
務従事者以外の者が公益通報対応業務に従事することを禁止するもので
はない。すなわち、通常業務の一環として、労働者が身近な上司や同僚
等に通報対象事実について通報した場合は、当該上司や同僚等が公益通
報対応業務従事者として定められていない場合であっても、公益通報対
応業務に含まれる公益通報を受ける業務に従事することは可能であり、
当該通報者は公益通報者として保護されることとなる。

　なお、ある人をある地位に就かせる行為を規定する際に「選任」を用
いる例があるところ、一般的に事業者における「選任」は、事業者内部
の役職員の中から選ばれる場合に用いられている。一方、公益通報対応
業務従事者には、上記のとおり、外部機関である社外法律事務所等が含
まれる場合があり、法第2条第1項柱書に規定する「役務提供先があら
かじめ定めた者」にも社外法律事務所等が含まれることから、この規定

ぶりに合わせ、公益通報対応業務従事者を「定めなければならない」と
規定されたものである。

⑵ 「公益通報の内容の活用により」

本条は、一般的なコンプライアンス体制の整備等を事業者に義務付け
るものではない。これを明確化するために、「公益通報の内容の活用に
より」との限定が付されている。

4 法定指針

⑴ 法定指針等の策定経緯

法第11条第4項の規定に基づき指針を策定するため、消費者庁に
「公益通報者保護法に基づく指針等に関する検討会」(以下「指針等検討
会」という。)が設置され、令和2年10月から令和3年3月までに計5
回にわたって会議が開催され、指針として定めるべき内容について検討
が行われた。その検討結果は、「公益通報者保護法に基づく指針等に関
する検討会報告書」(令和3年4月21日公表。以下「指針等検討会報告書」
という。)として取りまとめられた。

指針等検討会報告書では、

- ・ 指針については同報告書の内容に沿って策定すること
- ・ 事業者が指針に沿った対応をとるに当たり参考となる考え方や、
  想定される具体的取組事項等を示す解説を作成すること
- ・ 同解説についても指針等検討会報告書の内容を十分に参酌して策
  定すること
- ・ 既存のガイドラインは同解説に統合するなど必要な整理をするこ
  と

などが提言された上、指針案及びその背景となる考え方が示された。

指針等検討会の提言を踏まえ、消費者庁は、指針等検討会報告書で示
された指針案について、意見募集手続(令和3年4月28日から同年5月
31日まで)を実施した。その後、法第11条第5項の規定に従い、消費

230　第2編　逐条解説　第3章　事業者がとるべき措置等

者委員会に対し指針案を提示し、令和3年7月29日に同委員会から指針案について妥当との回答を得た。

　以上の手続を経て、内閣総理大臣は、令和3年8月20日、法定指針を策定し、これを公表した（第3編資料3参照。）。

　また、消費者庁は、指針等検討会の提言を踏まえ、指針等検討会報告書の内容を基礎に、事業者のコンプライアンス経営への取組強化と社会経済全体の利益確保のために、本法を踏まえて事業者が自主的に取り組むことが推奨される事項を記載した「公益通報者保護法を踏まえた内部通報制度の整備・運用に関する民間事業者向けガイドライン」（平成28年12月9日公表）の規定を盛り込んだ指針の解説を令和3年10月13日に公表した（第3編資料4参照。）。

(2)　法定指針及び指針の解説の概要

　法定指針は、法第11条第1項に規定する公益通報対応業務従事者の定め及び同条第2項に規定する内部公益通報対応体制の整備その他の必要な措置に関して、その適切かつ有効な実施を図るために必要な事項を定めたものである。

　本条第1項及び第2項に基づき事業者がとるべき措置の具体的な内容は、事業者の規模、組織形態、業態、法令違反行為が発生する可能性の程度、ステークホルダーの多寡、労働者等及び役員や退職者の内部公益通報対応体制の活用状況、その時々における社会背景等によって異なり得る。そのため、法定指針では、事業者がとるべき措置の個別具体的な内容ではなく、事業者がとるべき措置の大要が示されている。

　事業者がとるべき措置の個別具体的な内容については、各事業者において、法定指針に沿った対応をとるためにいかなる取組等が必要であるかを、上記のような諸要素を踏まえて主体的に検討を行った上で、内部公益通報対応体制を整備・運用することが必要である。そこで、消費者庁は、事業者におけるこのような検討を後押しするため、指針の解説を作成し、「指針を遵守するために参考となる考え方や指針が求める措置

第11条（事業者がとるべき措置）　231

に関する具体的な取組例」を示すとともに、「指針を遵守するための取組を超えて、事業者が自主的に取り組むことが期待される推奨事項に関する考え方や具体例」についても示している。

[図表2-6]　法定指針の概要

公益通報者保護法に基づく指針の概要

○　公益通報者保護法第11条第1項及び第2項の規定に基づき事業者がとるべき措置に関して、その適切かつ有効な実施を図るために必要な指針

第1　はじめに
第2　用語の説明

第3　公益通報対応業務従事者の定め（法第11条第1項関係）
1．従事者として定めなければならない者の範囲 2．従事者を定める方法

第4　内部公益通報対応体制の整備その他の必要な措置（法第11条第2項関係）
1．内部公益通報について部門横断的に対応する体制の整備に関する措置 　（1）内部公益通報受付窓口の設置等 　（2）組織の長その他幹部からの独立性の確保に関する措置 　（3）公益通報対応業務の実施に関する措置 　（4）公益通報対応業務における利益相反の排除に関する措置 2．公益通報者を保護する体制の整備に関する措置 　（1）不利益な取扱いの防止に関する措置 　（2）範囲外共有等の防止に関する措置 3．内部公益通報対応体制を実効的に機能させるための措置 　（1）労働者等及び役員並びに退職者に対する教育・周知に関する措置 　（2）是正措置等の通知に関する措置 　（3）記録の保管、見直し・改善、運用実績の労働者等及び役員への開示に関する措置 　（4）内部規程の策定及び運用に関する措置

232 第2編 逐条解説 第3章 事業者がとるべき措置等

第12条（公益通報対応業務従事者の義務）

（公益通報対応業務従事者の義務）
第十二条 公益通報対応業務従事者又は公益通報対応業務従事者であった者は、正当な理由がなく、その公益通報対応業務に関して知り得た事項であって公益通報者を特定させるものを漏らしてはならない。

1 本条の概要

本条は、公益通報対応業務従事者又は公益通報対応業務従事者であった者は、正当な理由がなく、その公益通報対応業務に関して知り得た事項であって公益通報者を特定させる事項を漏らしてはならない旨を規定するものである。

2 本条の趣旨

原始法は、主として公益通報者を保護するための民事ルールを規定しているため、公益通報者と労働契約関係にある事業者による解雇の無効や不利益な取扱いの禁止を規定していた。そのため、事業者内部の各担当者といった公益通報者と労働契約関係にない者については規定が設けられておらず、担当者による公益通報者に関する情報の漏えいについても規定が設けられていなかった。

この点、公益通報者が誰であるかが知られると、公益通報者が不利益な取扱いを受ける可能性が生じるとともに、公益通報者であると特定されること自体が公益通報者を不安にさせることとなり、そのために1号通報を躊躇させ、法令遵守を図る機会が失われることにつながる。

法第11条の規定により、事業者に対し公益通報者に関する情報の漏えい防止も一内容とする事業者がとるべき措置を義務付けることとしているものの、事業者による個々の担当者に対する周知、研修等による実効性確保では限界がある。

そこで、改正法により、公益通報対応業務に関して知り得た公益通報

者に関する情報、具体的には公益通報者を特定させる事項の漏えい防止を確実に担保するため、公益通報対応業務従事者及び当該従事者であった者である個々の担当者に対し当該事項の漏えいを禁止する旨が規定されたものである。

3　本条の解釈

⑴　主体

　法第11条第2項の規定により事業者が整備する、1号通報に対応する体制において、公益通報対応業務従事者は、部署間横断的に1号通報を受け付けることにより、事業者内部に潜在している重大な通報対象事実を掘り起こすとともに、業務執行部門から一定の独立性を確保して対処することにより、調査・是正措置を適切に行うことが求められるものである。このような立場にある公益通報対応業務従事者及び当該従事者であった者が、公益通報対応業務に関して知り得た公益通報者を特定させる事項を漏えいした場合は、従業員が公益通報対応業務従事者に対する1号通報を躊躇し、法令遵守を図る機会が失われることにつながる。

　ところで、法第11条第1項の規定は、公益通報対応業務従事者以外の者（以下「非公益通報対応業務従事者」という。）が公益通報対応業務に従事することを禁止するものではないため、従業員が（非公益通報対応業務従事者である）身近な上司や同僚等に不正行為について告げた場合であっても、（当該不正行為の是正を求める意思の有無にかかわらず、）1号通報の要件を満たせば、当該従業員は公益通報者として保護されることとなる。

　しかしながら、事業者により特に定められ、常に従業員から1号通報を受ける可能性があるとの意識を有することとなる公益通報対応業務従事者とは異なり、非公益通報対応業務従事者については、通常業務における報告、連絡、相談等の一環として不正行為を認知する可能性があり、かつ、1号通報に該当する場合において、結果的に公益通報対応業務に従事したこととなるにとどまるものである。もとより、非公益通報対応

業務従事者が公益通報対応業務に関して知り得た公益通報者を特定させる事項を漏えいした場合についても、1号通報を躊躇させるおそれがあることは否定できないものの、当該漏えいを刑事罰の対象とした場合は、部下や同僚等からの報告、連絡、相談等の内容を第三者と共有することに萎縮効果が生じ、通常業務の実施に支障が生ずるおそれがある。

そこで、法第12条の規定により義務を課す者については、公益通報対応業務従事者及び当該従事者であった者に限定することとされた。なお、非公益通報対応業務従事者による公益通報者を特定させる事項の漏えいについては、法第11条第2項の規定による事業者の措置として懲戒その他適当な措置の対象とする旨の内規を定めさせること等により、その防止を図るものとされた。

(2) **客体**

「公益通報対応業務に関して知り得た事項」については、公益通報対応業務を実施することにより知ることができた事項を意味するものであり、公益通報対応業務とは無関係に知ることができた事項（例えば、社員食堂等でたまたま見聞した事項等）は該当しない。

「公益通報者を特定させるもの」については、当該事項を知った者（その者を通じて知った者を含む。）において、公益通報をした人物が誰であるかを認識することができる事項を意味し、「認識」とは刑罰法規の明確性の観点から、公益通報者を排他的に認識できることを指す。

公益通報者の氏名、社員番号等のように当該人物に固有の事項だけでなく、例えば、通報対象事実が生じた部門に女性従業員が1人しかいない場合は、性別のみでも「公益通報者を特定させるもの」に該当する。

公益通報の内容についても、例えば、直接の担当者である公益通報者以外に知り得ない事項である場合は、「公益通報者を特定させるもの」に該当する。

他方、例えば、当該人物の氏名等を含む情報を伝えた場合であっても、公益通報があったことを伝えていなければ、公益通報と当該人物を結び

付けて認識することができないため、当該情報は「公益通報者を特定させるもの」に該当しない。

○ 「業務に関して知り得た」の解釈

［参考］大塚仁・河上和雄・中山善房・古田佑紀『大コンメンタール刑法〈第3版〉』（青林書院・2014年）369頁

　刑法（明治40年法律第45号）第134条第1項に規定する「その業務上取り扱ったことについて知り得た」について、「秘密は、Ⅰで述べた本条の主体が、その業務上取り扱った事項について知り得た人の秘密でなければならない。業務と無関係に知り得た事項、例えば、隣家や飲食店等でたまたま見聞した事項はこれを漏らしても本罪を構成しない。」。

［参考］刑法（明治40年法律第45号）

　　（秘密漏示）

　第百三十四条　医師、薬剤師、医薬品販売業者、助産師、弁護士、弁護人、公証人又はこれらの職にあった者が、正当な理由がないのに、その業務上取り扱ったことについて知り得た人の秘密を漏らしたときは、六月以下の懲役又は十万円以下の罰金に処する。

　2　（略）

(3) 行為

　「漏らす」とは、一般に知られていない事実を一般に知らしめること、又は知らしめるおそれのある行為をすることをいう。その漏らす方法については、文書であると口頭であるとを問わず、また、積極的な行為（すなわち作為）であると、漏えいの黙認（すなわち不作為）であるとを問わない。さらに、公益通報者を特定させる事項を漏らす対象は、不特定多数の人々である場合はもちろん、特定の人を対象とした場合であっても、その者を通じて広く流布されるおそれがある以上、漏えいに該当することになる。

　よって、上司、同僚等の他の労働者に知らせること等も、「漏らす」に該当することとなる。

236　第2編　逐条解説　第3章　事業者がとるべき措置等

○　「漏らす」の解釈

[参考]　森園幸男・吉田耕三・尾西雅博編『逐条解説国家公務員法〈全訂版〉』
　　　　（学陽書房・2015年）880頁

　　国家公務員法（昭和22年法律第120号）第100条第1項に規定する「漏
　ら」すことについて、「秘密である事実を一般に知らしめること、または知
　らしめるおそれのある行為をすることをいう。その漏らす方法については、
　文書であると口頭であるとを問わず、また、積極的な行為、すなわち作為
　であると漏えいの黙認、すなわち不作為であるとを問わない。さらに、秘
　密を漏らす対象は、不特定多数の人びとである場合はもちろん、特定の人
　を対象とした場合であっても、その者を通じて広く流布されるおそれがあ
　る以上、漏えいに該当することになる。」

[参考]　国家公務員法（昭和22年法律第120号）

　　（秘密を守る義務）

　第百条　職員は、職務上知ることのできた秘密を漏らしてはならない。そ
　　の職を退いた後といえども同様とする。

　②〜⑤　（略）

(4)　「正当な理由」

　「正当な理由」とは、「公益通報者を特定させる事項」を漏らす行為に
違法性がないと考えられる場合を意味し、例えば、公益通報者本人の同
意がある場合や法令に基づく場合が該当する。また、調査等に必要であ
る範囲の公益通報対応業務従事者間で情報共有する場合も、「正当な理
由」に該当する。

　さらに、調査・是正措置の実施に際し、非公益通報対応業務従事者
（例えば、通報対象事実に係る業務執行部門の関係者等）に対し公益通報が
あったことも含めて公益通報者を特定させる事項を伝えなければ、調
査・是正措置を実施することができない場合も、「正当な理由」に該当
する。例えば、ハラスメント事案において刑法犯等に該当する行為が行
われたため、当該ハラスメント事案の通報が公益通報に該当する場合等
において、公益通報者が通報対象事実に関する被害者と同一人物である
等のために、調査等を進める上で、公益通報者の排他的な特定を避ける

ことが著しく困難であり、当該調査等が法令違反の是正等に当たってや
むを得ないものである場合には、「正当な理由」が認められるといえる。

　なお、非公益通報対応業務従事者に、公益通報があったことは伝えず
に、公益通報者の氏名等を含む情報を提供して調査を依頼する場合は、
上記(2)のとおり、そもそも公益通報者を特定させる事項を漏らしたこと
にはならない。

238　第2編　逐条解説　第3章　事業者がとるべき措置等

第13条（行政機関がとるべき措置）

> **（行政機関がとるべき措置）**
>
> 第十三条　通報対象事実について処分又は勧告等をする権限を有する行政機関は、公益通報者から第三条第二号及び第六条第二号に定める公益通報をされた場合には、必要な調査を行い、当該公益通報に係る通報対象事実があると認めるときは、法令に基づく措置その他適当な措置をとらなければならない。
>
> 2　通報対象事実について処分又は勧告等をする権限を有する行政機関（第二条第四項第一号に規定する職員を除く。）は、前項に規定する措置の適切な実施を図るため、第三条第二号及び第六条第二号に定める公益通報に応じ、適切に対応するために必要な体制の整備その他の必要な措置をとらなければならない。
>
> 3　第一項の公益通報が第二条第三項第一号に掲げる犯罪行為の事実を内容とする場合における当該犯罪の捜査及び公訴については、前二項の規定にかかわらず、刑事訴訟法（昭和二十三年法律第百三十一号）の定めるところによる。

1　本条の概要

　本条第1項は、通報対象事実について権限を有する行政機関が、公益通報をされた場合について、必要な調査を行い、法令に基づく措置等をとる義務を規定するものである。

　また、本条第2項は、通報対象事実について権限を有する行政機関（法第2条第4項第1号に規定する職員を除く。）については、法第13条第1項に規定する措置の適切な実施を図るため、法第3条第2号及び第6条第2号に定める公益通報に応じ、適切に対応するために必要な体制の整備その他の必要な措置をとらなければならない旨を規定するものである。

2　本条の趣旨

(1)　行政機関の調査義務等（第1項）

　2号通報を端緒として活用し、行政機関による監視・是正機能の一層の発揮を期し、国民の生命、身体、財産その他の利益の保護に関わる法令の規定の遵守を図ることとされたものである。

(2)　行政機関の体制整備義務等（第2項）

　原始法では、原始法第3条第2号に定める公益通報を活用して調査・是正措置を適切に実施する前提として、2号通報に適切に対応し、これを促すことが必要であるところ、2号通報にどのように対応するかについては、特に規定されておらず、行政機関の自主的な取組に委ねられていた。

　原始法の施行後、消費者庁においては、国及び地方公共団体の行政機関向けガイドラインを策定し、2号通報を受け付ける窓口の設置及び2号通報に対応する仕組みの周知を行うとともに、公益通報者に関する情報を適切に管理しつつ調査・是正措置をとるよう、各行政機関による自主的な取組を推奨してきた。

　しかしながら、原始法の制定後も、行政機関において、原始法の制定時に期待された自主的な取組が適切に行われておらず、2号通報を行おうとする者が行政機関の通報への対応に疑念や不安を抱き、通報に消極的になるおそれがあるため、行政機関が通報を端緒として監視・是正機能を発揮する機会が失われることが懸念された。

　そこで、改正法により、2号通報を活用して調査・是正措置を適切に実施する前提として、2号通報に適切に対応するために行政機関がとるべき措置については、行政機関の自主的な取組に委ねるのではなく、法の規定による義務を課すこととされた。

(3)　犯罪の捜査及び公訴についての特則（第3項）

　公益通報が法第2条第3項第1号に掲げる犯罪行為の事実を内容とす

る場合には、犯罪行為に対する捜査又は公訴の提起の権限を有する行政機関として検察官、検察事務官及び司法警察職員が通報先に含まれることとなる。

　検察官、検察事務官又は司法警察職員に犯罪行為の事実を内容とする公益通報がされた場合にとられる措置としては、当該犯罪の捜査や公訴が考えられるが、これらについては、一般の行政調査等と異なり、刑事訴訟法において独自の手続が定められているため、捜査及び公訴については刑事訴訟法の定めるところによる旨が第3項で明示されている。

○　刑事訴訟法に定める義務の例

[参考] 刑事訴訟法（昭和23年法律第131号）

　第百八十九条　警察官は、それぞれ、他の法律又は国家公安委員会若しくは都道府県公安委員会の定めるところにより、司法警察職員として職務を行う。

　②　司法警察職員は、犯罪があると思料するときは、犯人及び証拠を捜査するものとする。

　第百九十条　森林、鉄道その他特別の事項について司法警察職員として職務を行うべき者及びその職務の範囲は、別に法律でこれを定める。

　第百九十一条　検察官は、必要と認めるときは、自ら犯罪を捜査することができる。

　②　検察事務官は、検察官の指揮を受け、捜査をしなければならない。

　第百九十七条　捜査については、その目的を達するため必要な取調をすることができる。但し、強制の処分は、この法律に特別の定のある場合でなければ、これをすることができない。

　②〜⑤　（略）

　第百九十九条　検察官、検察事務官又は司法警察職員は、被疑者が罪を犯したことを疑うに足りる相当な理由があるときは、裁判官のあらかじめ発する逮捕状により、これを逮捕することができる。ただし、三十万円（刑法、暴力行為等処罰に関する法律及び経済関係罰則の整備に関する法律の罪以外の罪については、当分の間、二万円）以下の罰金、拘留又は科料に当たる罪については、被疑者が定まつた住居を有しない場合又は正当な理由がなく前条の規定による出頭の求めに応じない場合に限る。

　②・③　（略）

　第二百一条　逮捕状により被疑者を逮捕するには、逮捕状を被疑者に示さ

第13条（行政機関がとるべき措置）　241

なければならない。

②　（略）

第二百三条　司法警察員は、逮捕状により被疑者を逮捕したとき、又は逮捕状により逮捕された被疑者を受け取つたときは、直ちに犯罪事実の要旨及び弁護人を選任することができる旨を告げた上、弁解の機会を与え、留置の必要がないと思料するときは直ちにこれを釈放し、留置の必要があると思料するときは被疑者が身体を拘束された時から四十八時間以内に書類及び証拠物とともにこれを検察官に送致する手続をしなければならない。

②〜⑤　（略）

第二百四十七条　公訴は、検察官がこれを行う。

第二百四十八条　犯人の性格、年齢及び境遇、犯罪の軽重及び情状並びに犯罪後の情況により訴追を必要としないときは、公訴を提起しないことができる。

第二百五十九条　検察官は、事件につき公訴を提起しない処分をした場合において、被疑者の請求があるときは、速やかにその旨をこれに告げなければならない。

第二百六十条　検察官は、告訴、告発又は請求のあつた事件について、公訴を提起し、又はこれを提起しない処分をしたときは、速やかにその旨を告訴人、告発人又は請求人に通知しなければならない。公訴を取り消し、又は事件を他の検察庁の検察官に送致したときも、同様である。

第二百六十一条　検察官は、告訴、告発又は請求のあつた事件について公訴を提起しない処分をした場合において、告訴人、告発人又は請求人の請求があるときは、速やかに告訴人、告発人又は請求人にその理由を告げなければならない。

第二百六十二条　刑法第百九十三条から第百九十六条まで又は破壊活動防止法（昭和二十七年法律第二百四十号）第四十五条若しくは無差別大量殺人行為を行った団体の規制に関する法律（平成十一年法律第百四十七号）第四十二条若しくは第四十三条の罪について告訴又は告発をした者は、検察官の公訴を提起しない処分に不服があるときは、その検察官所属の検察庁の所在地を管轄する地方裁判所に事件を裁判所の審判に付することを請求することができる。

②　（略）

第二百六十四条　検察官は、第二百六十二条第一項の請求を理由があるも

242　第2編　逐条解説　第3章　事業者がとるべき措置等

のと認めるときは、公訴を提起しなければならない。

3　本条の解釈

⑴　「その他適当な措置」

　本条第1項に定める「その他適当な措置」とは、「法令に基づく措置」に類する措置であって法令に基づかないものを指し、例えば、再発防止のための行政指導などが考えられる。

　他方、通報者に対する通知や通報に関する秘密保持・個人情報保護は「その他適当な措置」には含まれない。

　しかし、原始法制定時の国会での法案審議の際、衆・参双方の内閣委員会において本法に対する附帯決議が行われ、いずれの決議でも行政機関による公益通報者への通知が求められており、これを受け、「公益通報者保護法を踏まえた国の行政機関の通報対応に関するガイドライン（外部の労働者等からの通報）」において、各行政機関が、調査結果や措置の内容を通報者に通知するよう努めることが規定されている。

　また、通報に関する秘密や個人情報（例えば、行政機関に通報した者の氏名、通報内容など）を当該行政機関が保護すべきことについても、上記の附帯決議において求められており、「公益通報者保護法を踏まえた国の行政機関の通報対応に関するガイドライン（外部の労働者等からの通報）」にも、通報に関する秘密や通報者の個人情報の適正な取扱いを確保するための規定が置かれている（なお、通報者に関する秘密及び通報者の個人情報の保護に係る他の法律の規定等については、第1編第3章の解説を参照。）。

○　関連決議

［参考］衆議院内閣委員会　公益通報者保護法案に対する附帯決議（平成16年5月21日）

　二　公益通報を受けた事業者及び行政機関は、公益通報者の個人情報を漏らすことがあってはならないこと。

［参考］参議院内閣委員会　公益通報者保護法案に対する附帯決議（平成16
　　　年6月11日）

　　三　公益通報者の氏名等個人情報の漏えいが、公益通報者に対する不利益
　　　な取扱いにつながるおそれがあることの重大性にかんがみ、公益通報を
　　　受けた者が、公益通報者の個人情報の保護に万全を期するよう措置する
　　　こと。

⑵　「必要な調査を行い、……法令に基づく措置その他適当な措置をと
　　らなければならない」

　　本条第1項に定める「必要な調査」、「法令に基づく措置その他適当な
措置」については、本条によって行政機関に対し新たな調査・措置権限
を付与するものではなく、行政機関は、既存の権限に基づき調査を行い、
措置をとることとなる。

　　なお、どのような調査が必要かやどのような措置が適当かについては、
個別の事案に応じ、当該調査・措置権限を有する行政機関に一定の裁量
が認められることとなり、本条により調査や特定の措置が一律に義務付
けられるものではない。

○　他法令における「調査を行わなければならない」の解釈

［参考］私的独占の禁止及び公正取引の確保に関する法律（昭和22年法律第
　　　54号）

　　第四十五条　何人も、この法律の規定に違反する事実があると思料すると
　　　きは、公正取引委員会に対し、その事実を報告し、適当な措置をとるべ
　　　きことを求めることができる。

　　②　前項に規定する報告があつたときは、公正取引委員会は、事件につい
　　　て必要な調査をしなければならない。

　　③・④　（略）

［参考］村上政博ほか編『条解独占禁止法』（弘文堂・2014年）690頁

　　　「本法2項は、違反の疑いのある事実に関する報告がなされた場合、当該
　　報告に関し、必要な調査を行わなければならないとする。もっとも、どの
　　程度の調査活動を行うべきかは、公取委の裁量に委ねられている。調査の
　　必要性の判断には、公取委の専門的・経験的判断を要するためである。」

244　第2編　逐条解説　第3章　事業者がとるべき措置等

⑶　行政不服審査法上の不服申立ての可否

　本条第1項は、行政不服審査法における不服申立適格（「処分により自己の権利若しくは法律上保護された利益を侵害された又は必然的に侵害されるおそれのある者」）を基礎付ける「法律上保護された利益」を付与しているとまではいえないことから、行政機関に対し、本条第1項を根拠として行政不服審査の申立てをすることはできないものと考えられる。

⑷　本条第1項及び第2項の措置の主体

　2号通報が誤って当該公益通報に係る通報対象事実について処分又は勧告等をする権限を有しない行政機関に対してされたときは、当該行政機関は、当該公益通報者に対し、当該公益通報に係る通報対象事実について権限を有する行政機関を教示しなければならないこととされている（法第14条）。

　このため、いずれの通報対象事実についても処分又は勧告等をする権限を有しない行政機関は、常に法第14条の規定による教示をすることとなり、法第13条第1項の規定による調査・是正措置をとることはない。

　そこで、本条第1項及び第2項の措置の主体は、通報対象事実について権限を有する行政機関に限定されている。

　また、本法における「行政機関」には、国の各機関の「職員であって法律上独立に権限を行使することを認められた職員」も含まれており（法第2条第4項第1号）、これに該当する職員（例えば、検察官、海上保安官等）についても、2号通報をされた場合は、当該権限の主体として、調査・是正措置をとらなければならないこととなる（法第13条第1項）。

　しかしながら、通報窓口の設置のように、これらの職員に対する2号通報に適切に対応するためにとるべき措置については、これらの職員が属する機関において、これらの職員を監督しつつ実施すれば足りるものであり、個々の職員に直接に義務を課す必要はない。

　そこで、本条第2項の措置の主体から、これらの職員（法第2条第4

第 13 条（行政機関がとるべき措置）　245

項第 1 号に規定する職員）が除外されている。

4　法に基づく指針を策定しないこととされた理由

　法第 11 条の規定により事業者（行政機関を含む。）がとるべき措置については、①各事業者の事業や組織の実情が様々であるため柔軟性を確保しなければならないという要請がありつつも、②事業者がとるべき事項、目標とすべき事項、配慮すべき事項等に共通するものがあると考えられることから、内閣総理大臣は法定指針を定めるものとされた。

　他方、行政機関がとるべき本条第 2 項の措置については、通報対象事実に係る法律の処分又は勧告等の規定による権限の行使に関わるものであり、当該権限をどのように行使して、調査・是正措置をとることが適当であるかについては、当該法律の趣旨を踏まえ、一義的には当該権限を有する行政機関の責任で判断されるべき事項であることから、消費者庁の主任の大臣である内閣総理大臣として、各行政機関に対して指針として示すことのできる事項は限定的なものにとどまるものと考えられる。

　そこで、各行政機関がとるべき本条第 2 項の措置については、内閣総理大臣は指針を定めるものとされていない。

246　第2編　逐条解説　第3章　事業者がとるべき措置等

第14条（教示）

> **（教示）**
> 第十四条　前条第一項の公益通報が誤って当該公益通報に係る通報対象事
> 実について処分又は勧告等をする権限を有しない行政機関に対してされ
> たときは、当該行政機関は、当該公益通報者に対し、当該公益通報に係
> る通報対象事実について処分又は勧告等をする権限を有する行政機関を
> 教示しなければならない。

1　本条の概要

　本条は、誤って処分又は勧告等をする権限を有しない行政機関に対し
て通報がされた場合に、当該行政機関が通報者に正しい行政機関を教示
する義務を規定するものである。

2　本条の趣旨

　行政機関に対する公益通報については、法第3条第2号及び第6条第
2号において、通報対象事実について権限を有する行政機関に対する公
益通報を保護することとされている。

　通報対象事実について、どの行政機関がどのような権限を有するかは、
各法令や行政機関設置法令などの規定によって定まっており、通報先と
なる権限を有する行政機関は、これらの各法令の規定によって定まるこ
ととなる。

　しかし、公益通報をしようとする者が通報対象事実について権限を有
する行政機関を正確に把握できるとは限らないことから、場合によって
は、通報が、処分又は勧告等をする権限を有しない行政機関に対してな
され、法第3条第2号及び第6条第2号の「公益通報」に適合しないと
いう不都合が生じることとなる。本条は、こうした通報者に生じる不都
合を解消することにより、通報者に対する便宜を図るとともに、権限を
有する行政機関へ通報がなされるよう誘導することを通じて、公益通報
を端緒とした、権限を有する行政機関による監視・是正機能が一層拡充

されるよう、適切な通報先である権限を有する行政機関を教示すること
を義務付けるものである。

　なお、誤って処分又は勧告等をする権限を有しない行政機関に通報が
された場合には、当該行政機関が権限を有する行政機関に回付するとい
う方式もあり得るが、権限を有する行政機関が通報者から直接通報を受
け付けることが、通報後の調査・是正を円滑に行うためにも適当である
と考えられることから、本条に定めるとおり、通報者に教示する方式と
されたものである。

第4章　雑則

第15条（報告の徴収並びに助言、指導及び勧告）

（報告の徴収並びに助言、指導及び勧告）

第十五条　内閣総理大臣は、第十一条第一項及び第二項（これらの規定を
同条第三項の規定により読み替えて適用する場合を含む。）の規定の施
行に関し必要があると認めるときは、事業者に対して、報告を求め、又
は助言、指導若しくは勧告をすることができる。

1　本条の概要

　本条は、内閣総理大臣が、法第11条第1項及び第2項（これらの規定
を同条第3項の規定により読み替えて適用する場合を含む。）の規定の施行
に関し必要があると認めるときは、事業者に対して、報告を求め、又は
助言、指導若しくは勧告をすることができる旨を規定するものである。

2　本条の趣旨

⑴　報告の徴収

　本法は、事業者については、公益通報対応業務従事者を定めることを
義務付けるとともに、公益通報を活用して国民の生命、身体、財産その
他の利益の保護に関わる法令の規定の遵守を図るため、公益通報対応義
務等（中小事業者については、努力義務）を課すこととされている（法第
11条第1項及び第2項（これらの規定を同条第3項の規定により読み替えて
適用する場合を含む。））。

　そこで、事業者の状況を調査する手段として、内閣総理大臣の報告徴
収権を規定することとされた。なお、本条の内閣総理大臣の報告徴収権
について、中小事業者の努力義務も対象とされている。

第 15 条（報告の徴収並びに助言、指導及び勧告） 249

(2) **助言、指導及び勧告**

公益通報対応義務等について、事業者に是正を促す手段として、内閣総理大臣の助言、指導及び勧告の権限が規定された。

3 権限の主体

内閣府及び消費者庁は、公益通報者の保護に関する事務を所掌しており（内閣府設置法第 4 条第 3 項第 61 号及び消費者庁及び消費者委員会設置法第 4 条第 1 項第 22 号）、本法についても所管している。

そこで、当該事務の主任の大臣である内閣総理大臣に、報告の徴収、助言、指導及び勧告（法第 15 条）並びに公表（法第 16 条）の権限が付与されている。

その上で、報告の徴収、助言、指導及び勧告（法第 15 条）並びに公表（法第 16 条）の権限については、個別具体的な事案において行使されるものであり、公益通報者の保護に関する実務に精通した消費者庁に担わせることが適当であるため、内閣総理大臣の権限は消費者庁長官に委任することとされた（法第 19 条の解説参照）。

○ **体制の整備その他の必要な措置等に関する行政措置、行政調査及び罰則を規定している他法の例**

［参考］雇用の分野における男女の均等な機会及び待遇の確保等に関する法律（昭和 47 年法律第 113 号）

（職場における性的な言動に起因する問題に関する雇用管理上の措置等）

第十一条　事業主は、職場において行われる性的な言動に対するその雇用する労働者の対応により当該労働者がその労働条件につき不利益を受け、又は当該性的な言動により当該労働者の就業環境が害されることのないよう、当該労働者からの相談に応じ、適切に対応するために必要な体制の整備その他の雇用管理上必要な措置を講じなければならない。

2 〜 5 　（略）

（職場における妊娠、出産等に関する言動に起因する問題に関する雇用管理上の措置等）

第十一条の三　事業主は、職場において行われるその雇用する女性労働者に対する当該女性労働者が妊娠したこと、出産したこと、労働基準法第

250 第2編 逐条解説 第4章 雑則

六十五条第一項の規定による休業を請求し、又は同項若しくは同条第二項の規定による休業をしたことその他の妊娠又は出産に関する事由であつて厚生労働省令で定めるものに関する言動により当該女性労働者の就業環境が害されることのないよう、当該女性労働者からの相談に応じ、適切に対応するために必要な体制の整備その他の雇用管理上必要な措置を講じなければならない。

2～4 （略）

（報告の徴収並びに助言、指導及び勧告）

第二十九条 厚生労働大臣は、この法律の施行に関し必要があると認めるときは、事業主に対して、報告を求め、又は助言、指導若しくは勧告をすることができる。

2 （略）

（公表）

第三十条 厚生労働大臣は、第五条から第七条まで、第九条第一項から第三項まで、第十一条第一項及び第二項（第十一条の三第二項、第十七条第二項及び第十八条第二項において準用する場合を含む。）、第十一条の三第一項、第十二条並びに第十三条第一項の規定に違反している事業主に対し、前条第一項の規定による勧告をした場合において、その勧告を受けた者がこれに従わなかつたときは、その旨を公表することができる。

（適用除外）

第三十二条 第二章第一節、第十三条の二、同章第三節、前章、第二十九条及び第三十条の規定は、国家公務員及び地方公務員に、第二章第二節（第十三条の二を除く。）の規定は、一般職の国家公務員（行政執行法人の労働関係に関する法律（昭和二十三年法律第二百五十七号）第二条第二号の職員を除く。）、裁判所職員臨時措置法（昭和二十六年法律第二百九十九号）の適用を受ける裁判所職員、国会職員法（昭和二十二年法律第八十五号）の適用を受ける国会職員及び自衛隊法（昭和二十九年法律第百六十五号）第二条第五項に規定する隊員に関しては適用しない。

第三十三条 第二十九条第一項の規定による報告をせず、又は虚偽の報告をした者は、二十万円以下の過料に処する。

［参考］育児休業、介護休業等育児又は家族介護を行う労働者の福祉に関する法律（平成3年法律第76号）

（妊娠又は出産等についての申出があった場合における措置等）

第二十一条 事業主は、労働者が当該事業主に対し、当該労働者又はその

配偶者が妊娠し、又は出産したことその他これに準ずるものとして厚生労働省令で定める事実を申し出たときは、厚生労働省令で定めるところにより、当該労働者に対して、育児休業に関する制度その他の厚生労働省令で定める事項を知らせるとともに、育児休業申出に係る当該労働者の意向を確認するための面談その他の厚生労働省令で定める措置を講じなければならない。

2　事業主は、労働者が前項の規定による申出をしたことを理由として、当該労働者に対して解雇その他不利益な取扱いをしてはならない。

（育児休業等に関する定めの周知等の措置）

第二十一条の二　前条第一項に定めるもののほか、事業主は、育児休業及び介護休業に関して、あらかじめ、次に掲げる事項を定めるとともに、これを労働者に周知させるための措置（労働者若しくはその配偶者が妊娠し、若しくは出産したこと又は労働者が対象家族を介護していることを知ったときに、当該労働者に対し知らせる措置を含む。）を講ずるよう努めなければならない。

一〜三　（略）

2　事業主は、労働者が育児休業申出又は介護休業申出をしたときは、厚生労働省令で定めるところにより、当該労働者に対し、前項各号に掲げる事項に関する当該労働者に係る取扱いを明示するよう努めなければならない。

（小学校就学の始期に達するまでの子を養育する労働者等に関する措置）

第二十四条　事業主は、その雇用する労働者のうち、その小学校就学の始期に達するまでの子を養育する労働者に関して、労働者の申出に基づく育児に関する目的のために利用することができる休暇（子の看護休暇、介護休暇及び労働基準法第三十九条の規定による年次有給休暇として与えられるものを除き、出産後の養育について出産前において準備することができる休暇を含む。）を与えるための措置及び次の各号に掲げる当該労働者の区分に応じ当該各号に定める制度又は措置に準じて、それぞれ必要な措置を講ずるよう努めなければならない。

一〜三　（略）

2　事業主は、その雇用する労働者のうち、その家族を介護する労働者に関して、介護休業若しくは介護休暇に関する制度又は介護のための所定労働時間の短縮等の措置に準じて、その介護を必要とする期間、回数等に配慮した必要な措置を講ずるように努めなければならない。

252　第2編　逐条解説　第4章　雑則

（職場における育児休業等に関する言動に起因する問題に関する雇用管理上の措置等）
第二十五条　事業主は、職場において行われるその雇用する労働者に対する育児休業、介護休業その他の子の養育又は家族の介護に関する厚生労働省令で定める制度又は措置の利用に関する言動により当該労働者の就業環境が害されることのないよう、当該労働者からの相談に応じ、適切に対応するために必要な体制の整備その他の雇用管理上必要な措置を講じなければならない。
2　事業主は、労働者が前項の相談を行ったこと又は事業主による当該相談への対応に協力した際に事実を述べたことを理由として、当該労働者に対して解雇その他不利益な取扱いをしてはならない。

（再雇用特別措置等）
第二十七条　事業主は、妊娠、出産若しくは育児又は介護を理由として退職した者（以下「育児等退職者」という。）について、必要に応じ、再雇用特別措置（育児等退職者であって、その退職の際に、その就業が可能となったときに当該退職に係る事業の事業主に再び雇用されることの希望を有する旨の申出をしていたものについて、当該事業主が、労働者の募集又は採用に当たって特別の配慮をする措置をいう。第三十条において同じ。）その他これに準ずる措置を実施するよう努めなければならない。

（報告の徴収並びに助言、指導及び勧告）
第五十六条　厚生労働大臣は、この法律の施行に関し必要があると認めるときは、事業主に対して、報告を求め、又は助言、指導若しくは勧告をすることができる。

（公表）
第五十六条の二　厚生労働大臣は、第六条第一項（第十二条第二項、第十六条の三第二項及び第十六条の六第二項において準用する場合を含む。）、第十条（第十六条、第十六条の四及び第十六条の七において準用する場合を含む。）、第十二条第一項、第十六条の三第一項、第十六条の六第一項、第十六条の八第一項（第十六条の九第一項において準用する場合を含む。）、第十六条の十、第十七条第一項（第十八条第一項において準用する場合を含む。）、第十八条の二、第十九条第一項（第二十条第一項において準用する場合を含む。）、第二十条の二、第二十一条、第二十二条第一項、第二十三条第一項から第三項まで、第二十三条の二、第二十五条第一項若しくは第二項（第五十二条の四第二項及び第五十二

条の五第二項において準用する場合を含む。）又は第二十六条の規定に違反している事業主に対し、前条の規定による勧告をした場合において、その勧告を受けた者がこれに従わなかったときは、その旨を公表することができる。

第六十六条　第五十六条の規定による報告をせず、又は虚偽の報告をした者は、二十万円以下の過料に処する。

［参考］育児休業等に関する法律の一部を改正する法律案関係国会答弁資料
　　　　（第132回国会（常会））（平成7年3月労働省婦人局）

（問282）努力規定について助言、指導又は勧告を行っている例はあるのか。その場合の行政法上の効果如何。

（答）

1　現行育児休業法第12条は、努力義務に対し、指針を定め、この指針に従い助言、指導又は勧告を行うこととなっている。

2　男女雇用機会均等法第12条、第33条は、努力義務に対し、指針を定め、法律上その指針に関する事項を含めて助言、指導又は勧告を行うこととなっており、これらの規定に基づき実際の助言、指導等が行われている。

3　努力義務規定について勧告を行うことについても高年齢者雇用安定法等にその例がある（高年齢者雇用安定法第4条の6）。

4　助言、指導及び勧告は、いずれも行政指導の措置であって、罰則等の制裁を伴うものではなく、事業主の自発的な行為を促し、これに期待するものである。

254　第2編　逐条解説　第4章　雑則

第16条（公表）

> **（公表）**
> 第十六条　内閣総理大臣は、第十一条第一項及び第二項の規定に違反して
> いる事業者に対し、前条の規定による勧告をした場合において、その勧
> 告を受けた者がこれに従わなかったときは、その旨を公表することがで
> きる。

1　本条の概要

　本条は、内閣総理大臣が、法第11条第1項及び第2項の規定に違反
している事業者に対し、法第15条の規定による勧告をした場合におい
て、その勧告を受けた者がこれに従わなかったときは、その旨を公表す
ることができる旨を規定するものである。

2　本条の趣旨

　公益通報対応義務等について、事業者に制裁を与える手段として、内
閣総理大臣の公表の権限が規定された。

　なお、育児・介護休業法第56条の2の規定による厚生労働大臣の公
表の権限は、事業主の努力義務違反を対象としていないところ、本条の
内閣総理大臣の公表の権限についても、中小事業者の努力義務違反は対
象とされていない。

第17条（関係行政機関への照会等）

> **（関係行政機関への照会等）**
> 第十七条　内閣総理大臣は、この法律の規定に基づく事務に関し、関係行
> 政機関に対し、照会し、又は協力を求めることができる。

1　本条の概要

　本条は、内閣総理大臣が、本法の規定に基づく事務に関し、関係行政
機関に対し、照会し、又は協力を求めることができる旨を規定するもの
である。

2　本条の趣旨

　公益通報対応義務等に違反する事業者については、通報対象事実に係
る法令にも違反している可能性があるため、内閣総理大臣が、報告の徴
収、助言、指導及び勧告（法第15条）並びに公表（法第16条）の権限を
行使する際には、行政調査や行政措置の実施に際して、通報対象事実に
係る法令について権限を有する行政機関と緊密に連携する必要がある。
具体的には、通報対象事実の該当性を判断するために、当該法令を所管
する行政機関に解釈を照会することが想定される。

　そこで、内閣総理大臣は、本法の規定に基づく事務に関し、関係行政
機関に対し、照会し、又は協力を求めることができることとされた。

256　第2編　逐条解説　第4章　雑則

第18条（内閣総理大臣による情報の収集、整理及び提供）

> **（内閣総理大臣による情報の収集、整理及び提供）**
> 第十八条　内閣総理大臣は、公益通報及び公益通報者の状況に関する情報
> その他その普及が公益通報者の保護及び公益通報の内容の活用による国
> 民の生命、身体、財産その他の利益の保護に関わる法令の規定の遵守に
> 資することとなる情報の収集、整理及び提供に努めなければならない。

1　本条の概要

　本条は、法の運用状況等に関する情報の収集、整理及び提供について、
内閣総理大臣に努力義務を課す旨を規定するものである。

2　本条の趣旨

(1)　原始法の概要

　公益通報がどのように活用されているかや、公益通報者がどのように
保護されているかといった、法の運用状況等に関する情報提供について
は、原始法には特段の規定は設けられておらず、消費者庁がその所掌事
務を行う上で必要と判断する場合に行われてきた（内閣府設置法第4条
第3項第61号及び消費者庁及び消費者委員会設置法第4条第1項第22号）。

(2)　通報対象事実を知った者に対して法の運用状況等に関する情報の提供等を行う必要性

　消費者庁の調査によると、労働者が違法行為を知っても通報しない理
由として、「通報しても改善される見込みがない」、「自分とは無関係で
ある」、「労務上の不利益な取扱いを受けるおそれがある」、「通報する内
容が法で保護される通報か自信がない」、「職場内で嫌がらせ等を受ける
おそれがある」等が上位を占めているところ、こうした認識の根本にあ
るのは、法の内容及びその運用状況が適切に理解されていないことにあ
るものと考えられる。

このため、通報対象事実を知った者にとって参考となる、法の運用状況等に関する情報の提供等を適切に行うことにより、公益通報を促す必要がある。具体的には、法の内容はもとより、公益通報の内容の活用により通報対象事実の調査・是正が行われた事例、公益通報をしたことを理由とする解雇その他不利益な取扱いを受けた公益通報者が法の適用により保護された裁判例等について、法第15条の規定による報告の徴収、法第17条の規定による関係行政機関への照会、事業者や弁護士会へのヒアリング、裁判例の調査等を行うとともに、一般の労働者等に分かりやすい形で整理し、提供する必要があるものと考えられる。

⑶ **事業者に対して法の運用状況等に関する情報の提供等を行う必要性**

消費者庁の調査によると、事業者における法の認知度については、全体では約60％が、従業員数50人以下では約30％が、「知っている」としており、従業員数が少なくなるほど低下する傾向にある（平成28年度民間事業者調査）。

法は、公益通報をしたことを理由とする公益通報者の解雇の無効及び不利益な取扱いの禁止等を定めることにより、事業者が公益通報者の保護を図ることを期待している。そして、事業者が公益通報の内容を活用し、通報対象事実の調査・是正を行い、国民の生命、身体、財産その他の利益の保護に関わる法令の規定の遵守を図ることを期待している。

しかしながら、事業者が法の内容及びその運用状況を適切に理解していなければ、公益通報者の解雇その他不利益な取扱いを差し控えることや、通報対象事実の調査・是正を行うことも期待し難い。

このため、事業者にとって参考となる、法の運用状況等に関する情報の提供等を適切に行うことにより、法の期待する行動を促す必要がある。具体的には、法の内容はもとより、公益通報の内容の活用により通報対象事実が適切に是正され、企業価値が保たれた事例（逆に、通報対象事実が適切に是正されず、企業価値が損なわれた事例）、公益通報をしたことを理由とする公益通報者の解雇その他不利益な取扱いの事実が認定され

258　第2編　逐条解説　第4章　雑則

て事業者が敗訴した裁判例等について、法第15条の規定による報告の徴収、法第17条の規定による関係行政機関への照会、事業者や弁護士会へのヒアリング、裁判例の調査等を行うとともに、中小事業者にも分かりやすい形で整理し、提供する必要がある。

(4) 内閣総理大臣による情報の収集、整理及び提供に関する規定を設ける必要性

　上記(2)及び(3)のとおり、通報対象事実を知った者や事業者に対し、法の運用状況等に関する情報の提供等を行い、法の期待する行動を促すことにより、法が目的とする公益通報者の保護及び国民の生命、身体、財産その他の利益の保護に関わる法令の規定の遵守を図る必要がある。

　そこで、こうした情報の収集、整理及び提供について、内閣総理大臣に努力義務を課すことにより、その適切な実施を確保することとされた。また、こうした規定により、事業者等から任意に情報を収集する場合において、その必要性について相手方の理解が得られやすくなることも期待される。

　本条では、公益通報の状況（例えば、公益通報が適切に活用された事例等）や公益通報者の状況（例えば、公益通報者が保護された裁判例等）が例示として規定された。

○　参照条文

［参考］内閣府設置法（平成11年法律第89号）
　　（所掌事務）
　第四条　（略）
　2　（略）
　3　前二項に定めるもののほか、内閣府は、前条第二項の任務を達成するため、次に掲げる事務をつかさどる。
　　一～六十　（略）
　　六十一　消費者庁及び消費者委員会設置法（平成二十一年法律第四十八号）第四条第一項及び第六条第二項に規定する事務
　　六十二　（略）

［参考］消費者庁及び消費者委員会設置法（平成 21 年法律第 48 号）

　　（所掌事務）

第四条　消費者庁は、前条第一項の任務を達成するため、次に掲げる事務
　　（第六条第二項に規定する事務を除く。）をつかさどる。

　　一〜二十一　（略）

　　二十二　公益通報者（公益通報者保護法（平成十六年法律第百二十二号）
　　　第二条第二項に規定するものをいう。第六条第二項第一号ホにおいて
　　　同じ。）の保護に関すること。

　　二十三〜二十六　（略）

　2・3　（略）

第19条（権限の委任）

> **（権限の委任）**
> 第十九条　内閣総理大臣は、この法律による権限（政令で定めるものを除く。）を消費者庁長官に委任する。

1　本条の概要

　本条は、報告の徴収、助言、指導及び勧告（法第15条）並びに公表（法第16条）の権限については、内閣総理大臣の権限を消費者庁長官に委任する旨を規定するものである。

2　本条の趣旨

　報告の徴収、助言、指導及び勧告（法第15条）並びに公表（法第16条）の権限については、個別具体的な事案において行使されるものであり、公益通報者の保護に関する実務に精通した消費者庁に担わせることが適当であるため、内閣総理大臣の権限を消費者庁長官に委任する旨が規定されたものである。

3　本条の解釈

⑴　「政令で定めるものを除く」

　本条の規定により、内閣総理大臣は、政令で定めるものを除き、本法による権限を消費者庁長官に委任することとしているところ、法第11条第4項に基づく指針については、事業者にとらせる措置の内容に関わるという性質のものであり重要性が高いことから、その策定する権限は、消費者庁長官に委任する権限から除外する旨が、公益通報者保護法第十九条の規定により消費者庁長官に委任されない権限を定める政令に規定されている。

○ 参照条文

［参考］公益通報者保護法第十九条の規定により消費者庁長官に委任されない
　　　　権限を定める政令

　　内閣は、公益通報者保護法（平成十六年法律第百二十二号）第十九条の
規定に基づき、この政令を制定する。

　　公益通報者保護法第十九条の政令で定める権限は、同法第十一条第四項
の規定並びに同条第五項及び第六項（これらの規定を同条第七項において
準用する場合を含む。）の規定による権限とする。

262 第2編 逐条解説 第4章 雑則

第20条（適用除外）

> **（適用除外）**
> 第二十条　第十五条及び第十六条の規定は、国及び地方公共団体に適用しない。

1　本条の概要

　本条は、国及び地方公共団体に対する法第15条及び第16条の規定の適用を排除し、報告の徴収、助言、指導及び勧告並びに公表の対象から、国及び地方公共団体である事業者を除外する旨を規定するものである。

2　本条の趣旨

　法第2条第1項の規定により、「事業者」は「法人その他の団体及び事業を行う個人」と定義されているところ、国及び地方公共団体については、「法人」に含まれるため、「事業者」として、法第11条第1項及び第2項（これらの規定を同条第3項の規定により読み替えて適用する場合を含む。）の規定による公益通報対応義務等を負うこととなる。

　国及び地方公共団体は、公益のために法令を制定し、又は公益のための秩序維持を図るものであり、その公益を自ら害することは通常想定し難く、仮に国及び地方公共団体において公益通報対応義務等に関係する職務に従事する職員が職務上の義務に違反し、又はその職務を怠った場合は、国家公務員法等の規定による監督措置がとられることとなる。

　よって、国及び地方公共団体に係る公益通報対応義務等については、法において履行確保の手段を設ける必要性が低いため、国及び地方公共団体に対する法第15条及び第16条の規定の適用を排除し、報告の徴収、助言、指導及び勧告並びに公表の対象から、国及び地方公共団体である事業者が除外されたものである。

　なお、国及び地方公共団体以外の公法人（独立行政法人等）については、利益だけを追い求めず公共性の高い事務・事業を行うことに特徴が

あるものの、事業として収益を上げている点で半ば民間法人の特徴を併せ持つため、報告の徴収、助言、指導及び勧告（法第15条）並びに公表（法第16条）の対象から除外されていない。

第5章　罰則

第21条

> 第二十一条　第十二条の規定に違反して同条に規定する事項を漏らした者
> は、三十万円以下の罰金に処する。

1　本条の概要

本条は、法第12条の規定に違反して同条に規定する事項を漏らした
者は、30万円以下の罰金に処する旨を規定するものである。

2　本条の趣旨

法第12条の実効性を担保するため、本条において、罰則が規定され
たものである。

法定刑について、いずれの事業者であっても公益通報対応業務を行う
可能性があり、かつ、当該事業者のいずれの従業員であっても人事異動
により当該業務に従事する可能性がある業務であるという性質を踏まえ、
30万円以下の罰金とされたものである。

第 22 条　265

第 22 条

> 第二十二条　第十五条の規定による報告をせず、又は虚偽の報告をした者
> は、二十万円以下の過料に処する。

1　本条の概要

　本条は、法第 15 条の規定による報告をせず、又は虚偽の報告をした
者は、20 万円以下の過料に処する旨を規定するものである。

2　本条の趣旨

　公益通報対応義務等の履行を確保するためには、監督当局が事業者の
状況を調査した上で是正を促すとともに、これに従わない事業者に対し
て制裁を与えることが必要である。

　そこで、法第 15 条の実効性を担保するため、報告の懈怠又は虚偽の
報告をした者に対する罰則として、20 万円の過料を設けることとされた
ものである。

266　第2編　逐条解説

原始附則第1条（施行期日）

> **（施行期日）**
> 第一条　この法律は、公布の日から起算して二年を超えない範囲内におい
> 　て政令で定める日から施行し、この法律の施行後にされた公益通報につ
> 　いて適用する。

1　本条の概要

　本条は、原始法の施行期日を、公布の日から起算して2年を超えない
範囲内において政令で定める日とし、原始法の施行後にされた公益通報
について本法を適用する旨を規定するものである。

2　本条の趣旨

　本制度は、営利企業、行政機関、各種の非営利団体等、あらゆる事業
者を対象とするものであるため、制度の周知や、八号政令の制定、逐条
解説等を踏まえた通報受付体制の整備などに十分な準備期間を設ける必
要があると考えられた。

　このため、個人情報保護法の例に倣い、公布の日から起算して2年を
超えない範囲内において政令で定める日から施行するとされたものであ
る。

　また、原始法の施行期日以前に行われた公益通報を理由として、施行
期日以降になされた解雇その他不利益な取扱いに本法を適用することに
ついては、

- 　施行前に駆け込みで解雇その他不利益な取扱いがなされる懸念が
あること
- 　施行前の公益通報については、受付側の体制が整っていない可能
性があること

などの理由により適当ではないと考えられたことから、原始法は、原始
法の施行後にされた公益通報について適用することとされたものである。

原始附則第1条（施行期日）　267

○　**参照条文**

［参考］個人情報の保護に関する法律（平成15年法律第57号）

　　　　　　附　　則

　　　（施行期日）

　第一条　この法律は、公布の日から施行する。ただし、第四章から第六章
　まで及び附則第二条から第六条までの規定は、<u>公布の日から起算して二</u>
　<u>年を超えない範囲内において政令で定める日から施行する</u>。

3　本条の解釈

(1)　「政令で定める日」

　平成17年3月、政府は、公益通報者保護法の施行期日を定める政令
を制定し、原始法を平成18年4月1日から施行することとした。

(2)　「この法律の施行後にされた公益通報」

　なお、原始法の施行前の事案や公訴時効が成立している事案について
も、通報が施行後にされたものであれば対象となる。これは、過去の事
案であっても、例えば、有害物質を土中に埋めた場合のように、現時点
で国民の生命、身体等に被害が発生する場合が考えられることから、施
行前の事案等について一律に対象外とすることは適当ではないためであ
る。

268　第2編　逐条解説

原始附則第2条（検討）

（検討）
第二条　政府は、この法律の施行後五年を目途として、この法律の施行の
　状況について検討を加え、その結果に基づいて必要な措置を講ずるもの
　とする。

1　本条の概要

　本条は、原始法施行後5年を目途とした法施行状況の検討及び当該検
討結果に基づく必要な措置について規定するものである。

2　本条の趣旨

　公益通報者保護制度は、原始法制定当時の企業不祥事の続発等を踏ま
え、国民生活にとって優先度の高い分野を対象として整備されたもので
ある。また、国民生活審議会消費者政策部会報告書「21世紀型の消費
者政策の在り方について」（平成15年5月28日）においては、「制度化
後の運用状況を踏まえ、必要な見直しについて検討を行っていく必要が
ある。」と指摘されたところである。

　これらのことから、原始法施行後5年を目途に、施行後の企業不祥事
の発生状況、本法の運用状況等を踏まえ、必要な措置を講ずる旨の規定
が置かれたものである。

　原始法施行後検討を加えるまでの期間については、
①　施行後3年程度の運用状況を把握した上で、その状況を踏まえて、
　4年目から5年目までに各分野の有識者や専門家の意見を聞き、必
　要があれば法改正等を行うことが適当と考えられること
②　同様の民事ルールである消費者契約法の附帯決議においても、原
　始法施行の5年後の見直しが規定されていること
から、5年を目途として検討を加えることとされたものである。

○　原始法制定当時の意見

［参考］国民生活審議会消費者政策部会「21 世紀型の消費者政策の在り方について」（平成 15 年 5 月 28 日）

　第 4 章　消費者政策の実効性確保

　第 4 節　公益通報者保護制度の整備

　　1．制度の目的・必要性

　(5)　（中略）

　　　また、以下に述べる公益通報者保護制度の内容は、近年の不祥事の発生を踏まえて制度化を図るべきものをまとめたものであり、制度化後の運用状況を踏まえ、必要な見直しについて検討を行っていく必要がある。

3　その他

(1)　公益通報者保護法案附帯決議

　国会での原始法案審議の際、衆議院・参議院双方の内閣委員会において原始法に対する附帯決議が行われ、いずれの決議においても、本条の規定に基づく原始法の見直しについて指摘があったところである。

○　関連決議

［参考］衆議院内閣委員会　公益通報者保護法案に対する附帯決議（平成 16 年 5 月 21 日）

　　九　附則第 2 条の規定に基づく本法の見直しは、通報対象事実の範囲、外部通報の要件及び外部通報先の範囲の再検討を含めて行うこと。

［参考］参議院内閣委員会　公益通報者保護法案に対する附帯決議（平成 16 年 6 月 11 日）

　　六　附則第 2 条の規定に基づく本法の見直しは、通報者の範囲、通報対象事実の範囲、外部通報の要件及び外部通報先の範囲の再検討を含めて行うこと。

(2)　原始法の施行状況の検討及び講じられた措置

　内閣府及び消費者庁においては、原始法施行後、本条に基づき、原始法の施行の状況について各種調査を行うとともに、研究会を開催するなどして検討を実施した。

また、消費者委員会に平成22年6月に設置された公益通報者保護専門調査会による「公益通報者保護専門調査会報告〜公益通報者保護法の施行状況についての検討結果〜」（平成23年2月）において、制度に係る実態把握のための調査や更なる周知啓発、各行政機関が本法の「公益通報」に該当しない通報についても適切に対処することなどが求められたことを踏まえ、消費者庁では、各種の周知・広報活動や「公益通報者保護法を踏まえた国の行政機関の通報対応に関するガイドライン」の改正などの措置を講じている。

改正法附則第1条（施行期日）　271

改正法附則第1条（施行期日）

> **（施行期日）**
> 第一条　この法律は、公布の日から起算して二年を超えない範囲内におい
> て政令で定める日から施行する。ただし、附則第三条及び第四条の規定
> は、公布の日から施行する。

1　本条の概要

本条は、改正法の施行期日を、原則として、公布の日から起算して2
年を超えない範囲内において政令で定める日とする旨を規定するもので
ある。

2　本条の趣旨

本制度は、営利企業、行政機関、各種の非営利団体等、あらゆる事業
者を対象とするものであるところ、改正法による改正事項は多岐にわた
るものであるため、改正内容の周知、法定指針の策定等に十分な準備期
間を設ける必要がある。

この点、原始法の制定時においても、あらゆる事業者を対象に制度の
周知を図り、下位法令を制定する等の必要があったため、公布の日から
施行する経過措置等に関する規定を除き、公布の日から起算して2年を
超えない範囲内において政令で定める日から施行することとされていた
ことから（原始附則第1条）、これと同様の施行期日とされた。

3　本条の解釈

⑴　「政令で定める日」

令和4年1月、政府は、公益通報者保護法の一部を改正する法律の施
行期日を定める政令を制定し、改正法を同年6月1日から施行すること
とした。

272 　第2編　逐条解説

改正法附則第2条（経過措置）

（経過措置）
第二条　この法律による改正後の公益通報者保護法（以下「新法」という。）の規定は、この法律の施行後にされる新法第二条第一項に規定する公益通報について適用し、この法律の施行前にされたこの法律による改正前の公益通報者保護法第二条第一項に規定する公益通報については、なお従前の例による。

1　本条の概要

　本条は、改正法の施行後にされる公益通報について適用するとともに、改正法の施行前にされた公益通報についてはなお従前の例によることとする旨を規定するものである。

2　本条の趣旨

　原始法の制定時において、原始法の施行前に行われた公益通報を理由として、施行後になされた解雇その他不利益な取扱いに法を適用することについては、施行前に駆け込みで解雇その他不利益な取扱いがなされる懸念があること、受付前の体制が整っていない可能性があること等の理由により適当でないと考えられたことから、原始法の施行後にされた公益通報について適用することとされた（原始附則第1条）。そこで、改正法による改正後の本法の規定についても、これと同様に、改正法の施行後にされる公益通報について適用するとともに、改正法の施行前にされた公益通報については原始法が適用される。

3　本条の解釈

(1)　適用関係の具体例

　改正法の施行前に生じた通報対象事実についても、公益通報が施行後にされたものであれば、改正後の本法が適用されることとなるところ、具体的な適用関係は以下のとおりである。

① 法第2条（公益通報の定義）の適用

改正法の施行前にした公益通報については、原始法の要件を満たさない限り公益通報に該当しないこととなるところ、例えば、過料の対象となる行為について改正法の施行前に労働者が通報をした場合や、改正法の施行前に退職者や役員が通報をした場合、当該通報は公益通報として保護されないこととなる。

② 法第3条から第5条まで（解雇その他不利益な取扱い等）の適用

改正法の施行前にされた公益通報を理由とした解雇その他不利益な取扱い又は労働者派遣契約の解除については、改正法の施行前になされたものか否かにかかわらず、改正前の法の要件を満たさない限り、保護の対象とならないところ、例えば、改正法の施行前に2号通報をした者は、法第3条第2号に規定する書面を提出する場合であっても、真実相当性の要件を満たさない限り保護されないこととなる。

③ 法第7条（損害賠償請求の制限）の適用

改正法の施行前にされた公益通報を理由として、改正法の施行後にされた損害賠償請求については、法第7条の規定は適用されない。

274　第2編　逐条解説

改正法附則第3条（経過措置）

> **（経過措置）**
> 第三条　内閣総理大臣は、この法律の施行前においても、新法第十一条第
> 　四項から第七項までの規定の例により、事業者がとるべき措置に関する
> 　指針を定めることができる。
> 2　前項の規定により定められた指針は、この法律の施行の日において新
> 　法第十一条第四項の規定により定められたものとみなす。

1　本条の概要

　本条第1項は、内閣総理大臣が、改正法の施行前においても、法第11条第4項の規定に基づく法定指針を定めることができる旨を規定するものである。

　また、本条第2項は、指針を改正法の施行前に定めた場合、法第11条第4項の規定は当該指針の策定時に効力を生じていないことから、当該指針がこれらの規定に基づくものとする旨を規定するものである。

2　本条の趣旨

　内閣総理大臣は、法第11条第4項の規定に基づき指針を策定する必要があるところ、法第11条第1項及び第2項（これらの規定を同条第3項の規定により読み替えて適用する場合を含む。）の規定により求められる措置を事業者が円滑に遂行するため、当該指針については、改正法の施行の前に定める必要があることから、本条第1項の規定により、改正法の施行前に当該指針を定めることができることとされたものである。

　また、指針を改正法の施行前に定めた場合、法第11条第4項の規定は当該指針の策定時に効力を生じていないことから、当該指針がこれらの規定に基づくものとするため、その旨を示す別の根拠規定が本条第2項に定められたものである。

　この点、指針策定の根拠を定める法第11条第4項の規定は、改正法の施行まで効力が生じないことから、同項の規定の例により定められた

指針について、改正法の施行の日において同項の規定により定められたものとみなすことにより、この策定根拠を明確化するものであり、実際に策定されたのは、あくまで同項の規定の例により定められた施行前の時点である。

よって、同条第6項の規定の例による公表については、改正法の施行後ではなく、同条第4項の規定の例により指針を定めたときは遅滞なく行い、当該指針の内容を早急に周知する必要がある。

また、同項の規定の例により指針を定めた後にこれを変更する必要がある場合は、改正法の施行前においても、同条第7項の規定の例により変更することができる。

276 第2編 逐条解説

改正法附則第4条（政令への委任）

（政令への委任）

第四条　前二条に定めるもののほか、この法律の施行に関し必要な経過措置は、政令で定める。

---

1 本条の概要

本条は、改正法附則第2条及び第3条に定めるもののほか、改正法の施行に関し必要な経過措置について、政令に委任する旨を規定するものである。

2 本条の趣旨

法第11条第4項の規定に基づき指針を策定する必要があるところ、当該指針の内容によっては、法第11条の規定による義務並びに法第15条及び第16条の規定による措置について、経過規定を設ける必要があることから、本条に経過措置の政令委任規定が設けられたものである。ただし、改正法施行時点（令和4年6月1日）において、本条に基づく政令は制定されていない。

改正法附則第 5 条（検討）　277

改正法附則第 5 条（検討）

> **（検討）**
> 第五条　政府は、この法律の施行後三年を目途として、新法の施行の状況を勘案し、新法第二条第一項に規定する公益通報をしたことを理由とする同条第二項に規定する公益通報者に対する不利益な取扱いの是正に関する措置の在り方及び裁判手続における請求の取扱いその他新法の規定について検討を加え、その結果に基づいて必要な措置を講ずるものとする。

1　本条の概要

本条は、改正法施行後 3 年を目途とした法の施行状況を勘案し、不利益な取扱いの是正に関する措置の在り方や裁判手続における請求の取扱い等の検討及び当該検討結果に基づく必要な措置について規定するものである。

2　本条の趣旨

平成 30 年 12 月に消費者委員会が内閣総理大臣に提出した答申「公益通報者保護法の規律の在り方や行政の果たすべき役割等に係る方策についての答申について」においては、公益通報者の範囲の拡充（取引先事業者等）、不利益な取扱いに対する行政措置等の検討課題が示されており、「政府において、今後の検討課題とし、その時々の状況をみながら、必要に応じて更なる調査・分析を行った上で、検討を深めていくことが期待」されている。

原始法の制定時においては、施行後 3 年程度の運用状況を把握した上で、その状況を踏まえて、4 年目から 5 年目までに各分野の有識者や専門家の意見を聴き、必要があれば法改正等を行うことが適当と考えられたことから、原始法の施行後 5 年を目途として検討を加えることとされた（原始附則第 2 条）。

この点、原始法の制定時においては、新規立法であるが故に参考とす

278　第2編　逐条解説

べきものが乏しく、上記のとおり、運用状況の把握を含め5年程度を要
するものと見込まれていたところ、今回は法律の一部改正であり、原始
法の運用状況も参考としつつ、より短い期間で必要な検討を行うことが
可能と見込まれることから、施行後3年を目途として、改正法による改
正後の本法の運用状況等を踏まえ、検討を加えることとされたものであ
る。

3　本条の解説

(1)　「公益通報者に対する不利益な取扱いの是正に関する措置の在り方」

　また、公益通報者に対する不利益な取扱いの是正に関する行政措置に
ついては、法第11条第2項の規定に違反する事業者に対する勧告及び
公表（法第15条及び第16条）により不利益な取扱いを抑止できると考
えられること、消費者庁による事実認定が困難であること、執行体制の
確保が困難であること等を踏まえ、改正法では導入されなかった。

　もっとも、不利益な取扱いに対する行政措置は、その抑止を図ること
で公益通報を促すに当たり有用であり、当該行政措置の導入を求める意
見は依然として強いことから、当該行政措置やこれに代わる方策の在り
方について、特に検討をする必要がある。

　そこで、公益通報をしたことを理由とする公益通報者に対する不利益
な取扱いの是正に関する措置の在り方について、検討事項として例示す
ることとされた。

(2)　「裁判手続における請求の取扱い」

　改正法の国会における審議の過程において、立証責任の転換に関する
規定の創設も視野に入れて検討することを政府に義務付ける趣旨として
「裁判手続における請求の取扱い」を明記する旨の修正案が提出され、
当該修正案が可決されたことにより、本条において検討事項として例示
することとされた。

改正法附則第6条（消費者庁及び消費者委員会設置法の一部改正）　279

改正法附則第6条（消費者庁及び消費者委員会設置法の一部改正）

> **（消費者庁及び消費者委員会設置法の一部改正）**
> 第六条　消費者庁及び消費者委員会設置法（平成二十一年法律第四十八号）の一部を次のように改正する。
> 　　第四条第一項第二十二号中「に関する基本的な政策の企画及び立案並びに推進」を削る。
> 　　第六条第二項第四号中「及び国民生活安定緊急措置法（昭和四十八年法律第百二十一号）」を「、国民生活安定緊急措置法（昭和四十八年法律第百二十一号）及び公益通報者保護法」に改める。

1　本条の概要

　本条は、消費者庁及び消費者委員会設置法第4条第1項第22号の規定について、「公益通報者（公益通報者保護法……第二条第二項に規定するものをいう。……）の保護に関すること。」に改め、消費者庁及び消費者委員会設置法第6条第2項第4号末尾に、本法を追加する旨を規定するものである。

2　本条の趣旨
(1)　本条による改正前の消費者庁及び消費者委員会設置法の概要

　本条による改正前の消費者庁及び消費者委員会設置法では、消費者庁は、公益通報者の「保護に関する基本的な政策の企画及び立案並びに推進に関する」事務を所掌すると規定されており（消費者庁及び消費者委員会設置法第4条第1項第22号）、本法についても所管している。

　また、消費者委員会は、公益通報者の保護に関する基本的な政策に関する重要事項に関して、自ら調査審議し、必要と認められる事項を内閣総理大臣等に建議することができるとされているほか（消費者庁及び消費者委員会設置法第6条第2項第1号ホ）、個別法の規定によりその権限に属せられた事項を処理することを所掌としている（同項第4号）。

280 第2編 逐条解説

そして、内閣府は、消費者庁及び消費者委員会設置法第4条第1項及び第6条第2項に規定する事務を所掌している（内閣府設置法第4条第3項第61号）。

(2) 改正の必要性

ア 消費者庁の所掌事務に関する改正

改正法により、内閣総理大臣は、公益通報対応義務等についての指針の策定（法第11条第4項等）、報告の徴収並びに助言、指導及び勧告（法第15条）並びに公表（法第16条）の権限を有し、一部を除き消費者庁長官に委任することとされた（法第19条）。

原始法は、公益通報者の保護に関する民事ルールを定めるものであるところ、①公益通報者保護制度の円滑な施行及び通報体制の整備促進、②公益通報者保護制度に関する情報提供及び普及啓発活動、③相談体制の整備促進並びに④公益通報者保護制度の運用及び見直しに関する情報収集及び調査研究が、消費者庁の関与する事務として想定されており、原始法に規定する義務に違反する者に対する行政調査や行政措置までは想定されていなかった。

そこで、内閣府及び消費者庁において、改正法により内閣総理大臣及び消費者庁長官が有することとなる権限に関する事務を所掌することを明確化するため、消費者庁及び消費者委員会設置法第4条第1項第22号の規定を改正する必要があることから、消費者庁及び消費者委員会設置法第4条第1項第22号の規定について、「公益通報者（公益通報者保護法（平成十六年法律第百二十二号）第二条第二項に規定するものをいう。）の保護に関すること。」に改められたものである。

イ 消費者委員会の所掌事務に関する改正

今回の改正により、内閣総理大臣は、公益通報対応義務等についての指針の策定に際し、あらかじめ、消費者委員会の意見を聴かなければならないこととなる（法第11条第5項）。

改正法附則第6条（消費者庁及び消費者委員会設置法の一部改正）　　281

　このような意見を聴かれることになる事務は、自ら調査審議し建議す
る事務とは異なるため、消費者庁及び消費者委員会設置法第6条第2項
第1号ホに含まれると考えることはできない。

　そこで、個別法の規定によりその権限に属せられた事項の処理と考え
る必要があるところ、これについて規定した同項第4号において列挙さ
れている個別法には、本法が含まれていない。そのため、同項第4号の
規定を改正する必要があった。

　消費者委員会の所掌事務を規定する消費者庁及び消費者委員会設置法
第6条第2項第4号に規定されている個別法は、消費者庁の所掌事務を
規定する消費者庁及び消費者委員会設置法第4条第1項各号に規定され
ている順に列挙されている。この点、同項第19号に規定されている住
宅の品質確保の促進等に関する法律の次に、同項第21号に規定する
「物価に関する基本的な政策の企画及び立案並びに推進」に関するもの
として、国民生活安定緊急措置法が規定されているところ、本法は、同
項第22号に規定されていることから、消費者庁及び消費者委員会設置
法第6条第2項第4号末尾に、本法を追加するものである。

○　**参照条文**

［参考］消費者庁及び消費者委員会設置法（平成21年法律第48号）

　　（所掌事務）

　第四条　消費者庁は、前条第一項の任務を達成するため、次に掲げる事務
　　（第六条第二項に規定する事務を除く。）をつかさどる。

　一～十八　（略）

　十九　住宅の品質確保の促進等に関する法律（平成十一年法律第八十一
　　　号）第二条第三項に規定する日本住宅性能表示基準に関すること（個
　　　人である住宅購入者等（同条第四項に規定するものをいう。）の利益の
　　　保護に係るものに限る。）。

　二十　（略）

　二十一　物価に関する基本的な政策の企画及び立案並びに推進に関する
　　　こと。

　二十二　<u>公益通報者（公益通報者保護法（平成十六年法律第百二十二号）
　　　第二条第二項に規定するものをいう。第六条第二項第一号ホにおいて</u>

282 第2編 逐条解説

<u>同じ。）の保護に関する基本的な政策の企画及び立案並びに推進に関すること。</u>

二十三〜二十六 （略）

2・3 （略）

（設置）

第六条 内閣府に、消費者委員会（以下この章において「委員会」という。）を置く。

2 委員会は、次に掲げる事務をつかさどる。

一 次に掲げる重要事項に関し、自ら調査審議し、必要と認められる事項を内閣総理大臣、関係各大臣又は長官に建議すること。

イ〜ニ （略）

ホ 公益通報者の保護に関する基本的な政策に関する重要事項

ヘ （略）

二・三 （略）

四 消費者基本法、消費者安全法（第四十三条を除く。）、割賦販売法、特定商取引に関する法律、特定商品等の預託等取引契約に関する法律、食品安全基本法、消費者教育の推進に関する法律、不当景品類及び不当表示防止法、食品表示法、食品衛生法、日本農林規格等に関する法律、家庭用品品質表示法、住宅の品質確保の促進等に関する法律及び国民生活安定緊急措置法（昭和四十八年法律第百二十一号）の規定によりその権限に属させられた事項を処理すること。

第3編

資　料

284　第3編　資　　料

資料1　公益通報者保護法の主な経緯

平成13年 （2001）	9月	内閣府国民生活局コンプライアンス研究会の報告書 「自主行動基準作成の推進とコンプライアンス経営」により、今後の検討課題として内部告発者保護制度の必要性を提言
	10月	第18次国民生活審議会消費者政策部会に自主行動基準検討委員会を設置
14年 （2002）	4月22日	消費者政策部会の中間報告「消費者に信頼される事業者となるために―自主行動基準の指針―」により制度の必要性を提言
	9月～10月	内閣府により制度に関する企業へのアンケート調査を実施
	12月	内閣府により制度に関する国民生活モニター調査を実施
	12月17日	消費者政策部会の最終報告「消費者に信頼される事業者となるために―自主行動基準の指針―」により制度の早急な検討の必要性を提言
	12月26日	消費者政策部会の中間報告「21世紀型の消費者政策の在り方について」により法制化の必要性を提言 消費者政策部会に公益通報者保護制度検討委員会を設置
15年 （2003）	1月	公益通報者保護制度検討委員会において制度の具体的内容を審議（5月までに懇談会を含む計6回開催）
	3月28日	「規制改革推進3か年計画（再改定）」（閣議決定）において内閣府が平成15年度までに所要の措置を講ずる旨を決定
	5月19日	公益通報者保護制度検討委員会の報告「公益通報者保護制度の具体的内容について」により制度の具体的内容を提言
	5月28日	公益通報者保護制度検討委員会報告を踏まえ、消費者政策部会の最終報告「21世紀型の消費者政策の在り方について」により制度の具体的内容を提言
	7月22日	第35回消費者保護会議「消費者が自立できる環境づくりに向けて」により制度の整備に向けて早急に具体的検討を進める旨を決定
	12月10日	第19次国民生活審議会消費者政策部会において「公益通報者保護法案（仮称）の骨子（案）」を審議

資料1　公益通報者保護法の主な経緯　285

16年 （2004）	15年12月 〜16年1月	「公益通報者保護法案（仮称）の骨子（案）」に対する意見募集を実施
	3月9日	「公益通報者保護法案」を閣議決定、第159回国会に提出
	6月14日	「公益通報者保護法案」成立
	6月18日	「公益通報者保護法」公布
	9月2日	第1回公益通報関係省庁連絡会議の開催
	12月22日	第19次国民生活審議会消費者政策部会において政令で定める公益通報保護法の対象法律（案）を審議
17年 （2005）	16年12月 〜17年1月	政令で定める公益通報者保護法の対象法律（案）に対する意見募集を実施
	3月29日	「公益通報者保護法の施行期日を定める政令」閣議決定 「公益通報者保護法別表第八号の法律を定める政令」閣議決定
	4月1日	「公益通報者保護法の施行期日を定める政令」公布 「公益通報者保護法別表第八号の法律を定める政令」公布
	6月〜7月	国の行政機関の通報処理ガイドライン（内部の職員等からの通報）（案） 国の行政機関の通報処理ガイドライン（外部の労働者からの通報）（案） 公益通報者保護法に関する民間事業者向けガイドライン（案） に対する意見募集を実施
	7月19日	第2回公益通報関係省庁連絡会議の開催各種ガイドラインの公表
18年 （2006）	4月1日	公益通報者保護法の施行
22年 （2010）	6月〜 23年2月	公益通報者保護法附則第2条を踏まえた検討を行うため、消費者委員会は公益通報者保護専門調査会を設置し、公益通報者保護に関する基本的な政策に関する事項について調査審議

23年 （2011）	2月18日	消費者委員会公益通報者保護専門調査会は「公益通報者保護法の施行状況についての検討結果」を報告
	3月11日	消費者委員会は「公益通報者保護制度の見直しについての消費者委員会意見」により実態把握のための調査や更なる周知啓発等を提言
	3月18日	「国の行政機関の通報処理ガイドライン（外部の労働者からの通報）」の一部改正（公益通報以外の通報取扱いに係る一部改正）
25年 （2013）	6月	消費者庁は「公益通報者保護制度に関する実態調査報告書」を公表
	7月	消費者委員会は「公益通報者保護制度に関する意見～消費者庁の実態調査を踏まえた今後の取組について～」により法制度の周知のための方策のほか、制度の運用改善及び法の改正を含めた措置の検討を提言
26年 （2014）	5月～ 27年3月	消費者庁は「公益通報者保護制度に関する意見聴取（ヒアリング）」を実施し、学識経験者、実務経験者、民間事業者、通報経験者等様々な立場の有識者から意見を聴取、取りまとめ
	6月23日	「国の行政機関の通報処理ガイドライン（外部の労働者からの通報）」「国の行政機関の通報処理ガイドライン（内部の職員等からの通報）」の一部改正（通報等に関する個人情報保護の徹底に係る一部改正）
27年 （2015）	6月～ 28年12月	消費者庁は「公益通報者保護制度の実効性の向上に関する検討会」を開催し、ヒアリング結果等を踏まえつつ、公益通報者保護制度の実効性の向上を図るための方向性について検討
28年 （2016）	3月30日	消費者庁は「公益通報者保護制度の実効性の向上に関する検討会」第1次報告書を公表
	11月16日	消費者庁は「公益通報者保護制度の実効性の向上に関する検討会」ワーキング・グループ報告書を公表
	12月15日	消費者庁は「公益通報者保護制度の実効性の向上に関する検討会」最終報告書を公表

29年 (2017)	7月31日	消費者庁は「公益通報者保護法を踏まえた地方公共団体の通報対応に関するガイドライン（内部の職員等からの通報）」「公益通報者保護法を踏まえた地方公共団体の通報対応に関するガイドライン（外部の労働者等からの通報）」を公表
	10月～ 30年3月	消費者庁は「内部通報制度に関する認証制度検討会」を設置し、認証制度の導入に係る事項について検討
30年 (2018)	1月～ 12月	消費者委員会は、公益通報者保護専門調査会を開催し、①公益通報者保護法を使いやすいものにする、②通報を受ける側における体制整備、③公益通報者の保護救済の充実及び不利益取扱いの抑止という3つのテーマについて審議
	4月	消費者庁は「内部通報制度に関する認証制度の導入について（報告書）」を公表
	12月	消費者委員会は「公益通報者保護専門調査会報告書」を取りまとめ
31年 (2019)	1月～ 3月	消費者庁は「公益通報者保護専門調査会報告書」に対する意見募集を実施
令和2年 (2020)	3月6日	「公益通報者保護法の一部を改正する法律案」を閣議決定、第201回国会に提出
	6月8日	「公益通報者保護法の一部を改正する法律案」成立
	6月12日	「公益通報者保護法の一部を改正する法律」公布
	10月～ 3年3月	消費者庁は「公益通報者保護法に基づく指針等に関する検討会」を開催し、法第11条第4項に基づき策定する指針について検討

288　第3編　資　　料

	4月	消費者庁は「公益通報者保護法に基づく指針等に関する検討会報告書」を公表
	4月〜5月	消費者庁は「公益通報者保護法に基づく指針等に関する検討会報告書」に対する意見募集を実施
3年(2021)	7月28日	消費者庁は、消費者委員会に対し、法第11条第5項に基づき「公益通報者保護法第11条第1項及び第2項の規定に基づき事業者がとるべき措置に関して、その適切かつ有効な実施を図るために必要な指針（案）」について意見聴取
	7月29日	消費者委員会による「公益通報者保護法第11条第1項及び第2項の規定に基づき事業者がとるべき措置に関して、その適切かつ有効な実施を図るために必要な指針（案）」についての答申
	8月	消費者庁は「公益通報者保護法第11条第1項及び第2項の規定に基づき事業者がとるべき措置に関して、その適切かつ有効な実施を図るために必要な指針」（令和3年内閣府告示第118号）を公表
	10月	消費者庁は「公益通報者保護法に基づく指針（令和3年内閣府告示第118号）の解説」を公表
	12月24日	「公益通報者保護法の一部を改正する法律の施行期日を定める政令」閣議決定 「公益通報者保護法第十九条の規定により消費者庁長官に委任されない権限を定める政令」閣議決定 「公益通報者保護法別表第八号の法律を定める政令の一部を改正する政令」閣議決定 「消費者庁組織令の一部を改正する政令」閣議決定

資料1　公益通報者保護法の主な経緯　　289

4年 （2022）	1月4日	「公益通報者保護法の一部を改正する法律の施行期日を定める政令」公布 「公益通報者保護法第十九条の規定により消費者庁長官に委任されない権限を定める政令」公布 「公益通報者保護法別表第八号の法律を定める政令の一部を改正する政令」公布 「消費者庁組織令の一部を改正する政令」公布
	1月	消費者庁は、法改正を踏まえた「公益通報者保護法を踏まえた国の行政機関の通報対応に関するガイドライン（内部の職員等からの通報）」及び「公益通報者保護法を踏まえた国の行政機関の通報対応に関するガイドライン（外部の労働者等からの通報）」の改正について、公益通報関係省庁連絡会議を開催し、両ガイドラインの改正版を公表
	2月1日	消費者庁は、内部通報制度認証（自己適合宣言登録制度）の休止及び見直しを公表
	3月	消費者庁は、法改正を踏まえた「公益通報者保護法を踏まえた地方公共団体の通報対応に関するガイドライン（内部の職員等からの通報）」「公益通報者保護法を踏まえた地方公共団体の通報対応に関するガイドライン（外部の労働者等からの通報）」の改正版を公表
	6月1日	公益通報者保護法の一部を改正する法律の施行

290　第3編　資　料

資料2　公益通報者保護法（平成16年6月18日法律第122号）

公益通報者保護法

（平成十六年六月十八日）

（法律第百二十二号）

第百五十九回通常国会

第二次小泉内閣

改正　平成一八年　六月一四日法律第　六六号

同　一九年一二月　五日同　第一二八号

同　二四年　四月　六日同　第　二七号

同　二五年　六月二八日同　第　七〇号

同　二九年　六月二三日同　第　七〇号

令和　二年　六月一二日同　第　五一号

同　　三年　五月一九日同　第　三六号

公益通報者保護法をここに公布する。

　　公益通報者保護法

目次

　第一章　総則（第一条・第二条）

　第二章　公益通報をしたことを理由とする公益通報者の解雇の無効及び不利益な取扱いの禁止等（第三条―第十条）

　第三章　事業者がとるべき措置等（第十一条―第十四条）

　第四章　雑則（第十五条―第二十条）

　第五章　罰則（第二十一条・第二十二条）

　附則

　　第一章　総則

　　　（令二法五一・章名追加）

　　（目的）

第一条　この法律は、公益通報をしたことを理由とする公益通報者の解雇の無効及び不利益な取扱いの禁止等並びに公益通報に関し事業者及び行政機関がとるべき措置等を定めることにより、公益通報者の保護を図るとともに、国民の生命、身体、財産その他の利益の保護に関わる法令の規定の遵守を図り、もって国民生活の安定及び社会経済の健全な発展に資することを目的とする。

　　　（令二法五一・一部改正）

資料 2 公益通報者保護法（平成 16 年 6 月 18 日法律第 122 号）　　291

（定義）

第二条　この法律において「公益通報」とは、次の各号に掲げる者が、不正
の利益を得る目的、他人に損害を加える目的その他の不正の目的でなく、
当該各号に定める事業者（法人その他の団体及び事業を行う個人をいう。
以下同じ。）（以下「役務提供先」という。）又は当該役務提供先の事業に従
事する場合におけるその役員（法人の取締役、執行役、会計参与、監査役、
理事、監事及び清算人並びにこれら以外の者で法令（法律及び法律に基づ
く命令をいう。以下同じ。）の規定に基づき法人の経営に従事している者
（会計監査人を除く。）をいう。以下同じ。）、従業員、代理人その他の者に
ついて通報対象事実が生じ、又はまさに生じようとしている旨を、当該役
務提供先若しくは当該役務提供先があらかじめ定めた者（以下「役務提供
先等」という。）、当該通報対象事実について処分（命令、取消しその他公
権力の行使に当たる行為をいう。以下同じ。）若しくは勧告等（勧告その他
処分に当たらない行為をいう。以下同じ。）をする権限を有する行政機関若
しくは当該行政機関があらかじめ定めた者（次条第二号及び第六条第二号
において「行政機関等」という。）又はその者に対し当該通報対象事実を通
報することがその発生若しくはこれによる被害の拡大を防止するために必
要であると認められる者（当該通報対象事実により被害を受け又は受ける
おそれがある者を含み、当該役務提供先の競争上の地位その他正当な利益
を害するおそれがある者を除く。次条第三号及び第六条第三号において同
じ。）に通報することをいう。

一　労働者（労働基準法（昭和二十二年法律第四十九号）第九条に規定す
る労働者をいう。以下同じ。）又は労働者であった者　当該労働者又は労
働者であった者を自ら使用し、又は当該通報の日前一年以内に自ら使用
していた事業者（次号に定める事業者を除く。）

二　派遣労働者（労働者派遣事業の適正な運営の確保及び派遣労働者の保
護等に関する法律（昭和六十年法律第八十八号。第四条において「労働
者派遣法」という。）第二条第二号に規定する派遣労働者をいう。以下同
じ。）又は派遣労働者であった者　当該派遣労働者又は派遣労働者であっ
た者に係る労働者派遣（同条第一号に規定する労働者派遣をいう。第四
条及び第五条第二項において同じ。）の役務の提供を受け、又は当該通報
の日前一年以内に受けていた事業者

三　前二号に定める事業者が他の事業者との請負契約その他の契約に基づ
いて事業を行い、又は行っていた場合において、当該事業に従事し、又
は当該通報の日前一年以内に従事していた労働者若しくは労働者であっ

292　第3編　資　料

た者又は派遣労働者若しくは派遣労働者であった者　当該他の事業者
　四　役員　次に掲げる事業者
　　イ　当該役員に職務を行わせる事業者
　　ロ　イに掲げる事業者が他の事業者との請負契約その他の契約に基づい
　　　て事業を行う場合において、当該役員が当該事業に従事するときにお
　　　ける当該他の事業者
2　この法律において「公益通報者」とは、公益通報をした者をいう。
3　この法律において「通報対象事実」とは、次の各号のいずれかの事実を
　いう。
　一　この法律及び個人の生命又は身体の保護、消費者の利益の擁護、環境
　　の保全、公正な競争の確保その他の国民の生命、身体、財産その他の利
　　益の保護に関わる法律として別表に掲げるもの（これらの法律に基づく
　　命令を含む。以下この項において同じ。）に規定する罪の犯罪行為の事実
　　又はこの法律及び同表に掲げる法律に規定する過料の理由とされている
　　事実
　二　別表に掲げる法律の規定に基づく処分に違反することが前号に掲げる
　　事実となる場合における当該処分の理由とされている事実（当該処分の
　　理由とされている事実が同表に掲げる法律の規定に基づく他の処分に違
　　反し、又は勧告等に従わない事実である場合における当該他の処分又は
　　勧告等の理由とされている事実を含む。）
4　この法律において「行政機関」とは、次に掲げる機関をいう。
　一　内閣府、宮内庁、内閣府設置法（平成十一年法律第八十九号）第
　　四十九条第一項若しくは第二項に規定する機関、デジタル庁、国家行政
　　組織法（昭和二十三年法律第百二十号）第三条第二項に規定する機関、
　　法律の規定に基づき内閣の所轄の下に置かれる機関若しくはこれらに置
　　かれる機関又はこれらの機関の職員であって法律上独立に権限を行使す
　　ることを認められた職員
　二　地方公共団体の機関（議会を除く。）
　（平二四法二七・令二法五一・令三法三六・一部改正）
　　　第二章　公益通報をしたことを理由とする公益通報者の解雇の無効及
　　　　　　　び不利益な取扱いの禁止等
　　　　（令二法五一・章名追加）
　（解雇の無効）
第三条　労働者である公益通報者が次の各号に掲げる場合においてそれぞれ
　当該各号に定める公益通報をしたことを理由として前条第一項第一号に定

資料2　公益通報者保護法（平成16年6月18日法律第122号）　293

める事業者（当該労働者を自ら使用するものに限る。第九条において同じ。）が行った解雇は、無効とする。

一　通報対象事実が生じ、又はまさに生じようとしていると思料する場合　当該役務提供先等に対する公益通報

二　通報対象事実が生じ、若しくはまさに生じようとしていると信ずるに足りる相当の理由がある場合又は通報対象事実が生じ、若しくはまさに生じようとしていると思料し、かつ、次に掲げる事項を記載した書面（電子的方式、磁気的方式その他人の知覚によっては認識することができない方式で作られる記録を含む。次号ホにおいて同じ。）を提出する場合　当該通報対象事実について処分又は勧告等をする権限を有する行政機関等に対する公益通報

イ　公益通報者の氏名又は名称及び住所又は居所

ロ　当該通報対象事実の内容

ハ　当該通報対象事実が生じ、又はまさに生じようとしていると思料する理由

ニ　当該通報対象事実について法令に基づく措置その他適当な措置がとられるべきと思料する理由

三　通報対象事実が生じ、又はまさに生じようとしていると信ずるに足りる相当の理由があり、かつ、次のいずれかに該当する場合　その者に対し当該通報対象事実を通報することがその発生又はこれによる被害の拡大を防止するために必要であると認められる者に対する公益通報

イ　前二号に定める公益通報をすれば解雇その他不利益な取扱いを受けると信ずるに足りる相当の理由がある場合

ロ　第一号に定める公益通報をすれば当該通報対象事実に係る証拠が隠滅され、偽造され、又は変造されるおそれがあると信ずるに足りる相当の理由がある場合

ハ　第一号に定める公益通報をすれば、役務提供先が、当該公益通報者について知り得た事項を、当該公益通報者を特定させるものであることを知りながら、正当な理由がなくて漏らすと信ずるに足りる相当の理由がある場合

ニ　役務提供先から前二号に定める公益通報をしないことを正当な理由がなくて要求された場合

ホ　書面により第一号に定める公益通報をした日から二十日を経過しても、当該通報対象事実について、当該役務提供先等から調査を行う旨の通知がない場合又は当該役務提供先等が正当な理由がなくて調査を

294 第3編 資　料

行わない場合

　ヘ　個人の生命若しくは身体に対する危害又は個人（事業を行う場合に
　　おけるものを除く。以下このヘにおいて同じ。）の財産に対する損害
　　（回復することができない損害又は著しく多数の個人における多額の損
　　害であって、通報対象事実を直接の原因とするものに限る。第六条第
　　二号ロ及び第三号ロにおいて同じ。）が発生し、又は発生する急迫した
　　危険があると信ずるに足りる相当の理由がある場合

　　　　　（令二法五一・一部改正）

（労働者派遣契約の解除の無効）

第四条　第二条第一項第二号に定める事業者（当該派遣労働者に係る労働者
派遣の役務の提供を受けるものに限る。以下この条及び次条第二項におい
て同じ。）の指揮命令の下に労働する派遣労働者である公益通報者が前条各
号に定める公益通報をしたことを理由として第二条第一項第二号に定める
事業者が行った労働者派遣契約（労働者派遣法第二十六条第一項に規定す
る労働者派遣契約をいう。）の解除は、無効とする。

　　　　　（令二法五一・一部改正）

（不利益取扱いの禁止）

第五条　第三条に規定するもののほか、第二条第一項第一号に定める事業者
は、その使用し、又は使用していた公益通報者が第三条各号に定める公益
通報をしたことを理由として、当該公益通報者に対して、降格、減給、退
職金の不支給その他不利益な取扱いをしてはならない。

2　前条に規定するもののほか、第二条第一項第二号に定める事業者は、そ
の指揮命令の下に労働する派遣労働者である公益通報者が第三条各号に定
める公益通報をしたことを理由として、当該公益通報者に対して、当該公
益通報者に係る労働者派遣をする事業者に派遣労働者の交代を求めること
その他不利益な取扱いをしてはならない。

3　第二条第一項第四号に定める事業者（同号イに掲げる事業者に限る。次
条及び第八条第四項において同じ。）は、その職務を行わせ、又は行わせて
いた公益通報者が次条各号に定める公益通報をしたことを理由として、当
該公益通報者に対して、報酬の減額その他不利益な取扱い（解任を除く。）
をしてはならない。

　　　　　（令二法五一・一部改正）

（役員を解任された場合の損害賠償請求）

第六条　役員である公益通報者は、次の各号に掲げる場合においてそれぞれ

当該各号に定める公益通報をしたことを理由として第二条第一項第四号に定める事業者から解任された場合には、当該事業者に対し、解任によって生じた損害の賠償を請求することができる。

一 通報対象事実が生じ、又はまさに生じようとしていると思料する場合 当該役務提供先等に対する公益通報

二 次のいずれかに該当する場合 当該通報対象事実について処分又は勧告等をする権限を有する行政機関等に対する公益通報

　イ 調査是正措置（善良な管理者と同一の注意をもって行う、通報対象事実の調査及びその是正のために必要な措置をいう。次号イにおいて同じ。）をとることに努めたにもかかわらず、なお当該通報対象事実が生じ、又はまさに生じようとしていると信ずるに足りる相当の理由がある場合

　ロ 通報対象事実が生じ、又はまさに生じようとしていると信ずるに足りる相当の理由があり、かつ、個人の生命若しくは身体に対する危害又は個人（事業を行う場合におけるものを除く。）の財産に対する損害が発生し、又は発生する急迫した危険があると信ずるに足りる相当の理由がある場合

三 次のいずれかに該当する場合 その者に対し通報対象事実を通報することがその発生又はこれによる被害の拡大を防止するために必要であると認められる者に対する公益通報

　イ 調査是正措置をとることに努めたにもかかわらず、なお当該通報対象事実が生じ、又はまさに生じようとしていると信ずるに足りる相当の理由があり、かつ、次のいずれかに該当する場合

　　⑴ 前二号に定める公益通報をすれば解任、報酬の減額その他不利益な取扱いを受けると信ずるに足りる相当の理由がある場合

　　⑵ 第一号に定める公益通報をすれば当該通報対象事実に係る証拠が隠滅され、偽造され、又は変造されるおそれがあると信ずるに足りる相当の理由がある場合

　　⑶ 役務提供先から前二号に定める公益通報をしないことを正当な理由がなくて要求された場合

　ロ 通報対象事実が生じ、又はまさに生じようとしていると信ずるに足りる相当の理由があり、かつ、個人の生命若しくは身体に対する危害又は個人（事業を行う場合におけるものを除く。）の財産に対する損害が発生し、又は発生する急迫した危険があると信ずるに足りる相当の

296　第3編　資　料

　　理由がある場合
　　　　（令二法五一・追加）
　（損害賠償の制限）
第七条　第二条第一項各号に定める事業者は、第三条各号及び前条各号に定
　める公益通報によって損害を受けたことを理由として、当該公益通報をし
　た公益通報者に対して、賠償を請求することができない。
　　　　（令二法五一・追加）
　（解釈規定）
第八条　第三条から前条までの規定は、通報対象事実に係る通報をしたこと
　を理由として第二条第一項各号に掲げる者に対して解雇その他不利益な取
　扱いをすることを禁止する他の法令の規定の適用を妨げるものではない。
2　第三条の規定は、労働契約法（平成十九年法律第百二十八号）第十六条
　の規定の適用を妨げるものではない。
3　第五条第一項の規定は、労働契約法第十四条及び第十五条の規定の適用
　を妨げるものではない。
4　第六条の規定は、通報対象事実に係る通報をしたことを理由として第二
　条第一項第四号に定める事業者から役員を解任された者が当該事業者に対
　し解任によって生じた損害の賠償を請求することができる旨の他の法令の
　規定の適用を妨げるものではない。
　　　　（平一九法一二八・一部改正、令二法五一・旧第六条繰下・一部改
　　　　正）
　（一般職の国家公務員等に対する取扱い）
第九条　第三条各号に定める公益通報をしたことを理由とする一般職の国家
　公務員、裁判所職員臨時措置法（昭和二十六年法律第二百九十九号）の適
　用を受ける裁判所職員、国会職員法（昭和二十二年法律第八十五号）の適
　用を受ける国会職員、自衛隊法（昭和二十九年法律第百六十五号）第二条
　第五項に規定する隊員及び一般職の地方公務員（以下この条において「一
　般職の国家公務員等」という。）に対する免職その他不利益な取扱いの禁止
　については、第三条から第五条までの規定にかかわらず、国家公務員法
　（昭和二十二年法律第百二十号。裁判所職員臨時措置法において準用する場
　合を含む。）、国会職員法、自衛隊法及び地方公務員法（昭和二十五年法律
　第二百六十一号）の定めるところによる。この場合において、第二条第一
　項第一号に定める事業者は、第三条各号に定める公益通報をしたことを理
　由として一般職の国家公務員等に対して免職その他不利益な取扱いがされ
　ることのないよう、これらの法律の規定を適用しなければならない。

資料2 公益通報者保護法（平成 16 年 6 月 18 日法律第 122 号）　297

（令二法五一・旧第七条繰下・一部改正）

（他人の正当な利益等の尊重）

第十条　第三条各号及び第六条各号に定める公益通報をする者は、他人の正当な利益又は公共の利益を害することのないよう努めなければならない。

（令二法五一・旧第八条繰下・一部改正）

第三章　事業者がとるべき措置等

（令二法五一・章名追加）

（事業者がとるべき措置）

第十一条　事業者は、第三条第一号及び第六条第一号に定める公益通報を受け、並びに当該公益通報に係る通報対象事実の調査をし、及びその是正に必要な措置をとる業務（次条において「公益通報対応業務」という。）に従事する者（次条において「公益通報対応業務従事者」という。）を定めなければならない。

2　事業者は、前項に定めるもののほか、公益通報者の保護を図るとともに、公益通報の内容の活用により国民の生命、身体、財産その他の利益の保護に関わる法令の規定の遵守を図るため、第三条第一号及び第六条第一号に定める公益通報に応じ、適切に対応するために必要な体制の整備その他の必要な措置をとらなければならない。

3　常時使用する労働者の数が三百人以下の事業者については、第一項中「定めなければ」とあるのは「定めるように努めなければ」と、前項中「とらなければ」とあるのは「とるように努めなければ」とする。

4　内閣総理大臣は、第一項及び第二項（これらの規定を前項の規定により読み替えて適用する場合を含む。）の規定に基づき事業者がとるべき措置に関して、その適切かつ有効な実施を図るために必要な指針（以下この条において単に「指針」という。）を定めるものとする。

5　内閣総理大臣は、指針を定めようとするときは、あらかじめ、消費者委員会の意見を聴かなければならない。

6　内閣総理大臣は、指針を定めたときは、遅滞なく、これを公表するものとする。

7　前二項の規定は、指針の変更について準用する。

（令二法五一・追加）

（公益通報対応業務従事者の義務）

第十二条　公益通報対応業務従事者又は公益通報対応業務従事者であった者は、正当な理由がなく、その公益通報対応業務に関して知り得た事項で

あって公益通報者を特定させるものを漏らしてはならない。

　　　　（令二法五一・追加）

（行政機関がとるべき措置）

第十三条　通報対象事実について処分又は勧告等をする権限を有する行政機関は、公益通報者から第三条第二号及び第六条第二号に定める公益通報をされた場合には、必要な調査を行い、当該公益通報に係る通報対象事実があると認めるときは、法令に基づく措置その他適当な措置をとらなければならない。

2　通報対象事実について処分又は勧告等をする権限を有する行政機関（第二条第四項第一号に規定する職員を除く。）は、前項に規定する措置の適切な実施を図るため、第三条第二号及び第六条第二号に定める公益通報に応じ、適切に対応するために必要な体制の整備その他の必要な措置をとらなければならない。

3　第一項の公益通報が第二条第三項第一号に掲げる犯罪行為の事実を内容とする場合における当該犯罪の捜査及び公訴については、前二項の規定にかかわらず、刑事訴訟法（昭和二十三年法律第百三十一号）の定めるところによる。

　　　　（令二法五一・旧第十条繰下・一部改正）

（教示）

第十四条　前条第一項の公益通報が誤って当該公益通報に係る通報対象事実について処分又は勧告等をする権限を有しない行政機関に対してされたときは、当該行政機関は、当該公益通報者に対し、当該公益通報に係る通報対象事実について処分又は勧告等をする権限を有する行政機関を教示しなければならない。

　　　　（令二法五一・旧第十一条繰下）

　　第四章　雑則

　　　　（令二法五一・追加）

（報告の徴収並びに助言、指導及び勧告）

第十五条　内閣総理大臣は、第十一条第一項及び第二項（これらの規定を同条第三項の規定により読み替えて適用する場合を含む。）の規定の施行に関し必要があると認めるときは、事業者に対して、報告を求め、又は助言、指導若しくは勧告をすることができる。

　　　　（令二法五一・追加）

（公表）

第十六条 内閣総理大臣は、第十一条第一項及び第二項の規定に違反している事業者に対し、前条の規定による勧告をした場合において、その勧告を受けた者がこれに従わなかったときは、その旨を公表することができる。

　　　　（令二法五一・追加）

（関係行政機関への照会等）

第十七条 内閣総理大臣は、この法律の規定に基づく事務に関し、関係行政機関に対し、照会し、又は協力を求めることができる。

　　　　（令二法五一・追加）

（内閣総理大臣による情報の収集、整理及び提供）

第十八条 内閣総理大臣は、公益通報及び公益通報者の状況に関する情報その他その普及が公益通報者の保護及び公益通報の内容の活用による国民の生命、身体、財産その他の利益の保護に関わる法令の規定の遵守に資することとなる情報の収集、整理及び提供に努めなければならない。

　　　　（令二法五一・追加）

（権限の委任）

第十九条 内閣総理大臣は、この法律による権限（政令で定めるものを除く。）を消費者庁長官に委任する。

　　　　（令二法五一・追加）

（適用除外）

第二十条 第十五条及び第十六条の規定は、国及び地方公共団体に適用しない。

　　　　（令二法五一・追加）

　　第五章　罰則

　　　　（令二法五一・追加）

第二十一条 第十二条の規定に違反して同条に規定する事項を漏らした者は、三十万円以下の罰金に処する。

　　　　（令二法五一・追加）

第二十二条 第十五条の規定による報告をせず、又は虚偽の報告をした者は、二十万円以下の過料に処する。

　　　　（令二法五一・追加）

　　附　則

（施行期日）

第一条 この法律は、公布の日から起算して二年を超えない範囲内において

政令で定める日から施行し、この法律の施行後にされた公益通報について適用する。

　　　（平成一七年政令第一四五号で平成一八年四月一日から施行）

（検討）

第二条　政府は、この法律の施行後五年を目途として、この法律の施行の状況について検討を加え、その結果に基づいて必要な措置を講ずるものとする。

　　　附　則　（平成一八年六月一四日法律第六六号）　抄

この法律は、平成十八年証券取引法改正法の施行の日から施行する。

　　　（施行の日＝平成一九年九月三〇日）

　　　附　則　（平成一九年一二月五日法律第一二八号）　抄

（施行期日）

第一条　この法律は、公布の日から起算して三月を超えない範囲内において政令で定める日から施行する。

　　　（平成二〇年政令第一〇号で平成二〇年三月一日から施行）

　　　附　則　（平成二四年四月六日法律第二七号）　抄

（施行期日）

第一条　この法律は、公布の日から起算して六月を超えない範囲内において政令で定める日から施行する。

　　　（平成二四年政令第二一〇号で平成二四年一〇月一日から施行）

　　　附　則　（平成二五年六月二八日法律第七〇号）　抄

（施行期日）

第一条　この法律は、公布の日から起算して二年を超えない範囲内において政令で定める日から施行する。

　　　（平成二七年政令第六七号で平成二七年四月一日から施行）

　　　附　則　（平成二九年六月二三日法律第七〇号）　抄

（施行期日）

第一条　この法律は、公布の日から起算して一年を超えない範囲内において政令で定める日から施行する。

　　　（平成三〇年政令第二号で平成三〇年四月一日から施行）

　　　附　則　（令和二年六月一二日法律第五一号）　抄

（施行期日）

第一条　この法律は、公布の日から起算して二年を超えない範囲内において政令で定める日から施行する。ただし、附則第三条及び第四条の規定は、

公布の日から施行する。

　　　（令和四年政令第八号で令和四年六月一日から施行）

（経過措置）

第二条　この法律による改正後の公益通報者保護法（以下「新法」という。）の規定は、この法律の施行後にされる新法第二条第一項に規定する公益通報について適用し、この法律の施行前にされたこの法律による改正前の公益通報者保護法第二条第一項に規定する公益通報については、なお従前の例による。

第三条　内閣総理大臣は、この法律の施行前においても、新法第十一条第四項から第七項までの規定の例により、事業者がとるべき措置に関する指針を定めることができる。

２　前項の規定により定められた指針は、この法律の施行の日において新法第十一条第四項の規定により定められたものとみなす。

（政令への委任）

第四条　前二条に定めるもののほか、この法律の施行に関し必要な経過措置は、政令で定める。

（検討）

第五条　政府は、この法律の施行後三年を目途として、新法の施行の状況を勘案し、新法第二条第一項に規定する公益通報をしたことを理由とする同条第二項に規定する公益通報者に対する不利益な取扱いの是正に関する措置の在り方及び裁判手続における請求の取扱いその他新法の規定について検討を加え、その結果に基づいて必要な措置を講ずるものとする。

　　　附　則　（令和三年五月一九日法律第三六号）　抄

（施行期日）

第一条　この法律は、令和三年九月一日から施行する。ただし、附則第六十条の規定は、公布の日から施行する。

（処分等に関する経過措置）

第五十七条　この法律の施行前にこの法律による改正前のそれぞれの法律（これに基づく命令を含む。以下この条及び次条において「旧法令」という。）の規定により従前の国の機関がした認定等の処分その他の行為は、法令に別段の定めがあるもののほか、この法律の施行後は、この法律による改正後のそれぞれの法律（これに基づく命令を含む。以下この条及び次条において「新法令」という。）の相当規定により相当の国の機関がした認定等の処分その他の行為とみなす。

2 この法律の施行の際現に旧法令の規定により従前の国の機関に対してされている申請、届出その他の行為は、法令に別段の定めがあるもののほか、この法律の施行後は、新法令の相当規定により相当の国の機関に対してされた申請、届出その他の行為とみなす。

3 この法律の施行前に旧法令の規定により従前の国の機関に対して申請、届出その他の手続をしなければならない事項で、この法律の施行の日前に従前の国の機関に対してその手続がされていないものについては、法令に別段の定めがあるもののほか、この法律の施行後は、これを、新法令の相当規定により相当の国の機関に対してその手続がされていないものとみなして、新法令の規定を適用する。

（命令の効力に関する経過措置）

第五十八条 旧法令の規定により発せられた内閣府設置法第七条第三項の内閣府令又は国家行政組織法第十二条第一項の省令は、法令に別段の定めがあるもののほか、この法律の施行後は、新法令の相当規定に基づいて発せられた相当の第七条第三項のデジタル庁令又は国家行政組織法第十二条第一項の省令としての効力を有するものとする。

（政令への委任）

第六十条 附則第十五条、第十六条、第五十一条及び前三条に定めるもののほか、この法律の施行に関し必要な経過措置（罰則に関する経過措置を含む。）は、政令で定める。

別表（第二条関係）

　　　　（平一八法六六・平二五法七〇・平二九法七〇・令二法五一・一部改正）

一　刑法（明治四十年法律第四十五号）

二　食品衛生法（昭和二十二年法律第二百三十三号）

三　金融商品取引法（昭和二十三年法律第二十五号）

四　日本農林規格等に関する法律（昭和二十五年法律第百七十五号）

五　大気汚染防止法（昭和四十三年法律第九十七号）

六　廃棄物の処理及び清掃に関する法律（昭和四十五年法律第百三十七号）

七　個人情報の保護に関する法律（平成十五年法律第五十七号）

八　前各号に掲げるもののほか、個人の生命又は身体の保護、消費者の利益の擁護、環境の保全、公正な競争の確保その他の国民の生命、身体、財産その他の利益の保護に関わる法律として政令で定めるもの

資料3 公益通報者保護法第 11 条第 1 項及び第 2 項の規定に基づき事業者がとるべき
措置に関して、その適切かつ有効な実施を図るために必要な指針　　303

資料3　公益通報者保護法第 11 条第 1 項及び第 2 項の規定に基づき
事業者がとるべき措置に関して、その適切かつ有効な実施を
図るために必要な指針

令和 3 年 8 月 20 日内閣府告示第 118 号

第1　はじめに

　　この指針は、公益通報者保護法（平成 16 年法律第 122 号。以下「法」という。）第 11
条第 4 項の規定に基づき、同条第 1 項に規定する公益通報対応業務従事者の定め及び同
条第 2 項に規定する事業者内部における公益通報に応じ、適切に対応するために必要な
体制の整備その他の必要な措置に関して、その適切かつ有効な実施を図るために必要な
事項を定めたものである。

第2　用語の説明

　　「公益通報」とは、法第 2 条第 1 項に定める「公益通報」をいい、処分等の権限を有す
る行政機関やその他外部への通報が公益通報となる場合も含む。

　　「公益通報者」とは、法第 2 条第 2 項に定める「公益通報者」をいい、公益通報をした
者をいう。

　　「内部公益通報」とは、法第 3 条第 1 号及び第 6 条第 1 号に定める公益通報をいい、通
報窓口への通報が公益通報となる場合だけではなく、上司等への報告が公益通報となる
場合も含む。

　　「事業者」とは、法第 2 条第 1 項に定める「事業者」をいい、営利の有無を問わず、一
定の目的をもってなされる同種の行為の反復継続的遂行を行う法人その他の団体及び事
業を行う個人であり、法人格を有しない団体、国・地方公共団体などの公法人も含まれる。

　　「労働者等」とは、法第 2 条第 1 項に定める「労働者」及び「派遣労働者」をいい、そ
の者の同項に定める「役務提供先等」への通報が内部公益通報となり得る者をいう。

　　「役員」とは、法第 2 条第 1 項に定める「役員」をいい、その者の同項に定める「役務
提供先等」への通報が内部公益通報となり得る者をいう。

　　「退職者」とは、労働者等であった者をいい、その者の法第 2 条第 1 項に定める「役務
提供先等」への通報が内部公益通報となり得る者をいう。

　　「労働者及び役員等」とは、労働者等及び役員のほか、法第 2 条第 1 項に定める「代理
人その他の者」をいう。

　　「通報対象事実」とは、法第 2 条第 3 項に定める「通報対象事実」をいう。

　　「公益通報対応業務」とは、法第 11 条第 1 項に定める「公益通報対応業務」をいい、
内部公益通報を受け、並びに当該内部公益通報に係る通報対象事実の調査をし、及びその
是正に必要な措置をとる業務をいう。

1

304　第3編 資　料

　　「従事者」とは、法第11条第1項に定める「公益通報対応業務従事者」をいう。
　　「内部公益通報対応体制」とは、法第11条第2項に定める、事業者が内部公益通報に
応じ、適切に対応するために整備する体制をいう。
　　「内部公益通報受付窓口」とは、内部公益通報を部門横断的に受け付ける窓口をいう。
　　「不利益な取扱い」とは、公益通報をしたことを理由として、当該公益通報者に対して
行う解雇その他不利益な取扱いをいう。
　　「範囲外共有」とは、公益通報者を特定させる事項を必要最小限の範囲を超えて共有す
る行為をいう。
　　「通報者の探索」とは、公益通報者を特定しようとする行為をいう。

第3　従事者の定め（法第11条第1項関係）
　1　事業者は、内部公益通報受付窓口において受け付ける内部公益通報に関して公益通
　　報対応業務を行う者であり、かつ、当該業務に関して公益通報者を特定させる事項を伝
　　達される者を、従事者として定めなければならない。

　2　事業者は、従事者を定める際には、書面により指定をするなど、従事者の地位に就く
　　ことが従事者となる者自身に明らかとなる方法により定めなければならない。

第4　内部公益通報対応体制の整備その他の必要な措置（法第11条第2項関係）
　1　事業者は、部門横断的な公益通報対応業務を行う体制の整備として、次の措置をとら
　　なければならない。
　(1)　内部公益通報受付窓口の設置等
　　　　内部公益通報受付窓口を設置し、当該窓口に寄せられる内部公益通報を受け、調査
　　をし、是正に必要な措置をとる部署及び責任者を明確に定める。
　(2)　組織の長その他幹部からの独立性の確保に関する措置
　　　　内部公益通報受付窓口において受け付ける内部公益通報に係る公益通報対応業務
　　に関して、組織の長その他幹部に関係する事案については、これらの者からの独立性
　　を確保する措置をとる。
　(3)　公益通報対応業務の実施に関する措置
　　　　内部公益通報受付窓口において内部公益通報を受け付け、正当な理由がある場合
　　を除いて、必要な調査を実施する。そして、当該調査の結果、通報対象事実に係る法
　　令違反行為が明らかになった場合には、速やかに是正に必要な措置をとる。また、是
　　正に必要な措置をとった後、当該措置が適切に機能しているかを確認し、適切に機能
　　していない場合には、改めて是正に必要な措置をとる。
　(4)　公益通報対応業務における利益相反の排除に関する措置
　　　　内部公益通報受付窓口において受け付ける内部公益通報に関し行われる公益通報

2

資料3　公益通報者保護法第11条第1項及び第2項の規定に基づき事業者がとるべき
　　　　措置に関して、その適切かつ有効な実施を図るために必要な指針

対応業務について、事案に関係する者を公益通報対応業務に関与させない措置をと
る。

2　事業者は、公益通報者を保護する体制の整備として、次の措置をとらなければならな
　い。
(1)　不利益な取扱いの防止に関する措置
　　イ　事業者の労働者及び役員等が不利益な取扱いを行うことを防ぐための措置をと
　　　るとともに、公益通報者が不利益な取扱いを受けていないかを把握する措置をと
　　　り、不利益な取扱いを把握した場合には、適切な救済・回復の措置をとる。
　　ロ　不利益な取扱いが行われた場合に、当該行為を行った労働者及び役員等に対し
　　　て、行為態様、被害の程度、その他情状等の諸般の事情を考慮して、懲戒処分その
　　　他適切な措置をとる。
(2)　範囲外共有等の防止に関する措置
　　イ　事業者の労働者及び役員等が範囲外共有を行うことを防ぐための措置をとり、
　　　範囲外共有が行われた場合には、適切な救済・回復の措置をとる。
　　ロ　事業者の労働者及び役員等が、公益通報者を特定した上でなければ必要性の高
　　　い調査が実施できないなどのやむを得ない場合を除いて、通報者の探索を行うこ
　　　とを防ぐための措置をとる。
　　ハ　範囲外共有や通報者の探索が行われた場合に、当該行為を行った労働者及び役
　　　員等に対して、行為態様、被害の程度、その他情状等の諸般の事情を考慮して、懲
　　　戒処分その他適切な措置をとる。

3　事業者は、内部公益通報対応体制を実効的に機能させるための措置として、次の措置
　をとらなければならない。
(1)　労働者等及び役員並びに退職者に対する教育・周知に関する措置
　　イ　法及び内部公益通報対応体制について、労働者等及び役員並びに退職者に対し
　　　て教育・周知を行う。また、従事者に対しては、公益通報者を特定させる事項の取
　　　扱いについて、特に十分に教育を行う。
　　ロ　労働者等及び役員並びに退職者から寄せられる、内部公益通報対応体制の仕組
　　　みや不利益な取扱いに関する質問・相談に対応する。
(2)　是正措置等の通知に関する措置
　　　書面により内部公益通報を受けた場合において、当該内部公益通報に係る通報対
　　　象事実の中止その他是正に必要な措置をとったときはその旨を、当該内部公益通報
　　　に係る通報対象事実がないときはその旨を、適正な業務の遂行及び利害関係人の秘
　　　密、信用、名誉、プライバシー等の保護に支障がない範囲において、当該内部公益通
　　　報を行った者に対し、速やかに通知する。

3

306　第3編　資　　料

(3)　記録の保管、見直し・改善、運用実績の労働者等及び役員への開示に関する措置

　イ　内部公益通報への対応に関する記録を作成し、適切な期間保管する。

　ロ　内部公益通報対応体制の定期的な評価・点検を実施し、必要に応じて内部公益通報対応体制の改善を行う。

　ハ　内部公益通報受付窓口に寄せられた内部公益通報に関する運用実績の概要を、適正な業務の遂行及び利害関係人の秘密、信用、名誉、プライバシー等の保護に支障がない範囲において労働者等及び役員に開示する。

(4)　内部規程の策定及び運用に関する措置

　　この指針において求められる事項について、内部規程において定め、また、当該規程の定めに従って運用する。

資料4 公益通報者保護法に基づく指針（令和3年内閣府告示第118号）の解説　　307

資料4 公益通報者保護法に基づく指針（令和3年内閣府告示第118号）の解説

> 本解説は、「公益通報者保護法の一部を改正する法律」
> （令和2年法律第51号）の施行時から適用される。

公益通報者保護法に基づく指針

（令和3年内閣府告示第118号）の解説

令和3年10月

消費者庁

308　第3編 資　料

内容

第1　はじめに 2

第2　本解説の構成 3

第3　指針の解説 5

Ⅰ　従事者の定め（法第11条第1項関係）............................... 5

　1　従事者として定めなければならない者の範囲........................ 5

　2　従事者を定める方法.. 6

Ⅱ　内部公益通報対応体制の整備その他の必要な措置（法第11条第2項関係）....... 7

　1　部門横断的な公益通報対応業務を行う体制の整備...................... 7

　（1）内部公益通報受付窓口の設置等.................................... 7

　（2）組織の長その他幹部からの独立性の確保に関する措置................ 8

　（3）公益通報対応業務の実施に関する措置.............................. 9

　（4）公益通報対応業務における利益相反の排除に関する措置.............. 11

　2　公益通報者を保護する体制の整備................................... 13

　（1）不利益な取扱いの防止に関する措置............................... 13

　（2）範囲外共有等の防止に関する措置................................. 14

　3　内部公益通報対応体制を実効的に機能させるための措置............... 18

　（1）労働者等及び役員並びに退職者に対する教育・周知に関する措置....... 18

　（2）是正措置等の通知に関する措置................................... 20

　（3）記録の保管、見直し・改善、運用実績の労働者等及び役員への開示に関する措置
.... 21

　（4）内部規程の策定及び運用に関する措置............................. 23

1

資料4 公益通報者保護法に基づく指針（令和3年内閣府告示第118号）の解説 309

第1 はじめに
Ⅰ 本解説の目的

公益通報者保護法（平成16年法律第122号。以下「法」という。）第11条第1項及び第2項は、公益通報対応業務従事者を定めること及び事業者内部における公益通報に応じ、適切に対応するために必要な体制の整備その他の必要な措置をとることを事業者（国の行政機関及び地方公共団体を含む。）に義務付け（以下「公益通報対応体制整備義務等」という。）、内閣総理大臣は、これらの事項に関する指針を定め（同条第4項）、必要があると認める場合には事業者に対して勧告等をすることができる（法第15条）。

事業者がとるべき措置の具体的な内容は、事業者の規模、組織形態、業態、法令違反行為が発生する可能性の程度、ステークホルダーの多寡、労働者等及び役員や退職者の内部公益通報対応体制の活用状況、その時々における社会背景等によって異なり得る。そのため、法第11条第4項に基づき定められた「公益通報者保護法第11条第1項及び第2項の規定に基づき事業者がとるべき措置に関して、その適切かつ有効な実施を図るために必要な指針」[1]（令和3年内閣府告示第118号。以下「指針」という。）においては、事業者がとるべき措置の個別具体的な内容ではなく、事業者がとるべき措置の大要が示されている[2]。

事業者がとるべき措置の個別具体的内容については、各事業者において、指針に沿った対応をとるためにいかなる取組等が必要であるかを、上記のような諸要素を踏まえて主体的に検討を行った上で、内部公益通報対応体制を整備・運用することが必要である。本解説は、事業者におけるこのような検討を後押しするため、「指針を遵守するために参考となる考え方や指針が求める措置に関する具体的な取組例」を示すとともに、「指針を遵守するための取組を超えて、事業者が自主的に取り組むことが期待される推奨事項に関する考え方や具体例」についても併せて示すものである[3][4]。

Ⅱ 事業者における内部公益通報制度の意義

事業者が実効性のある内部公益通報対応体制を整備・運用することは、法令遵守の推進や組織の自浄作用の向上に寄与し、ステークホルダーや国民からの信頼の獲得にも資するものである。また、内部公益通報制度を積極的に活用したリスク管理等を通じて、事業者が適切に事業を運営し、充実した商品・サービスを提供していくことは、事業者の社会的責任を果たすとともに、ひいては持続可能な社会の形成に寄与するものである。

---

1 指針において定める事項は、法第11条第1項及び第2項に定める事業者の義務の内容を、その事業規模等にかかわらず具体化したものである。
2 常時使用する労働者数が300人以下の事業者については、事業者の規模や業種・業態等の実情に応じて可能な限り本解説に記載の事項に従った内部公益通報対応体制を整備・運用するよう努める必要がある。
3 本解説は、法第2条第1項に定める「事業者」を対象とするものである。本解説では、一般的な用語として用いられることの多い「社内調査」「子会社」等の表現を用いているが、これらが典型的に想定する会社形態の営利企業のみならず、同様の状況にあるその他の形態の事業者においても当てはまるものである。
4 本解説では、法が定める内部公益通報への対応体制等について記載しているが、内部公益通報には該当しない、事業者が定める内部規程等に基づく通報についても、本解説で規定する内容に準じた対応を行うよう努めることが望ましい。

2

310　第3編　資　料

　　以上の意義を踏まえ、事業者は、公正で透明性の高い組織文化を育み、組織の自浄作用
を健全に発揮させるため、経営トップの責務として、法令等を踏まえた内部公益通報対応
体制を構築するとともに、事業者の規模や業種・業態等の実情に応じて一層充実した内部
公益通報対応の仕組みを整備・運用することが期待される。

第2　本解説の構成
　　本解説は、「公益通報者保護法に基づく指針等に関する検討会報告書」（令和3年4月
21日公表）（以下「指針等検討会報告書」という。）の提言内容を基礎に、事業者のコン
プライアンス経営への取組強化と社会経済全体の利益確保のために、法を踏まえて事
業者が自主的に取り組むことが推奨される事項を記載した「公益通報者保護法を踏ま
えた内部通報制度の整備・運用に関する民間事業者向けガイドライン」（平成28年12
月9日公表）（以下「民間事業者ガイドライン」という。）の規定を盛り込んだものであ
る。
　　そのため、本解説には、公益通報対応体制整備義務等及び指針を遵守するために必要
な事項に加え、そのほかに事業者が自主的に取り組むことが推奨される事項が含まれ
ている。指針の各規定の解説を記載した「第3　指針の解説」（構成は下記のとおり。）
では、両者の区別の明確化のため、前者は『指針を遵守するための考え方や具体例』の
項目に、後者は『その他の推奨される考え方や具体例』の項目にそれぞれ記載した。

項目	概要
①　『指針の本文』	指針の規定を項目ごとに記載した項目
②　『指針の趣旨』	指針の各規定について、その趣旨・目的・背景等を記載した項目
③　『指針を遵守するための考え方や具体例』	指針を遵守するために参考となる考え方（例：指針の解釈）や指針が求める措置に関する具体的な取組例を記載した項目
④　『その他の推奨される考え方や具体例』	指針を遵守するための取組を超えて、事業者が自主的に取り組むことが期待される推奨事項に関する考え方や具体例を記載した項目

　　前述のとおり、指針を遵守するために事業者がとるべき措置の具体的な内容は、事業
者の規模、組織形態、業態、法令違反行為が発生する可能性の程度、ステークホルダー
の多寡、労働者等及び役員や退職者の内部公益通報対応体制の活用状況、その時々にお
ける社会背景等によって異なり得る。公益通報対応体制整備義務等が義務付けられて
いる事業者は、従業員数300名程度の事業者から5万人を超えるグローバル企業まで
多種多様であるところ、指針及び本解説において画一的に事業者がとるべき措置を定
め、一律な対応を求めることは適切ではなく、また、現実的ではない。そのため、本解
説は、指針に沿った対応をとるに当たり参考となる考え方や具体例を記載したもので
あり、本解説の具体例を採用しない場合であっても、事業者の状況等に即して本解説に
示された具体例と類似又は同様の措置を講ずる等、適切な対応を行っていれば、公益通
報対応体制整備義務等違反となるものではない。

3

資料4 公益通報者保護法に基づく指針（令和3年内閣府告示第118号）の解説 311

　事業者においては、まずは『指針を遵守するための考え方や具体例』に記載されている内容を踏まえつつ、各事業者の状況等を勘案して指針に沿った対応をとるための検討を行った上で、内部公益通報対応体制を整備・運用することが求められる。他方で、『その他の推奨される考え方や具体例』に記載されている内容についても、法の理念の達成や事業者の法令遵守の観点からは重要な考え方や取組であり、事業者がこれらの事項について取り組むことで、事業者のコンプライアンス経営の強化や社会経済全体の利益の確保がより一層促進することが期待される。

　なお、本解説に用いる用語の意味は、本解説本文で定義している用語以外については指針において用いられているものと同様である。

312　第3編　資　料

第3　指針の解説
Ⅰ　従事者の定め（法第11条第1項関係）
　1　従事者として定めなければならない者の範囲
　　①　指針本文

> 事業者は、内部公益通報受付窓口において受け付ける内部公益通報に関して公益
> 通報対応業務を行う者であり、かつ、当該業務に関して公益通報者を特定させる事
> 項を伝達される者を、従事者として定めなければならない。

　　②　指針の趣旨
　　　　公益通報者を特定させる事項の秘匿性を確保し、内部公益通報を安心して行うた
　　　めには、公益通報対応業務のいずれの段階においても公益通報者を特定させる事項
　　　が漏れることを防ぐ必要がある。
　　　　また、法第11条第2項において事業者に内部公益通報対応体制の整備等を求め、
　　　同条第1項において事業者に従事者を定める義務を課した趣旨は、公益通報者を特
　　　定させる事項について、法第12条の規定により守秘義務を負う従事者による慎重な
　　　管理を行わせるためであり、同趣旨を踏まえれば、内部公益通報受付窓口において受
　　　け付ける[5]内部公益通報に関して、公益通報者を特定させる事項[6]を伝達される者を従
　　　事者として定めることが求められる。

　　③　指針を遵守するための考え方や具体例[7]
　　　●　内部公益通報の受付、調査、是正に必要な措置の全て又はいずれかを主体的に行
　　　　う業務及び当該業務の重要部分について関与する業務を行う場合に、「公益通報対
　　　　応業務」に該当する。
　　　●　事業者は、コンプライアンス部、総務部等の所属部署の名称にかかわらず、上記
　　　　指針本文で定める事項に該当する者であるか否かを実質的に判断して、従事者と
　　　　して定める必要がある。
　　　●　事業者は、内部公益通報受付窓口において受け付ける内部公益通報に関して公
　　　　益通報対応業務を行うことを主たる職務とする部門の担当者を、従事者として定
　　　　める必要がある。それ以外の部門の担当者であっても、事案により上記指針本文で
　　　　定める事項に該当する場合には、必要が生じた都度、従事者として定める必要があ

5　内部公益通報を「受け付ける」とは、内部公益通報受付窓口のものとして表示された連絡先（電話番号、
　メールアドレス等）に直接内部公益通報がされた場合だけではなく、例えば、公益通報対応業務に従事
　する担当者個人のメールアドレス宛てに内部公益通報があった場合等、実質的に同窓口において内部公
　益通報を受け付けたといえる場合を含む。
6　「公益通報者を特定させる事項」とは、公益通報をした人物が誰であるか「認識」することができる事
　項をいう。公益通報者の氏名、社員番号等のように当該人物に固有の事項を伝達される場合が典型例で
　あるが、性別等の一般的な属性であっても、当該属性と他の事項とを照合させることにより、排他的に
　特定の人物が公益通報者であると判断できる場合には、該当する。「認識」とは刑罰法規の明確性の観点
　から、公益通報者を排他的に認識できることを指す。
7　実効性の高い内部公益通報制度を運用するためには、公益通報者対応、調査、事実認定、是正措置、再
　発防止、適正手続の確保、情報管理、周知啓発等に係る担当者の誠実・公正な取組と知識・スキルの向上
　が重要であるため、必要な能力・適性を有する者を従事者として配置することが重要である。

5

資料4　公益通報者保護法に基づく指針（令和3年内閣府告示第118号）の解説　313

る[8]。

④　その他に推奨される考え方や具体例
- 　必要が生じた都度従事者として定める場合においては、従事者の指定を行うことにより、社内調査等が公益通報を端緒としていることを当該指定された者に事実上知らせてしまう可能性がある。そのため、公益通報者保護の観点からは、従事者の指定をせずとも公益通報者を特定させる事項を知られてしまう場合を除いて、従事者の指定を行うこと自体の是非について慎重に検討することも考えられる。

2　従事者を定める方法
① 指針本文

> 事業者は、従事者を定める際には、書面により指定をするなど、従事者の地位に就くことが従事者となる者自身に明らかとなる方法により定めなければならない。

② 指針の趣旨

従事者は、法第12条において、公益通報者を特定させる事項について、刑事罰により担保された守秘義務を負う者であり、公益通報者を特定させる事項に関して慎重に取り扱い、予期に反して刑事罰が科される事態を防ぐため、自らが刑事罰で担保された守秘義務を負う立場にあることを明確に認識している必要がある。

③ 指針を遵守するための考え方や具体例
- 　従事者を定める方法として、従事者に対して個別に通知する方法のほか、内部規程等において部署・部署内のチーム・役職等の特定の属性で指定することが考えられる。後者の場合においても、従事者の地位に就くことを従事者となる者自身に明らかにする必要がある。
- 　従事者を事業者外部に委託する際においても、同様に、従事者の地位に就くことが従事者となる者自身に明らかとなる方法により定める必要がある。

8　公益通報の受付、調査、是正に必要な措置について、主体的に行っておらず、かつ、重要部分について関与していない者は、「公益通報対応業務」を行っているとはいえないことから、従事者として定める対象には該当しない。例えば、社内調査等におけるヒアリングの対象者、職場環境を改善する措置に職場内において参加する労働者等、製造物の品質不正事案に関する社内調査において品質の再検査を行う者等であって、公益通報の内容を伝えられたにとどまる者等は、公益通報の受付、調査、是正に必要な措置について、主体的に行っておらず、かつ、重要部分について関与していないことから、たとえ調査上の必要性に応じて公益通報者を特定させる事項を伝達されたとしても、従事者として定めるべき対象には該当しない。ただし、このような場合であっても、事業者における労働者等及び役員として、内部規程に基づき（本解説本文第3．Ⅱ．3．（4）「内部規程の策定及び運用に関する措置」参照）範囲外共有（本解説本文第3．Ⅱ．2．（2）「範囲外共有等の防止に関する措置」参照）をしてはならない義務を負う。

314　第３編　資　料

II　内部公益通報対応体制の整備その他の必要な措置（法第 11 条第 2 項関係）
　1　部門横断的な公益通報対応業務を行う体制の整備
　(1)　内部公益通報受付窓口の設置等
　　①　指針本文

> 内部公益通報受付窓口を設置し、当該窓口に寄せられる内部公益通報を受け、調査をし、是正に必要な措置をとる部署及び責任者を明確に定める。

　　②　指針の趣旨
　　　　事業者において、通報対象事実に関する情報を早期にかつ円滑に把握するためには、内部公益通報を部門横断的に受け付ける[9]窓口を設けることが極めて重要である。そして、公益通報対応業務が責任感を持って実効的に行われるためには、責任の所在を明確にする必要があるため、内部公益通報受付窓口において受け付ける内部公益通報に関する公益通報対応業務を行う部署及び責任者[10]を明確に定める必要がある。このような窓口及び部署は、職制上のレポーティングライン[11]も含めた複数の通報・報告ラインとして、法令違反行為を是正することに資するものであり、ひいては法令違反行為の抑止にもつながるものである。

　　③　指針を遵守するための考え方や具体例
　　●　ある窓口が内部公益通報受付窓口に当たるかは、その名称ではなく、部門横断的に内部公益通報を受け付けるという実質の有無により判断される。
　　●　調査や是正に必要な措置について内部公益通報受付窓口を所管する部署や責任者とは異なる部署や責任者を定めることも可能である。
　　●　内部公益通報受付窓口については、事業者内の内部に設置するのではなく、事業者外部（外部委託先、親会社等）に設置することや、事業者の内部と外部の双方に設置することも可能である。
　　●　組織の実態に応じて、内部公益通報受付窓口が他の通報窓口（ハラスメント通報・相談窓口等）を兼ねることや、内部公益通報受付窓口を設置した上、これとは別に不正競争防止法違反等の特定の通報対象事実に係る公益通報のみを受け付ける窓口を設置することが可能である。
　　●　調査・是正措置の実効性を確保するための措置を講ずることが必要である。例えば、公益通報対応業務の担当部署への調査権限や独立性の付与、必要な人員・予算等の割当等の措置が考えられる。

　　④　その他に推奨される考え方や具体例[12]

9　「部門横断的に受け付ける」とは、個々の事業部門から独立して、特定の部門からだけではなく、全部門ないしこれに準ずる複数の部門から受け付けることを意味する。
10　「部署及び責任者」とは、内部公益通報受付窓口を経由した内部公益通報に係る公益通報対応業務について管理・統括する部署及び責任者をいう。
11　「職制上のレポーティングライン」とは、組織内において指揮監督権を有する上長等に対する報告系統のことをいう。職制上のレポーティングラインにおける報告（いわゆる上司等への報告）やその他の労働者等及び役員に対する報告についても内部公益通報に当たり得る。
12　経営上のリスクに係る情報が、可能な限り早期にかつ幅広く寄せられるようにするため、内部公益通

7

資料4 公益通報者保護法に基づく指針（令和3年内閣府告示第118号）の解説 315

- 内部公益通報受付窓口を設置する場合には、例えば、以下のような措置等を講じ、経営上のリスクにかかる情報を把握する機会の拡充に努めることが望ましい。
  - 子会社や関連会社における法令違反行為の早期是正・未然防止を図るため、企業グループ本社等において子会社や関連会社の労働者等及び役員並びに退職者からの通報を受け付ける企業グループ共通の窓口を設置すること[13]
  - サプライチェーン等におけるコンプライアンス経営を推進するため、関係会社・取引先を含めた内部公益通報対応体制を整備することや、関係会社・取引先における内部公益通報対応体制の整備・運用状況を定期的に確認・評価した上で、必要に応じ助言・支援をすること
  - 中小企業の場合には、何社かが共同して事業者の外部（例えば、法律事務所や民間の専門機関等）に内部公益通報受付窓口を委託すること
  - 事業者団体や同業者組合等の関係事業者共通の内部公益通報受付窓口を設けること
- 人事部門に内部公益通報受付窓口を設置することが妨げられるものではないが、人事部門に内部公益通報をすることを躊躇（ちゅうちょ）する者が存在し、そのことが通報対象事実の早期把握を妨げるおそれがあることにも留意する。

(2) 組織の長その他幹部からの独立性の確保に関する措置
　① 指針本文

> 内部公益通報受付窓口において受け付ける内部公益通報に係る公益通報対応業務に関して、組織の長その他幹部に関係する事案については、これらの者からの独立性を確保する措置をとる。

　② 指針の趣旨
　　　組織の長その他幹部[14]が主導・関与する法令違反行為も発生しているところ、これらの者が影響力を行使することで公益通報対応業務が適切に行われない事態を防ぐ必要があること、これらの者に関する内部公益通報は心理的ハードルが特に高いことを踏まえれば、組織の長その他幹部から独立した内部公益通報対応体制を構築する必要がある[15]。

　報受付窓口の運用に当たっては、敷居が低く　利用しやすい環境を整備することが望ましい。また、実効性の高い内部公益通報対応体制を整備・運用するとともに、職場の管理者等（公益通報者又は公益通報を端緒とする調査に協力した者の直接又は間接の上司等）に相談や通報が行われた場合に適正に対応されるような透明性の高い職場環境を形成することが望ましい。

13　子会社や関連会社において、企業グループ共通の窓口を自社の内部公益通報受付窓口とするためには、その旨を子会社や関連会社自身の内部規程等において「あらかじめ定め」ることが必要である（法第2条第1項柱書参照）。また、企業グループ共通の窓口を設けた場合であっても、当該窓口を経由した公益通報対応業務に関する子会社や関連会社の責任者は、子会社や関連会社自身において明確に定めなければならない。

14　「幹部」とは、役員等の事業者の重要な業務執行の決定を行い又はその決定につき執行する者を指す。

15　上記指針本文が求める措置は、内部公益通報受付窓口を事業者の外部に設置すること等により内部公益通報の受付に関する独立性を確保するのみならず、調査及び是正に関しても独立性を確保する措置をとることが求められる。

8

316　第3編　資　料

③　指針を遵守するための考え方や具体例[16]

●　組織の長その他幹部からの独立性を確保する方法として、例えば、社外取締役や監査機関（監査役、監査等委員会、監査委員会等）にも報告を行うようにする、社外取締役や監査機関からモニタリングを受けながら公益通報対応業務を行う等が考えられる。

●　組織の長その他幹部からの独立性を確保する方法の一環として、内部公益通報受付窓口を事業者外部（外部委託先、親会社等）に設置することも考えられる[17]。単一の内部公益通報受付窓口を設ける場合には当該窓口を通じた公益通報に関する公益通報対応業務について独立性を確保する方法のほか、複数の窓口を設ける場合にはそれらのうち少なくとも一つに関する公益通報対応業務に独立性を確保する方法等、事業者の規模に応じた方法も考えられる。

④　その他に推奨される考え方や具体例

●組織の長その他幹部からの独立性を確保するために、例えば、以下のような措置等をとることが考えられる。

➢　企業グループ本社等において子会社や関連会社の労働者等及び役員からの通報を受け付ける企業グループ共通の窓口を設置すること[18]

➢　関係会社・取引先を含めた内部公益通報対応体制を整備することや、関係会社・取引先における内部公益通報対応体制の整備・運用状況を定期的に確認・評価した上で、必要に応じ助言・支援をすること

➢　中小企業の場合には、何社かが共同して事業者の外部（例えば、法律事務所や民間の専門機関等）に内部公益通報窓口を委託すること

➢　事業者団体や同業者組合等の関係事業者共通の内部公益通報受付窓口を設けること

(3)　公益通報対応業務の実施に関する措置

①　指針本文

> 内部公益通報受付窓口において内部公益通報を受け付け、正当な理由がある場合を除いて、必要な調査を実施する。そして、当該調査の結果、通報対象事実に係る法令違反行為が明らかになった場合には、速やかに是正に必要な措置をとる。また、是正に必要な措置をとった後、当該措置が適切に機能しているかを確認し、

16　法第11条第2項について努力義務を負うにとどまる中小事業者においても、組織の長その他幹部からの影響力が不当に行使されることを防ぐためには、独立性を確保する仕組みを設ける必要性が高いことに留意する必要がある。

17　事業者外部への内部公益通報受付窓口の設置においては、本解説第3．Ⅱ．1．（4）④の2点目及び3点目についても留意する。

18　子会社や関連会社において、企業グループ共通の窓口を自社の内部公益通報受付窓口とするためには、その旨を子会社や関連会社自身の内部規程等において「あらかじめ定め」ることが必要である（法第2条第1項柱書参照）。また、企業グループ共通の窓口を設けた場合であっても、当該窓口を経由した公益通報対応業務に関する子会社や関連会社の責任者は、子会社や関連会社自身において明確に定めなければならない（脚注13再掲）。

9

> 適切に機能していない場合には、改めて是正に必要な措置をとる。

② 指針の趣旨

　　法の目的は公益通報を通じた法令の遵守にあるところ（法第1条）、法令の遵守のためには、内部公益通報に対して適切に受付、調査が行われ、当該調査の結果、通報対象事実に係る法令違反行為が明らかになった場合には、是正に必要な措置がとられる必要がある。また、法令違反行為の是正後に再度類似の行為が行われるおそれもあることから、是正措置が機能しているか否かを確認する必要もある。少なくとも、公益通報対応業務を組織的に行うことが予定されている内部公益通報受付窓口に寄せられた内部公益通報については、このような措置が確実にとられる必要がある。

③ 指針を遵守するための考え方や具体例

● 　内部公益通報対応の実効性を確保するため、匿名の内部公益通報も受け付けることが必要である[19]。匿名の公益通報者との連絡をとる方法として、例えば、受け付けた際に個人が特定できないメールアドレスを利用して連絡するよう伝える、匿名での連絡を可能とする仕組み（外部窓口[20]から事業者に公益通報者の氏名等を伝えない仕組み、チャット等の専用のシステム[21]等）を導入する等の方法が考えられる。

● 　公益通報者の意向に反して調査を行うことも原則として可能である。公益通報者の意向に反して調査を行う場合においても、調査の前後において、公益通報者とコミュニケーションを十分にとるよう努め、プライバシー等の公益通報者の利益が害されないよう配慮することが求められる。

● 　調査を実施しない「正当な理由」がある場合の例として、例えば、解決済みの案件に関する情報が寄せられた場合、公益通報者と連絡がとれず事実確認が困難である場合等が考えられる。解決済みの案件か否かについては、解決に関する公益通報者の認識と事業者の認識が一致しないことがあるが、解決しているか否かの判断は可能な限り客観的に行われることが求められる。また、一見、法令違反行為が是正されたように見えても、案件自体が再発する場合や、当該再発事案に関する新たな情報が寄せられる場合もあること等から、解決済みといえるか、寄せられた情報が以前の案件と同一のものといえるかについては慎重に検討する必要がある。

● 　是正に必要な措置が適切に機能しているかを確認する方法として、例えば、是正措置から一定期間経過後に能動的に改善状況に関する調査を行う、特定の個人が被害を受けている事案においては問題があれば再度申し出るよう公益通報者に伝える等が考えられる。

19　匿名の通報であっても、法第3条第1号及び第6条第1号に定める要件を満たす通報は、内部公益通報に含まれる。
20　「外部窓口」とは、内部公益通報受付窓口を事業者外部（外部委託先、親会社等）に設置した場合における当該窓口をいう。
21　匿名で公益通報者と事業者との間の連絡を仲介するサービスを提供する事業者も存在する。

318　第3編　資　料

- 　調査の結果、法令違反等が明らかになった場合には、例えば、必要に応じ関係者の社内処分を行う等、適切に対応し、必要があれば、関係行政機関への報告等を行う。

④　その他に推奨される考え方や具体例
- 　コンプライアンス経営を推進するとともに、経営上のリスクに係る情報の早期把握の機会を拡充するため、内部公益通報受付窓口の利用者及び通報対象となる事項の範囲については、例えば、以下のように幅広く設定し、内部公益通報に該当しない通報についても公益通報に関する本解説の定めに準じて対応するよう努めることが望ましい。
  - ➢ 　通報窓口の利用者の範囲：法第2条第1項各号に定める者のほか、通報の日から1年より前に退職[22]した労働者等、子会社・取引先の従業員（退職した者を含む）及び役員
  - ➢ 　通報対象となる事項の範囲：法令違反のほか、内部規程違反等
- 　内部公益通報受付窓口を経由しない内部公益通報を受けた労働者等及び役員においても、例えば、事案の内容等に応じて、自ら事実確認を行い是正する、公益通報者の秘密に配慮しつつ調査を担当する部署等に情報共有する等の方法により、調査や是正に必要な措置を速やかに実施することが望ましい。
- 　例えば、内部公益通報対応体制の運営を支える従事者の意欲・士気を発揚する人事考課を行う等、コンプライアンス経営の推進に対する従事者の貢献を、積極的に評価することが望ましい。
- 　法令違反等に係る情報を可及的速やかに把握し、コンプライアンス経営の推進を図るため、法令違反等に関与した者が、自主的な通報や調査協力をする等、問題の早期発見・解決に協力した場合には、例えば、その状況に応じて、当該者に対する懲戒処分等を減免することができる仕組みを整備すること等も考えられる。
- 　公益通報者等[23]の協力が、コンプライアンス経営の推進に寄与した場合には、公益通報者等に対して、例えば、組織の長等からの感謝を伝えること等により、組織への貢献を正当に評価することが望ましい。なお、その際においても、公益通報者等の匿名性の確保には十分に留意することが必要である。

(4)　公益通報対応業務における利益相反の排除に関する措置
①　指針本文

　　内部公益通報受付窓口において受け付ける内部公益通報に関し行われる公益通報対応業務について、事案に関係する者を公益通報対応業務に関与させない措置をとる。

22　なお、事業者への通報が内部公益通報となり得る退職者は、当該通報の日前1年以内に退職した労働者等である（法第2条1項）。
23　「公益通報者等」とは、公益通報者及び公益通報を端緒とする調査に協力した者（以下「調査協力者」という。）をいう。

11

資料4　公益通報者保護法に基づく指針（令和3年内閣府告示第118号）の解説　　319

② 指針の趣旨

　　内部公益通報に係る事案に関係する者[24]が公益通報対応業務に関与する場合には、中立性・公正性を欠く対応がなされるおそれがあり（内部公益通報の受付や調査を行わない、調査や是正に必要な措置を自らに有利となる形で行う等）、法令の遵守を確保することができない。少なくとも、内部公益通報受付窓口に寄せられる内部公益通報については、実質的に公正な公益通報対応業務の実施を阻害しない場合を除いて、内部公益通報に係る事案に関係する者を公益通報対応業務から除外する必要がある。

③ 指針を遵守するための考え方や具体例

● 　「関与させない措置」の方法として、例えば、「事案に関係する者」を調査や是正に必要な措置の担当から外すこと等が考えられる。受付当初の時点では「事案に関係する者」であるかが判明しない場合には、「事案に関係する者」であることが判明した段階において、公益通報対応業務への関与から除外することが必要である。ただし、「事案に関係する者」であっても、例えば、公正さが確保できる部署のモニタリングを受けながら対応をする等、実質的に公正な公益通報対応業務の実施を阻害しない措置がとられている場合には、その関与を妨げるものではない。

④ その他に推奨される考え方や具体例

● 　想定すべき「事案に関係する者」の範囲については、内部規程において具体的に例示をしておくことが望ましい。

● 　いわゆる顧問弁護士を内部公益通報受付窓口とすることについては、顧問弁護士に内部公益通報をすることを躊躇（ちゅうちょ）する者が存在し、そのことが通報対象事実の早期把握を妨げるおそれがあることにも留意する。また、顧問弁護士を内部公益通報受付窓口とする場合には、例えば、その旨を労働者等及び役員並びに退職者向けに明示する等により、内部公益通報受付窓口の利用者が通報先を選択するに当たっての判断に資する情報を提供することが望ましい。

● 　内部公益通報事案の事実関係の調査等通報対応に係る業務を外部委託する場合には、事案の内容を踏まえて、中立性・公正性に疑義が生じるおそれ又は利益相反が生じるおそれがある法律事務所や民間の専門機関等の起用は避けることが適当である。

24　「事案に関係する者」とは、公正な公益通報対応業務の実施を阻害する者をいう。典型的には、法令違反行為の発覚や調査の結果により実質的に不利益を受ける者、公益通報者や被通報者（法令違反行為を行った、行っている又は行おうとしているとして公益通報された者）と一定の親族関係がある者等が考えられる。

12

320　第3編　資　料

2　公益通報者を保護する体制の整備[25]
(1)　不利益な取扱いの防止に関する措置
①　指針本文

> イ　事業者の労働者及び役員等が不利益な取扱いを行うことを防ぐための措置を
> とるとともに、公益通報者が不利益な取扱いを受けていないかを把握する措置
> をとり、不利益な取扱いを把握した場合には、適切な救済・回復の措置をとる。
> ロ　不利益な取扱いが行われた場合に、当該行為を行った労働者及び役員等に対
> して、行為態様、被害の程度、その他情状等の諸般の事情を考慮して、懲戒処
> 分その他適切な措置をとる。

②　指針の趣旨
　　労働者等及び役員並びに退職者が通報対象事実を知ったとしても、公益通報を
行うことにより、不利益な取扱いを受ける懸念があれば、公益通報を躊躇（ちゅう
ちょ）することが想定される。このような事態を防ぐためには、労働者及び役員等
による不利益な取扱いを禁止するだけではなく、あらかじめ防止するための措置
が必要であるほか、実際に不利益な取扱いが発生した場合には、救済・回復の措置
をとり、不利益な取扱いを行った者に対する厳正な対処をとることを明確にする
ことにより、公益通報を行うことで不利益な取扱いを受けることがないという認
識を十分に労働者等及び役員並びに退職者に持たせることが必要である。

③　指針を遵守するための考え方や具体例
- 　「不利益な取扱い」の内容としては、法第3条から第7条までに定めるものを
含め、例えば、以下のようなもの等が考えられる。
  - 　労働者等たる地位の得喪に関すること（解雇、退職願の提出の強要、労働契
約の終了・更新拒否、本採用・再採用の拒否、休職等）
  - 　人事上の取扱いに関すること（降格、不利益な配転・出向・転籍・長期出張
等の命令、昇進・昇格における不利益な取扱い、懲戒処分等）
  - 　経済待遇上の取扱いに関すること（減給その他給与・一時金・退職金等にお
ける不利益な取扱い、損害賠償請求等）
  - 　精神上・生活上の取扱いに関すること（事実上の嫌がらせ等）
- 　不利益な取扱いを防ぐための措置として、例えば、以下のようなもの等が考え
られる。
  - 　労働者等及び役員に対する教育・周知
  - 　内部公益通報受付窓口において不利益な取扱いに関する相談を受け付ける
こと[26]
  - 　被通報者が、公益通報者の存在を知り得る場合には、被通報者が公益通報者
に対して解雇その他不利益な取扱いを行うことがないよう、被通報者に対し

25　（公益通報者だけでなく、）調査協力者に対しても、調査に協力をしたことを理由として解雇その他の
不利益な取扱いを防ぐ措置をとる等、本項の定めに準じた措置を講ずることが望ましい。
26　本解説本文第3．Ⅱ．3．(1)③＜仕組みや不利益な取扱いに関する質問・相談について＞参照

13

資料4　公益通報者保護法に基づく指針（令和3年内閣府告示第118号）の解説　321

　　　　　　て、その旨の注意喚起をする等の措置を講じ、公益通報者の保護の徹底を図る
　　　　　　こと
　　　　● 不利益な取扱いを受けていないかを把握する措置として、例えば、公益通報者
　　　　　に対して能動的に確認する、不利益な取扱いを受けた際には内部公益通報受付
　　　　　窓口等の担当部署に連絡するようその旨と当該部署名を公益通報者にあらかじ
　　　　　め伝えておく等が考えられる。
　　　　● 法第2条に定める「処分等の権限を有する行政機関」や「その者に対し当該通
　　　　　報対象事実を通報することがその発生又はこれによる被害の拡大を防止するた
　　　　　めに必要であると認められる者」に対して公益通報をする者についても、同様に
　　　　　不利益な取扱いが防止される必要があるほか、範囲外共有や通報者の探索も防
　　　　　止される必要がある。

　　④　その他に推奨される考え方や具体例
　　　　● 関係会社・取引先からの通報を受け付けている場合[27]において、公益通報者が
　　　　　当該関係会社・取引先の労働者等又は役員である場合には、通報に係る秘密保持
　　　　　に十分配慮しつつ、可能な範囲で、当該関係会社・取引先に対して、例えば、以
　　　　　下のような措置等を講ずることが望ましい。
　　　　　➤ 公益通報者へのフォローアップや保護を要請する等、当該関係会社・取引先
　　　　　　において公益通報者が解雇その他不利益な取扱いを受けないよう、必要な措
　　　　　　置を講ずること
　　　　　➤ 当該関係会社・取引先において、是正措置等が十分に機能しているかを確認
　　　　　　すること
　　　　● 公益通報者を特定させる事項を不当な目的に利用した者についても、懲戒処
　　　　　分その他適切な措置を講ずることが望ましい。

　(2)　範囲外共有等の防止に関する措置
　　①　指針本文

┌───┐
│　イ　事業者の労働者及び役員等が範囲外共有を行うことを防ぐための措置をと　│
│　　り、範囲外共有が行われた場合には、適切な救済・回復の措置をとる。　　　│
│　ロ　事業者の労働者及び役員等が、公益通報者を特定した上でなければ必要性の　│
│　　高い調査が実施できないなどのやむを得ない場合を除いて、通報者の探索を行　│
│　　うことを防ぐための措置をとる。　　　　　　　　　　　　　　　　　　　　│
│　ハ　範囲外共有や通報者の探索が行われた場合に、当該行為を行った労働者及び　│
│　　役員等に対して、行為態様、被害の程度、その他情状等の諸般の事情を考慮し　│
│　　て、懲戒処分その他適切な措置をとる。　　　　　　　　　　　　　　　　　│
└───┘

　　②　指針の趣旨
　　　　労働者等及び役員並びに退職者が通報対象事実を知ったとしても、自らが公益

───────────────
27　本解説本文第3．Ⅱ．1．（1）④参照

14

322　　第3編　資　　料

通報したことが他者に知られる懸念があれば、公益通報を行うことを躊躇（ちゅうちょ）することが想定される。このような事態を防ぐためには、範囲外共有や通報者の探索をあらかじめ防止するための措置が必要である[28]。特に、実際に範囲外共有や通報者の探索が行われた場合には、実効的な救済・回復の措置を講ずることが困難な場合も想定されることから、範囲外共有や通報者の探索を防ぐ措置を徹底することが重要である。また、そのような場合には行為者に対する厳正な対処を行うことにより、範囲外共有や通報者の探索が行われないという認識を十分に労働者等及び役員並びに退職者に持たせることが必要である。

③　指針を遵守するための考え方や具体例
● 　範囲外共有を防ぐための措置として、例えば、以下のようなもの等が考えられる[29]。
　➢ 　通報事案に係る記録・資料を閲覧・共有することが可能な者を必要最小限に限定し、その範囲を明確に確認する
　➢ 　通報事案に係る記録・資料は施錠管理する
　➢ 　内部公益通報受付窓口を経由した内部公益通報の受付方法としては、電話、FAX、電子メール、ウェブサイト等、様々な手段が考えられるが、内部公益通報を受け付ける際には、専用の電話番号や専用メールアドレスを設ける、勤務時間外に個室や事業所外で面談する
　➢ 　公益通報に関する記録の保管方法やアクセス権限等を規程において明確にする
　➢ 　公益通報者を特定させる事項の秘匿性に関する社内教育を実施する
● 　公益通報に係る情報を電磁的に管理している場合には、公益通報者を特定させる事項を保持するため、例えば、以下のような情報セキュリティ上の対策等を講ずる。
　➢ 　当該情報を閲覧することが可能な者を必要最小限に限定する
　➢ 　操作・閲覧履歴を記録する
● 　通報者の探索を行うことを防ぐための措置として、例えば、通報者の探索は行ってはならない行為であって懲戒処分その他の措置の対象となることを定め、その旨を教育・周知すること等が考えられる。
● 　懲戒処分その他適切な措置を行う際には、範囲外共有が行われた事実の有無については慎重に確認し、範囲外共有を実際に行っていない者に対して誤って懲戒処分その他の措置を行うことのないよう留意する必要がある。
● 　内部公益通報受付窓口の担当者以外の者（いわゆる上司等）も内部公益通報を受けることがある。これら内部公益通報受付窓口の担当者以外の者については、従事者として指定されていないことも想定されるが、その場合であっても、事業者において整備・対応が求められる範囲外共有等を防止する体制の対象とはな

28　範囲外共有及び通報者の探索を防止すべき「労働者及び役員等」には内部公益通報受付窓口に関する外部委託先も含む。また、外部委託先も従事者として定められる場合があり得る。
29　当該措置の対象には、外部窓口も含む。

15

資料4　公益通報者保護法に基づく指針（令和3年内閣府告示第118号）の解説　　323

るものであり、当該体制も含めて全体として範囲外共有を防止していくことが必要である。

④　その他に推奨される考え方や具体例

<受付時の取組等について>

● 外部窓口を設ける場合、例えば、公益通報者を特定させる事項は、公益通報者を特定した上でなければ必要性の高い調査が実施できない等のやむを得ない場合を除いて[30]、公益通報者の書面や電子メール等による明示的な同意がない限り、事業者に対しても開示してはならないこととする等の措置を講ずることも考えられる。

● 公益通報の受付時には、例えば、範囲外共有を防ぐために、通報事案に係る記録・資料に記載されている関係者（公益通報者を含む。）の固有名詞を仮称表記にすること等も考えられる。

● 公益通報者本人からの情報流出によって公益通報者が特定されることを防止するため、自身が公益通報者であること等に係る情報管理の重要性を、公益通報者本人にも十分に理解させることが望ましい。

<調査時の取組等について>

● 公益通報者を特定した上でなければ必要性の高い調査が実施できない等のやむを得ない場合[31]、公益通報者を特定させる事項を伝達する範囲を必要最小限に限定する（真に必要不可欠ではない限り、調査担当者にも情報共有を行わないようにする）ことは当然のこととして、例えば、以下のような措置等を講じ、公益通報者が特定されないよう、調査の方法に十分に配慮することが望ましい。

➤ 公益通報者を特定させる事項を伝達する相手にはあらかじめ秘密保持を誓約させる

➤ 公益通報者を特定させる事項の漏えいは懲戒処分等の対象となる旨の注意喚起をする

● 調査等に当たって通報内容を他の者に伝える際に、調査等の契機が公益通報であることを伝えなければ、基本的には、情報伝達される相手方において、公益通報がなされたことを確定的に認識することができず、公益通報者が誰であるかについても確定的に認識することを避けることができる。その場合、結果として、公益通報者を特定させる事項が伝達されるとの事態を避けられることから、必要に応じて従業者以外の者に調査等の依頼を行う際には、当該調査等が公益通報を契機としていることを伝えないことが考えられる。調査の端緒が内部公益通報であることを関係者に認識させない工夫としては、例えば、以下のような措置等が考えられる。

➤ 抜き打ちの監査を装う

➤ 該当部署以外の部署にもダミーの調査を行う

30　指針本文第4．2．(2)ロ
31　指針本文第4．2．(2)ロ

16

324　第３編　資　　料

> （タイミングが合う場合には、）定期監査と合わせて調査を行う
> 核心部分ではなく周辺部分から調査を開始する
> 組織内のコンプライアンスの状況に関する匿名のアンケートを、全ての労働者等及び役員を対象に定期的に行う

＜その他＞
● 特に、ハラスメント事案等で被害者と公益通報者が同一の事案においては、公益通報者を特定させる事項を共有する際に、被害者の心情にも配慮しつつ、例えば、書面[32]による等、同意の有無について誤解のないよう、当該公益通報者から同意を得ることが望ましい。

32　電子的方式、磁気的方式その他人の知覚によっては認識することができない方式で作られる記録を含む。

17

資料4　公益通報者保護法に基づく指針（令和3年内閣府告示第118号）の解説　325

3　内部公益通報対応体制を実効的に機能させるための措置
(1)　労働者等及び役員並びに退職者に対する教育・周知に関する措置
① 指針本文

> イ　法及び内部公益通報対応体制について、労働者等及び役員並びに退職者に対して教育・周知を行う。また、従事者に対しては、公益通報者を特定させる事項の取扱いについて、特に十分に教育を行う。
> ロ　労働者等及び役員並びに退職者から寄せられる、内部公益通報対応体制の仕組みや不利益な取扱いに関する質問・相談に対応する。

② 指針の趣旨

　　内部公益通報が適切になされるためには、労働者等及び役員並びに退職者において、法及び事業者の内部公益通報対応体制について十分に認識している必要がある。

　　また、公益通報対応業務を担う従事者は、公益通報者を特定させる事項について刑事罰で担保された守秘義務を負うことを踏まえ、法及び内部公益通報対応体制について、特に十分に認識している必要がある。

　　そして、労働者等及び役員並びに退職者の認識を高めるためには、事業者の側において能動的に周知するだけではなく、労働者等及び役員並びに退職者が質問や相談を行った際に、適時に情報提供ができる仕組みも必要である。

③ 指針を遵守するための考え方や具体例[33]

＜労働者等及び役員並びに退職者に対する教育・周知について＞
● 公益通報受付窓口及び受付の方法を明確に定め、それらを労働者等及び役員に対し、十分かつ継続的に教育・周知することが必要である[34]。
● 教育・周知に当たっては、単に規程の内容を労働者等及び役員に形式的に知らせるだけではなく、組織の長が主体的かつ継続的に制度の利用を呼び掛ける等の手段を通じて、公益通報の意義や組織にとっての内部公益通報の重要性等を労働者等及び役員に十分に認識させることが求められる。例えば、以下のような事項について呼び掛けること等が考えられる。
  ➢ コンプライアンス経営の推進における内部公益通報制度の意義・重要性
  ➢ 内部公益通報制度を活用した適切な通報は、リスクの早期発見や企業価値の向上に資する正当な職務行為であること
  ➢ 内部規程や法の要件を満たす適切な通報を行った者に対する不利益な取扱いは決して許されないこと
  ➢ 通報に関する秘密保持を徹底するべきこと
  ➢ 利益追求と企業倫理が衝突した場合には企業倫理を優先するべきこと

---

[33] 実効性の高い内部公益通報制度を整備・運用することは、組織内に適切な緊張感をもたらし、通常の報告・連絡・相談のルートを通じた自浄作用を機能させ、組織運営の健全化に資することを、労働者等及び役員に十分に周知することが重要である。
[34] 法に定める退職後1年以内の退職者についても教育・周知が必要である。

326　第3編　資　料

> 上記の事項は企業の発展・存亡をも左右し得ること
- 内部公益通報対応体制の仕組みについて教育・周知を行う際には、単に内部公益通報受付窓口の設置先を形式的に知らせるだけではなく、例えば、以下のような内部公益通報対応体制の仕組み全体の内容を伝えること等が求められる。
  > 内部公益通報受付窓口の担当者は従事者であること[35]
  > 職制上のレポーティングライン（いわゆる上司等）においても部下等から内部公益通報を受ける可能性があること
  > 内部公益通報受付窓口に内部公益通報した場合と従事者ではない職制上のレポーティングライン（いわゆる上司等）において内部公益通報をした場合とでは公益通報者を特定させる事項の秘匿についてのルールに差異があること[36]等
- 法について教育・周知を行う際には、権限を有する行政機関等への公益通報も法において保護されているという点も含めて、法全体の内容を伝えることが求められる。
- 教育・周知を行う際には、例えば、以下のような実効的な方法等を各事業者の創意工夫により検討し、実行することが求められる。
  > その内容を労働者等及び役員の立場・経験年数等に応じて用意する（階層別研修等）
  > 周知のツールに多様な媒体を用いる（イントラネット、社内研修、携行カード・広報物の配布、ポスターの掲示等）
  > 内部公益通報対応体制の内容、具体例を用いた通報対象の説明、公益通報者保護の仕組み、その他内部公益通報受付窓口への相談が想定される質問事項等をFAQにまとめ、イントラネットへの掲載やガイドブックの作成を行う
- 組織の長その他幹部に対しても、例えば、内部公益通報対応体制の内部統制システムにおける位置付け、リスク情報の早期把握がリスク管理に資する点等について教育・周知することが求められる。
- 退職者に対する教育・周知の方法として、例えば、在職中に、退職後も公益通報ができることを教育・周知すること等が考えられる。

＜従事者に対する教育について＞
- 従事者に対する教育については、例えば、定期的な実施や実施状況の管理を行う等して、通常の労働者等及び役員と比較して、特に実効的に行うことが求められる。法第12条の守秘義務の内容のほか、例えば、通報の受付、調査、是正に必要な措置等の各局面における実践的なスキルについても教育すること等が考

35　内部公益通報をする先が従事者であることが分かれば、公益通報者を特定させる事項がより慎重に取り扱われるといった安心感により内部公益通報を行いやすくする効果が期待できる。
36　具体的には、内部公益通報受付窓口に内部公益通報した場合においては、刑事罰付の守秘義務を負う従事者が対応することとなること、職制上のレポーティングライン（いわゆる上司等）への報告や従事者以外の労働者等及び役員に対する報告も内部公益通報となり得るが従事者以外は必ずしも刑事罰で担保された守秘義務を負うものでないこと、従事者以外の者については社内規程において範囲外共有の禁止を徹底させていること等が考えられる。

19

資料4 公益通報者保護法に基づく指針（令和3年内閣府告示第118号）の解説 327

えられる。
● 従事者に対する教育については、公益通報対応業務に従事する頻度等の実態に応じて内容が異なり得る。

＜仕組みや不利益な取扱いに関する質問・相談について＞
● 内部公益通報対応体制の仕組みの質問・相談（不利益な取扱いに関する質問・相談を含む。）については、内部公益通報受付窓口以外において対応することや、内部公益通報受付窓口において一元的に対応することのいずれも可能である。

④ その他に推奨される考え方や具体例
● 内部公益通報対応体制の利用者を労働者等及び役員以外に対しても広く認めている場合には（例：企業グループ共通のホットラインを設ける。）、その体制の利用者全て（例：子会社の労働者等及び役員）に対して教育・周知を行うことが望ましい。

(2) 是正措置等の通知に関する措置
① 指針本文

> 書面により内部公益通報を受けた場合において、当該内部公益通報に係る通報対象事実の中止その他是正に必要な措置をとったときはその旨を、当該内部公益通報に係る通報対象事実がないときはその旨を、適正な業務の遂行及び利害関係人の秘密、信用、名誉、プライバシー等の保護に支障がない範囲において、当該内部公益通報を行った者に対し、速やかに通知する。

② 指針の趣旨
　　内部公益通報をした者は、事業者からの情報提供がなければ、内部公益通報について是正に必要な措置がとられたか否かについて知り得ない場合が多いと考えられ、行政機関等に公益通報すべきか、調査の進捗を待つべきかを判断することが困難である。そのため、利害関係人のプライバシーを侵害するおそれがある等[37]、内部公益通報をした者に対してつまびらかに情報を明らかにすることに支障がある場合を除いて、内部公益通報への対応結果を内部公益通報をした者に伝える必要がある。

③ 指針を遵守するための考え方や具体例[38]
● 通知の態様は一律のものが想定されているものではなく、通知の方法として、例えば、公益通報者個人に通知をする、全社的な再発防止策をとる必要がある場合に労働者等及び役員全員に対応状況の概要を定期的に伝える等、状況に応じ

---

[37] 調査過程において誰が何を証言したか、人事処分の詳細な内容等はプライバシーに関わる場合もあるため、公益通報者に内部公益通報への対応結果を伝えるべきではない場合も想定される。

[38] 是正措置等の通知を行わないことがやむを得ない場合としては、例えば、公益通報者が通知を望まない場合、匿名による通報であるため公益通報者への通知が困難である場合等が考えられる。

20

328　第3編　資　料

た様々な方法が考えられる。

- 事業者は、内部公益通報受付窓口の担当者以外の者（いわゆる上司等）が内部公益通報を受ける場合においても、例えば、公益通報者の意向も踏まえつつ当該内部公益通報受付窓口の担当者以外の者が内部公益通報受付窓口に連絡するように教育・周知する等、適正な業務の遂行等に支障がない範囲において何らかの通知[39]がなされるようにすることが求められる。

④　その他に推奨される考え方や具体例

- 通知するまでの具体的な期間を示す（受付から20日以内に調査開始の有無を伝える[40]等）、是正措置等の通知のほかに、例えば、内部公益通報の受付[41]や調査の開始についても通知する[42]等、適正な業務の遂行等に支障が生じない範囲内において、公益通報者に対してより充実した情報提供[43]を行うことが望ましい。

(3)　記録の保管、見直し・改善、運用実績の労働者等及び役員への開示に関する措置

①　指針本文

> イ　内部公益通報への対応に関する記録を作成し、適切な期間保管する。
> ロ　内部公益通報対応体制の定期的な評価・点検を実施し、必要に応じて内部公益通報対応体制の改善を行う。
> ハ　内部公益通報受付窓口に寄せられた内部公益通報に関する運用実績の概要を、適正な業務の遂行及び利害関係人の秘密、信用、名誉、プライバシー等の保護に支障がない範囲において労働者等及び役員に開示する。

②　指針の趣旨

内部公益通報対応体制の在り方は、事業者の規模、組織形態、業態、法令違反行為が発生するリスクの程度、ステークホルダーの多寡、労働者等及び役員並びに退職者の内部公益通報対応体制の活用状況、その時々における社会背景等によって異なり得るものであり、状況に応じて、継続的に改善することが求められる。その

39　例えば、内部公益通報を受けた者が公益通報者の上司等である場合において、公益通報者から単なる報告ではなく公益通報であるとしてその受領の通知を求められている場合には、公益通報者のプライバシー等に配慮しつつ内部公益通報受付窓口にその通報内容を伝え、公益通報者本人にこれを行った旨を通知することも考えられる。

40　書面により内部公益通報をした日から20日を経過しても、事業者から通報対象事実について調査を行う旨の通知がない場合等には、報道機関等への公益通報を行った者は、解雇その他不利益な取扱いからの保護の対象となる（法第3条第3号ホ）。

41　内部公益通報受付窓口を経由する内部公益通報について、書面や電子メール等、公益通報者が通報の到達を確認できない方法によって通報がなされた場合には、速やかに公益通報者に対し、通報を受領した旨を通知することが望ましい。

42　公益通報者が通知を望まない場合、匿名による通報であるため公益通報者への通知が困難である場合その他やむを得ない理由がある場合はこの限りではない。

43　内部公益通報受付窓口にて通報を受け付けた場合、調査が必要であるか否かについて、公正、公平かつ誠実に検討し、今後の対応についても、公益通報者に通知するよう努めることが望ましい。また、調査中は、調査の進捗状況について、被通報者や調査協力者等の信用、名誉及びプライバシー等に配慮しつつ、適宜、公益通報者に通知するとともに、調査結果について可及的速やかに取りまとめ、公益通報者に対して、その調査結果を通知するよう努めることが望ましい。

21

資料4　公益通報者保護法に基づく指針（令和3年内閣府告示第118号）の解説　329

ためには、記録を適切に作成・保管し、当該記録に基づき、評価・点検を定期的に実施し、その結果を踏まえ、組織の長や幹部の責任の下で、対応の在り方の適切さについて再検討する等の措置が必要である。

また、内部公益通報が適切になされるためには、内部公益通報を行うことによって法令違反行為が是正されることに対する労働者等及び役員の期待感を高めることが必要であり、そのためには、個人情報の保護等に十分配慮しつつ、事業者の内部公益通報対応体制が適切に機能していることを示す実績を労働者等及び役員に開示することが必要である。

③　指針を遵守するための考え方や具体例[44]

- 記録の保管期間については、個々の事業者が、評価点検や個別案件処理の必要性等を検討した上で適切な期間を定めることが求められる。記録には公益通報者を特定させる事項等の機微な情報が記載されていることを踏まえ、例えば、文書記録の閲覧やデータへのアクセスに制限を付す等、慎重に保管する必要がある。

- 定期的な評価・点検[45]の方法として、例えば、以下のようなもの等が考えられる。
  - 労働者等及び役員に対する内部公益通報対応体制の周知度等についてのアンケート調査（匿名アンケートも考えられる。）
  - 担当の従事者間における公益通報対応業務の改善点についての意見交換
  - 内部監査及び中立・公正な外部の専門家等による公益通報対応業務の改善点等（整備・運用の状況・実績、周知・研修の効果、労働者等及び役員の制度への信頼度、本指針に準拠していない事項がある場合にはその理由、今後の課題等）の確認

- 運用実績とは、例えば、以下のようなもの等が考えられる。
  - 過去一定期間における通報件数
  - 是正の有無
  - 対応の概要
  - 内部公益通報を行いやすくするための活動状況
  なお、開示の内容・方法を検討する際には、公益通報者を特定させる事態が生じないよう十分に留意する必要がある。

- 運用実績の労働者等及び役員への開示に当たっては、公益通報とそれ以外の通報とを厳密に区別する必要はない。

④　その他に推奨される考え方や具体例

- 各事業者における内部公益通報対応体制の実効性の程度は、自浄作用の発揮

44　内部公益通報対応体制の整備・運用に当たっては、労働者等及び役員の意見・要望を反映したり、他の事業者の優良事例を参照したりする等、労働者等及び役員並びに退職者が安心して通報・相談ができる実効性の高い仕組みを構築することが望ましい。

45　評価・点検の対象には、外部窓口も含む。

330   第3編 資　　料

を通じた企業価値の維持・向上にも関わるものであり、消費者、取引先、労働者
等・役員、株主・投資家、債権者、地域社会等のステークホルダーにとっても重
要な情報であるため、運用実績の概要や内部公益通報対応体制の評価・点検の結
果を、ＣＳＲ報告書やウェブサイト等を活用して開示する等、実効性の高いガバ
ナンス体制を構築していることを積極的に対外的にアピールしていくことが望
ましい。

(4)　内部規程の策定及び運用に関する措置
①　指針本文

> この指針において求められる事項について、内部規程において定め、また、当
> 該規程の定めに従って運用する。

②　指針の趣旨

事業者において、指針に沿った内部公益通報対応体制の整備等を確実に行うに
当たっては、指針の内容を当該事業者において守るべきルールとして明確にし、担
当者が交代することによって対応が変わることや、対応がルールに沿ったものか
否かが不明確となる事態等が生じないようにすることが重要であり、その観点か
らはルールを規程として明確に定めることが必要となる。調査の権限が定められ
ていなければ、例えば、調査の対象者において調査に従うべきか疑義が生じ、実効
的な調査が実施できない場合もある。また、規程に沿って運用がされなければ規程
を定める意味がない。

③　その他に推奨される考え方や具体例
●　内部公益通報の受付から調査・是正措置の実施までを適切に行うため、幹部を
責任者とし、幹部の役割を内部規程等において明文化することが望ましい。
●　労働者等及び役員は、例えば、担当部署による調査に誠実に協力しなければな
らないこと、調査を妨害する行為はしてはならないこと等を、内部規程に明記す
ることが望ましい。

23

資料5　公益通報者保護法を踏まえた国の行政機関の通報対応に関するガイドライン（外部の労働者等からの通報）　331

資料5　公益通報者保護法を踏まえた国の行政機関の通報対応に関するガイドライン（外部の労働者等からの通報）

> 平 成 17 年 7 月 19 日
> 関 係 省 庁 申 合 せ
> 平成 23 年 3 月 18 日一部改正
> 平成 26 年 6 月 23 日一部改正
> 平成 29 年 3 月 21 日一部改正
> 令和 4 年 6 月 1 日一部改正

1．本ガイドラインの意義及び目的

　　「公益通報者保護法の一部を改正する法律」（令和2年法律第51号）により改正された公益通報者保護法（平成16年法律第122号。以下「法」という。）では、通報対象事実について処分又は勧告等をする権限を有する行政機関に対し、外部通報に応じ、適切に対応するために必要な体制の整備その他の必要な措置をとることを義務付けている（法第13条第2項）。

　　国の行政機関が外部の労働者等からの通報に対応する仕組みを整備し、これを適切に運用することは、事業者に対する行政の監督機能の強化並びにそれを契機とした事業者における内部通報制度の整備及び改善に向けた自主的な取組の促進に寄与するなど、事業者の法令遵守の確保につながるものである。

　　また、外部の労働者等からの通報を積極的に活用した情報の早期把握を通じて、国の行政機関が適切な法執行を行っていくことは、国民生活の安定及び社会経済の健全な発展にも資するものである。

　　本ガイドラインは、以上の意義も踏まえて、国の行政機関において、外部の労働者等からの法に基づく公益通報及びその他の法令違反等に関する通報を適切に取り扱うため、各行政機関が取り組むべき基本的事項を定め、もって通報者の保護を図るとともに、事業者の法令遵守を推進することを目的とし、各行政機関においては、本ガイドラインを踏まえながら、各行政機関の実情等も勘案し、法が求める措置をとる必要がある。

2．通報対応の在り方

（1）通報対応の仕組みの整備及び運用

　　①　各行政機関は、外部の労働者等からの通報事案への対応を、通報に関する秘密保持及び個人情報の保護に留意しつつ、迅速かつ適切に行うため、

1

332　第3編　資　　料

その幹部を責任者とし、部署間横断的に通報に対応する仕組みを整備し、これを適切に運用する。

② 各行政機関は、通報対応の仕組みについて、内部規程を作成し公表する。

③ 地方支分部局等を置いている行政機関にあっては、当該通報対応の仕組みの下で、各地方支分部局等においても適切に通報対応を行うための周知、体制整備その他必要な措置をとる。

（2）通報受付窓口の設置

① 各行政機関は、外部の労働者等からの通報を受け付ける窓口（以下「通報窓口」という。）及び通報に関連する相談に応じる窓口を、通報者及び相談者（以下「通報者等」という。）に明確になるよう設置する。

② 通報を受け付ける部局と通報に基づく調査や法令に基づく措置をとる部局等が異なるときは、通報者との連絡が円滑に行われるような措置をとる。

（3）担当者の配置及び育成

① 各行政機関は、当該行政機関の関係する部局に、通報対応に必要な適性及び能力を有する担当者を配置（当該部局の職員を担当者として指定することを含む。）し、所要の知識及び技能の向上を図るための教育、研修等を十分に行う。

（4）秘密保持及び個人情報保護の徹底

① 通報又は相談への対応に関与した者（通報又は相談への対応に付随する職務等を通じて、通報又は相談に関する秘密を知り得た者を含む。以下同じ。）は、通報又は相談に関する秘密を漏らしてはならない。

② 通報又は相談への対応に関与した者は、知り得た個人情報の内容をみだりに他人に知らせ、又は不当な目的に利用してはならない。

③ 各行政機関は、通報又は相談に関する秘密保持及び個人情報保護の徹底を図るため、通報対応の各段階（3．に規定するもののほか、相談及び通報対応終了後の段階を含む。以下同じ。）において遵守すべき事項をあらかじめ取り決めて、通報又は相談への対応に関与する者に対して十分に周知する。この場合、以下に掲げる事項については、特に十分な措置をとる。
ア．情報を共有する範囲及び共有する情報の範囲を必要最小限に限定すること

2

資料5 公益通報者保護法を踏まえた国の行政機関の通報対応に関するガイドライン（外部の労働者等からの通報）　333

　　イ．通報者等の特定につながり得る情報（通報者等の氏名、所属等の個人
　　　情報のほか、調査が通報を端緒としたものであること、通報者等しか知
　　　り得ない情報等を含む。以下同じ。）については、調査等の対象となる事
　　　業者に対して開示しないこと（通報対応を適切に行う上で真に必要な最
　　　小限の情報を、ウ．に規定する同意を取得して開示する場合を除く。）

　　ウ．通報者等の特定につながり得る情報を、情報共有が許される範囲外に
　　　開示する場合には、通報者等の書面、電子メール等による明示の同意を
　　　取得すること

　　エ．ウ．に規定する同意を取得する際には、開示する目的及び情報の範囲
　　　並びに当該情報を開示することによって生じ得る不利益について、明確
　　　に説明すること

　　オ．通報者等本人からの情報流出によって通報者等が特定されることを防
　　　ぐため、通報者等に対して、情報管理の重要性について十分に理解させ
　　　ること

（5）利益相反関係の排除
　①　各行政機関の職員は、自らが関係する通報事案への対応に関与してはな
　　らない。

　②　各行政機関は、通報対応の各段階において、通報事案への対応に関与す
　　る者が当該通報事案に利益相反関係を有していないかどうかを確認する。

（6）通報対象の範囲
　　通報窓口においては、法第2条第3項に規定する通報対象事実（以下「通報
　対象事実」という。）が生じ、又はまさに生じようとしている場合における通
　報のほか、（8）に規定する通報を受け付ける。

（7）通報者の範囲
　　通報窓口では、通報対象事実又はその他の法令違反等の事実に関係する事業
　者に雇用されている労働者又は通報の日前1年以内に当該労働者であった者、
　当該事業者を派遣先とする派遣労働者又は通報の日前1年以内に当該派遣労
　働者であった者、当該事業者の取引先の労働者又は通報の日前1年以内に当該
　労働者であった者、当該事業者の役員のほか、当該事業者の法令遵守を確保す
　る上で必要と認められるその他の者からの通報を受け付ける。

（8）公益通報以外の通報の取扱い
　①　各行政機関は、法に基づく公益通報以外の通報であっても、以下に掲げ

3

る場合には、法に基づく公益通報に準ずる通報として、法第 13 条第 1 項に規定する必要な調査を行い、通報対象事実又はその他の法令違反の事実があると認めるときは、法令に基づく措置その他適当な措置をとる。

ア．（7）に掲げる事業者の法令遵守を確保する上で必要と認められるその他の者が、通報対象事実が生じ、又はまさに生じようとしている旨を、当該通報対象事実について処分又は勧告等をする権限を有する行政機関に対し、法第 3 条第 2 号に掲げる要件（（ⅰ）通報対象事実が生じ、若しくはまさに生じようとしていると信ずるに足りる相当の理由がある場合（以下「真実相当性の要件」という。）、又は（ⅱ）通報対象事実が生じ、若しくはまさに生じようとしていると思料し、かつ、法第 3 条第 2 号イからニまでに掲げる事項を記載した書面を提出する場合（以下、（ⅰ）と（ⅱ）を併せて「保護要件」という。））を満たして通報するものである場合

イ．（7）に掲げる者が、通報対象事実以外の法令違反の事実が生じ、又はまさに生じようとしている旨を、当該法令違反の事実について処分又は勧告等をする権限を有する行政機関に対し、保護要件を満たして通報するものである場合

②　①のほか、各行政機関は、法令遵守を図るため、法に基づく公益通報以外の通報を受け付けることができる。この場合において、通報対象となる事実や通報者の範囲、通報対応手続その他必要な事項については、法及び本ガイドラインの趣旨を踏まえ、各行政機関が別に定める。

（9）匿名による通報の取扱い

各行政機関は、通報に関する秘密保持及び個人情報保護の徹底を図るとともに、通報対応の実効性を確保するため、匿名による通報についても、可能な限り、実名による通報と同様の取扱いを行うよう努める。この場合、各行政機関は、通報者と通報窓口担当者との間で、適切に情報の伝達を行い得る仕組みを整備するよう努める。

３．通報への対応

（1）通報の受付と教示

①　各行政機関に通報があったときは、法及び本ガイドラインの趣旨を踏まえ、誠実かつ公正に通報に対応しなければならず、正当な理由なく通報の受付又は受理を拒んではならない。

②　各行政機関において通報を受け付けたときは、通報に関する秘密保持及び個人情報の保護に留意しつつ、通報者の氏名及び連絡先（匿名による通報の場合を除く。）、通報の内容となる事実等を把握するとともに、通報に関する秘密は保持されること、個人情報は保護されること、通報受付後の手続の流れ等を、通報者に対し説明する。ただし、通報者が説明を望まない場合、匿名による通報であるため通報者への説明が困難である場合その他やむを得ない理由がある場合はこの限りでない（以下、（1）③及び⑤、（2）④、（5）①及び②に規定する通知、（1）④に規定する教示、（3）に規定する教示及び資料の提供においても、同様とする。）。

③　②において、書面、電子メール等、通報者が通報の到着を確認できない方法によって通報がなされた場合には、速やかに通報者に対して通報を受領した旨を通知するよう努める。

④　通報内容となる事実について、当該行政機関が権限を有しないときは、権限を有する行政機関を、通報者に対し、遅滞なく教示する。

⑤　各行政機関において通報を受け付けた後は、法及び本ガイドラインの趣旨並びに当該行政機関の所管法令及び所掌事務を踏まえて当該通報に対応する必要性について十分に検討し、これを法に基づく公益通報又はそれに準ずる通報等として受理したときは受理した旨を、受理しないとき（情報提供として受け付けることを含む。）は受理しない旨及びその理由を、通報者に対し、遅滞なく通知しなければならない。

⑥　⑤において、通報への対応の必要性について検討するに当たっては、真実相当性の要件については、通報内容を裏付ける内部資料、関係者による供述等の存在のみならず、通報者本人による供述内容の具体性、迫真性等によっても認められ得ることを十分に踏まえ、柔軟かつ適切に対応する。
　　また、通報が真実相当性の要件を満たしているかどうかが直ちに明らかでない場合においても、個人の生命、身体、財産その他の利益に重大な影響を及ぼす可能性が認められる場合には、同様に対応する。

（2）調査の実施
①　各行政機関において通報を受理した後は、必要な調査を行う。

②　調査の実施に当たっては、通報に関する秘密を保持するとともに、個人情報を保護するため、通報者が特定されないよう十分に留意しつつ、遅滞

なく、必要かつ相当と認められる方法で行う。

③　調査の方法、内容等の適正性を確保するとともに、調査の適切な進捗を図るため、通報対応の仕組みの整備及び運用に責任を有する幹部等が調査について適宜確認を行う等の方法により、通報事案を適切に管理する。

④　適切な法執行の確保及び利害関係人の営業秘密、信用、名誉、プライバシー等の保護に支障がある場合を除き、調査中は、調査の進捗状況について、通報者に対し、適宜通知するとともに、調査結果は可及的速やかに取りまとめ、その結果を、遅滞なく通知する。

（3）受理後の教示

通報事案の受理後において、当該行政機関ではなく他の行政機関が処分又は勧告等をする権限を有することが明らかになったときは、権限を有する行政機関を、通報者に対し、遅滞なく教示する。この場合において、当該教示を行う行政機関は、適切な法執行の確保及び利害関係人の営業秘密、信用、名誉、プライバシー等の保護に支障がない範囲において、自ら作成した当該通報事案に係る資料を通報者に提供する。

（4）調査結果に基づく措置の実施

各行政機関は、調査の結果、通報対象事実又はその他の法令違反等の事実があると認めるときは、速やかに、法令に基づく措置その他適当な措置（以下「措置」という。）をとる。

（5）通報者への措置の通知

①　各行政機関が措置をとったときは、その内容を、適切な法執行の確保及び利害関係人の営業秘密、信用、名誉、プライバシー等の保護に支障がない範囲において、通報者に対し、遅滞なく通知する。

②　各行政機関は、通報の受理から通報対応の終了までに要する標準的な期間を定め、又は必要と見込まれる期間を、通報者に対し、遅滞なく通知するよう努める。

（6）意見又は苦情への対応

各行政機関は、通報対応に関して通報者等から意見又は苦情の申出を受けたときは、迅速かつ適切に対応するよう努める。

4．通報者等の保護

(1) 通報者等の保護

　各行政機関は、正当な理由なく、通報又は相談に関する秘密を漏らした職員及び知り得た個人情報の内容をみだりに他人に知らせ、又は不当な目的に利用した職員に対し、懲戒処分その他適切な措置をとる。

(2) 通報者のフォローアップ

　各行政機関は、通報対応の終了後においても、通報者からの相談等に適切に対応するとともに、通報者が、通報したことを理由として、事業者から解雇その他不利益な取扱いを受けていることが明らかになった場合には、消費者庁の公益通報者保護制度相談ダイヤル等を紹介するなど、通報者保護に係る必要なフォローアップを行うよう努める。

５．その他

(1) 通報関連資料の管理

　各行政機関は、各通報事案への対応に係る記録及び関係資料について、適切な保存期間を定めた上で、通報に関する秘密保持及び個人情報の保護に留意して、適切な方法で管理しなければならない。

(2) 職員への周知

　各行政機関は、幹部職員等のリーダーシップの下、職員に対する定期的な研修の実施、説明会の開催その他適切な方法により、法及び本ガイドラインの内容、当該行政機関における通報対応の仕組み等について、全ての職員に対し、十分に周知する。

(3) 事業者及び労働者等への周知等

　① 　各行政機関は、当該行政機関の所管事業に係る事業者及び労働者等に対する広報の実施、説明会の開催その他適切な方法により、法、「公益通報者保護法第11条第１項及び第２項の規定に基づき事業者がとるべき措置に関して、その適切かつ有効な実施を図るために必要な指針」（令和３年８月20日内閣府告示第118号。以下「指針」という。）及び「公益通報者保護法に基づく指針（令和３年内閣府告示第118号）の解説」（令和３年10月13日消費者庁。以下「指針の解説」という。）の内容並びに当該行政機関における通報窓口、通報対応の仕組み等について、周知するよう努める。

　② 　各行政機関は、当該行政機関の契約の相手方又は補助金等の交付先（以下「相手方事業者」という。）における法令遵守及び不正防止を図るために必要と認められる場合（過去に不正が発生し同種の事案の再発防止の必要性が高い場合、事業者の専門性に大きく依存する事業など外部からの監

督だけでは不正の発見が困難な場合、不正が発生すると個人の生命、身体、財産その他の利益が侵害されるおそれがある場合など。）には、相手方事業者に対して、法、指針及び指針の解説に基づく取組の実施を求めることなどに努める。

（4）協力義務等
① 各行政機関及び職員は、本ガイドラインに定める通報について、他の行政機関その他公の機関から調査等の協力を求められたときは、正当な理由がある場合を除き、必要な協力を行う。

② 各行政機関は、通報対象事実又はその他の法令違反等の事実に関し、処分又は勧告等をする権限を有する行政機関が複数ある場合においては、連携して調査を行い、措置をとるなど、相互に緊密に連絡し協力する。

③ 各行政機関は、所管法令に違反する事実について処分又は勧告等をする権限を他の行政機関に委任等をしている場合において、当該所管法令違反の事実に関する通報がなされたときは、通報に関する秘密保持及び個人情報の保護に留意しつつ、当該他の行政機関と通報及び通報への対応状況に関する情報を共有し、通報対応への助言を行うなど、適切な法執行を確保するために必要な協力、支援等（委任庁が受任庁に対して指揮監督権限を有する場合においては、当該権限の適切な行使も含む。）を行う。

（5）通報対応の評価及び改善
① 通報対応の仕組みの運用状況についての透明性を高めるとともに、客観的な評価を行うことを可能とするため、各行政機関は、通報に関する秘密保持及び個人情報の保護並びに適切な法執行の確保及び利害関係人の営業秘密、信用、名誉、プライバシー等の保護に支障がない範囲において、当該行政機関における通報対応の仕組みの運用状況に関する情報（例えば、通報受付件数、通報事案の概要、通報事案の調査結果の概要、調査の結果とった措置、調査対応状況の概要、通報対応に要した期間等）を、定期的に公表する。

② 各行政機関は、通報対応の仕組みの運用状況について、職員及び中立的な第三者の意見等を踏まえて定期的に評価及び点検を行うとともに、他の行政機関による先進的な取組事例等も参考にした上で、通報対応の仕組みを継続的に改善するよう努める。

（6）消費者庁の役割等
① 消費者庁は、国の行政機関における通報対応の仕組みの適切な整備及び運用を図るため、又は個別の通報事案に対する適切な対応を確保するため

資料5　公益通報者保護法を踏まえた国の行政機関の通報対応に関するガイドライン（外部の労働者等からの通報）　339

に必要があると認めるときは、通報に関する秘密保持及び個人情報の保護に留意しつつ、各行政機関に対し、資料の提出、説明その他必要な協力を求めることができる。

②　消費者庁は、法の施行状況を把握するため、国の行政機関における通報窓口の設置及び運用状況、通報への対応状況、職員への研修の実施状況等について調査を行い、その結果を公表する。

③　消費者庁は、通報対応の仕組みの適切な整備及び運用に関して、各行政機関の職員への周知、研修等並びに事業者及び労働者等への広報、説明会等を実施するとともに、各行政機関が当該行政機関の職員並びに所管事業に係る事業者及び労働者等に対して同様の取組を行うに際して、資料の提供、説明その他必要な協力を行う。

340　第3編　資　料

資料6　公益通報者保護法を踏まえた国の行政機関の通報対応に関するガイドライン（内部の職員等からの通報）

> 平成 17 年 7 月 19 日
> 関 係 省 庁 申 合 せ
> 平成 26 年 6 月 23 日一部改正
> 平成 29 年 3 月 21 日一部改正
> 令和 4 年 6 月 1 日一部改正

1．本ガイドラインの意義等

（1）本ガイドライン改正の経緯と内容

　公益通報者保護法（平成 16 年法律第 122 号。以下「法」という。）は、令和2 年改正前においては、事業者（国の行政機関を含む。以下同じ。）に対し、内部公益通報への対応体制整備を義務付けてはいなかったところ、国の行政機関における内部通報への対応体制については、国の行政機関による申合せにより「公益通報者保護法を踏まえた国の行政機関の通報対応に関するガイドライン（内部の職員等からの通報）」（平成 17 年 7 月 19 日関係省庁申合せ。以下「国の行政機関向けガイドライン（内部通報用）」という。）を策定し、各行政機関は、同ガイドラインを踏まえて内部公益通報への対応体制等を含む通報への対応の在り方を定めてきた。

　令和2 年6 月に成立した「公益通報者保護法の一部を改正する法律」（令和2 年法律第 51 号）により改正された法において、公益通報対応業務従事者を定めること（法第 11 条第 1 項）及び事業者内部における公益通報に応じ、適切に対応するために必要な体制の整備その他の必要な措置をとること（法第11 条第 2 項）を事業者に義務付けており（常時使用する労働者の数が 300 人以下の事業者については努力義務）、さらに、その適切かつ有効な実施を図るために必要な事項を定めた「公益通報者保護法第 11 条第 1 項及び第 2 項の規定に基づき事業者がとるべき措置に関して、その適切かつ有効な実施を図るために必要な指針」（令和 3 年内閣府告示第 118 号。以下「指針」という。）が策定された。

　指針は、事業者における内部公益通報対応体制等の具体的な内容について定めており、国の行政機関向けガイドライン（内部通報用）が定める事項と重複しているため、同ガイドラインに指針により新たに義務付けられた事項を付記する等、指針との整合性を確保するために必要最小限の修正を行い、その他の

1

資料6 公益通報者保護法を踏まえた国の行政機関の通報対応に関するガイドライン（内部の職員等からの通報）　341

事項については同ガイドラインの規定をそのまま維持している。

　国の行政機関は、本ガイドラインを踏まえながら、各行政機関の実情等も勘案し、法及び指針が求める措置を講ずる必要がある。また、指針が求める事項の検討に当たっては「公益通報者保護法に基づく指針（令和3年内閣府告示第118号）の解説」（令和3年10月13日消費者庁。以下「指針の解説」という。）も踏まえる必要がある。

（2）内部公益通報制度の意義

　国の行政機関が職員等（法第2条第1項に定める役務提供先等への通報が内部通報となり得る者。以下同じ。）からの通報に対応する仕組みを整備し、これを適切に運用することは、内部監査機能の強化及び組織の自浄作用の向上に寄与するなど、国の行政機関の法令遵守の確保につながるものである。

　また、職員等からの通報を積極的に活用したリスク管理等を通じて、国の行政機関が適切に行政事務を遂行していくことは、公務に対する国民の信頼の確保並びに国民生活の安定及び社会経済の健全な発展にも資するものである。

　以上の意義も踏まえ、国の行政機関において、職員等からの法令違反等に関する通報を適切に取り扱い、通報者の保護を図るとともに、国の行政機関の法令遵守を推進することが求められる。

　なお、本ガイドラインにおいて使用されている用語は、本ガイドラインにおいて定義されている用語を除き、指針及び指針の解説の例による。

２．通報対応の在り方

（1）内部公益通報対応体制の整備及び運用

　①　各行政機関は、内部公益通報を部署間横断的に受け付ける窓口（以下「内部公益通報受付窓口」という。）を設置し、当該窓口に寄せられる内部公益通報を受け、調査をし、是正に必要な措置をとる部署及び責任者を明確に定める。なお、責任者は幹部とする。

　②　各行政機関は、法、指針及び本ガイドラインにおいて求められる事項について、内部規程を作成し、また、当該規程の定めに従って運用する。

　③　地方支分部局等を置いている行政機関にあっては、当該行政機関が定める内部公益通報対応体制の下で、各地方支分部局等においても適切に通報対応を行うための周知、体制整備その他必要な措置をとる。

　④　内部公益通報体制の整備及び運用にあたっては、指針の解説に掲げる事項も踏まえた上で、各行政機関の実情に応じて最も適切と考えられる方法により行う。

2

342　第3編　資　料

（2）総合的な窓口の設置
　　①　各行政機関は、内部公益通報受付窓口を、全部局の総合調整を行う部局又はコンプライアンスを所掌する部局等に設置する。この場合、各行政機関は、当該行政機関内部の内部公益通報受付窓口に加えて、外部に弁護士等を配置した内部公益通報受付窓口を設けるよう努める。

　　②　各行政機関は、職員等から寄せられる、内部公益通報対応体制の仕組みや不利益な取扱い（通報又は相談をしたことを理由として行われる懲戒処分その他不利益な取扱い（嫌がらせ等の事実上の行為を含む。）をいう。以下同じ。）、その他通報に関連する質問・相談に応じる窓口を設置し、これらに対応する。

　　③　各行政機関は、内部公益通報受付窓口において受け付ける内部公益通報に係る公益通報対応業務に関して、組織の長その他幹部に関係する事案については、これらの者からの独立性を確保する措置をとる。

（3）公益通報対応業務従事者の配置及び育成
　　①　各行政機関は、内部公益通報受付窓口において受け付ける内部公益通報に関して公益通報対応業務を行う者であり、かつ、当該業務に関して公益通報者を特定させる事項を伝達される者を、公益通報対応業務従事者（以下「従事者」という。）として定める。

　　②　各行政機関は、従事者を定める際には、書面により指定をするなど、従事者の地位に就くことが従事者となる者自身に明らかとなる方法により定める。

　　③　各行政機関は、公益通報対応業務に必要な適性及び能力を有する者を従事者として定める。

　　④　各行政機関は、従事者に対し、所要の知識及び技能の向上を図るための教育、研修等を十分に行い、公益通報者を特定させる事項の取扱いについては特に十分に教育を行う。

（4）範囲外共有等の防止、秘密保持及び個人情報保護の徹底
　　①　各行政機関は、職員等（法第2条第1項に定める「代理人その他の者」を含み、退職者は除く。②においても同じ。）が公益通報者を特定させる事項を必要最小限の範囲を超えて共有すること（以下「範囲外共有」という。）を防ぐための措置をとり、範囲外共有が行われた場合には、適切な救済・回復の措置をとる。

3

資料6　公益通報者保護法を踏まえた国の行政機関の通報対応に関するガイドライン（内部の職員等からの通報）　343

　　② 　各行政機関は、職員等が、公益通報者を特定した上でなければ必要性の
　　　　高い調査が実施できないなどのやむを得ない場合を除いて、公益通報者を
　　　　特定しようとする行為（以下「通報者の探索」という。）を行うことを防
　　　　ぐ措置をとる。

　　③ 　①及び②に加え、各行政機関は、秘密保持及び個人情報の保護のために
　　　　次の事項を徹底する。
　　　ア．通報又は相談への対応に関与した者（通報又は相談への対応に付随す
　　　　　る職務等を通じて、通報又は相談に関する秘密を知り得た者を含む。以
　　　　　下同じ。）は、通報又は相談に関する秘密を漏らしてはならないこと。

　　　イ．通報又は相談への対応に関与した者は、知り得た個人情報の内容をみ
　　　　　だりに他人に知らせ、又は不当な目的に利用してはならないこと。

　　④ 　各行政機関は、通報又は相談に関する秘密保持及び個人情報保護の徹底
　　　　を図るため、通報対応の各段階（3．に規定するもののほか、相談及び通
　　　　報対応終了後の段階を含む。以下同じ。）において遵守すべき事項をあら
　　　　かじめ取り決めて、通報又は相談への対応に関与する者に対して十分に周
　　　　知する。

（5）利益相反関係の排除
　　① 　各行政機関は、内部公益通報受付窓口において受け付ける内部公益通報
　　　　に関し行われる公益通報対応業務について、事案に関係する者を公益通報
　　　　対応業務に関与させない措置をとる。

　　② 　各行政機関は、通報対応の各段階において、公益通報対応業務に関与す
　　　　る者が通報事案に利益相反関係を有していないかどうかを確認する。

（6）通報対象の範囲
　　各行政機関が設置した内部公益通報受付窓口において受け付ける通報は、以
　下のとおりとする。
　　ア．当該行政機関（当該行政機関の事業に従事する場合における職員等（法
　　　　第2条第1項に定める「代理人その他の者」を含み、退職者は除く。））に
　　　　ついての法令違反行為（当該法令違反行為が生ずるおそれを含む。）

　　イ．ア．のほか適正な業務の推進のために各行政機関において定める事実

（7）通報者の範囲
　　① 　各行政機関が設置した内部公益通報受付窓口では、職員等のほか、当該
　　　　行政機関の法令遵守を確保する上で必要と認められるその他の者からの

4

344　第3編　資　　料

　　通報を受け付ける。

　②　各行政機関が設置した内部公益通報受付窓口では、①に掲げる者のほか、国民等からの通報も受け付けることができる。この場合の通報対応の手続については、法、指針及び本ガイドラインの趣旨を踏まえ、当該行政機関が別に定める。

（8）匿名による通報の取扱い

　各行政機関は、通報に関する秘密保持及び個人情報保護の徹底を図るとともに、通報対応の実効性を確保するため、匿名による通報についても、実名による通報と同様の取扱いを行う。この場合、各行政機関は、通報者との間で、適切に情報の伝達を行い得る仕組みを整備する。

③．通報への対応

（1）通報の受付

　①　各行政機関に通報があったときは、法、指針及び本ガイドラインを踏まえ、誠実かつ公正に通報に対応しなければならず、通報の受付を拒んではならない。

　②　各行政機関において通報を受け付けたときは、通報に関する秘密保持及び個人情報の保護に留意しつつ、通報者の氏名及び連絡先（匿名による通報の場合を除く。）、通報の内容となる事実等を把握するとともに、通報者に対して不利益な取扱いは行われないこと、通報に関する秘密は保持されること、個人情報は保護されること、通報受付後の手続の流れ等を、通報者に対し説明する。ただし、通報者が説明を望まない場合、匿名による通報であるため通報者への説明が困難である場合その他やむを得ない理由がある場合はこの限りでない（以下、（1）③及び④、（2）①及び④、（4）①及び②に規定する通知においても、同様とする。）。

　③　②において、書面、電子メール等、通報者が通報の到着を確認できない方法によって通報がなされた場合には、速やかに通報者に対して通報を受け付けた旨を通知するよう努める。

　④　各行政機関において通報を受け付けた後は、法、指針及び本ガイドラインを踏まえて当該通報に対応する必要性について十分に検討し、これを受理したときは受理した旨を、受理しないときは受理しない旨及びその理由を、通報者に対し、遅滞なく通知しなければならない。

（2）調査の実施

資料6 公益通報者保護法を踏まえた国の行政機関の通報対応に関するガイドライン（内部の職員等からの通報） 345

①　各行政機関において通報を受理した後は、調査の必要性を十分に検討し、指針第4．1（3）に定める正当な理由がある場合を除いて、必要な調査を実施する。また、適正な業務の遂行及び利害関係人の秘密、信用、名誉、プライバシー等の保護に支障がある場合を除き、調査を行う場合はその旨及び着手の時期を、調査を行わない場合はその旨及び理由を、通報者に対し、遅滞なく通知しなければならない。

②　調査の実施に当たっては、通報に関する秘密を保持するとともに、個人情報を保護するため、通報者が特定されないよう十分に留意しつつ、遅滞なく、必要かつ相当と認められる方法で行う。

③　調査の方法、内容等の適正性を確保するとともに、調査の適切な進捗を図るため、内部公益通報対応体制の整備及び運用に責任を有する幹部等が調査について適宜確認を行う等の方法により、通報事案を適切に管理する。

④　適正な業務の遂行及び利害関係人の秘密、信用、名誉、プライバシー等の保護に支障がある場合を除き、調査中は、調査の進捗状況について、通報者に対し、適宜通知するとともに、調査結果は可及的速やかに取りまとめ、その結果を、遅滞なく通知する。

（3）調査結果に基づく措置の実施等

　各行政機関は、調査の結果、法令違反等の事実が明らかになったときは、速やかに是正措置、再発防止策等（以下「是正措置等」という。）をとるとともに、必要があるときは、関係者の処分を行う。

（4）通報者への是正措置等の通知

①　各行政機関が是正措置等をとったときはその内容を、内部公益通報に係る通報対象事実がないときはその旨を、適正な業務の遂行及び利害関係人の秘密、信用、名誉、プライバシー等の保護に支障がない範囲において、通報者に対し、速やかに通知する。

②　各行政機関は、通報の受理から通報対応の終了までに要する標準的な期間を定め、又は必要と見込まれる期間を、通報者に対し、遅滞なく通知するよう努める。

（5）関係事項の公表

　各行政機関は、必要と認める事項を、適宜公表する。

（6）是正措置等の実効性評価

　各行政機関は、通報対応終了後、是正措置等が当該行政機関において十分に

6

346　第3編　資　料

機能していることを適切な時期に確認し、必要があると認めるときは、新たな是正措置その他の改善を行う。

（7）意見又は苦情への対応

　各行政機関は、通報対応に関して通報者又は相談者（以下「通報者等」という。）から意見又は苦情の申出を受けたときは、迅速かつ適切に対応するよう努める。

4．通報者等の保護

（1）通報者等の保護

　①　各行政機関は、職員等（法第2条第1項に定める「代理人その他の者」を含み、退職者は除く。②においても同じ。）が、通報者等に対し、不利益な取扱いを行うことを防ぐ措置をとる。

　②　各行政機関は、通報者等に対し不利益な取扱いを行った者に対し、行為態様、被害の程度、その他情状等の諸般の事情を考慮して、懲戒処分その他適切な措置をとる。範囲外共有や通報者の探索を行った職員等、正当な理由なく、通報又は相談に関する秘密を漏らした職員等及び知り得た個人情報の内容をみだりに他人に知らせ、又は不当な目的に利用した職員等についても同様とする。

（2）通報者のフォローアップ

　各行政機関は、通報対応の終了後、通報者に対し、不利益な取扱いが行われていないかを適宜確認するなど、通報者保護に係る十分なフォローアップを行う。その結果、不利益な取扱いが認められる場合には、適切な救済・回復の措置をとる。

（3）職員への救済制度の周知

　各行政機関は、職員が、不利益な取扱いの内容等に応じて、人事院に対する不利益処分についての審査請求（国家公務員法（昭和22年法律第120号）第90条）、勤務条件に関する行政措置の要求（同法第86条）、苦情相談制度等を利用することができる旨を周知する。

5．その他

（1）通報関連資料の管理

　各行政機関は、各通報事案への対応に係る記録及び関係資料を作成し、これらについて、適切な保存期間を定めた上で、通報に関する秘密保持及び個人情報の保護に留意して、適切な方法で管理しなければならない。

7

資料6 公益通報者保護法を踏まえた国の行政機関の通報対応に関するガイドライン（内部の職員等からの通報） 347

（2）職員等への周知

① 各行政機関は、幹部職員等のリーダーシップの下、職員等に対する定期的な研修の実施、説明会の開催その他適切な方法により、法、指針及び本ガイドラインの内容、当該行政機関における内部公益通報受付窓口、内部公益通報対応体制等について、全ての職員等に対し、十分に教育・周知する。

② 各行政機関は、通報者の上司である職員が通報を受けた場合、当該職員が自ら行える範囲で必要に応じ調査を行うとともに、当該職員の上司への報告、内部公益通報受付窓口への通報その他適切な措置を遅滞なくとるべき旨を周知する。なお、この場合の上司については、必ずしも職制上直接に指揮監督を行う地位にある者であることを要しない。

③ 各行政機関は、内部公益通報受付窓口及び内部公益通報対応体制に対する職員等（退職者は除く。本項において同じ。）の信頼性の向上を図るため、通報に関する秘密保持及び個人情報の保護並びに適正な業務の遂行及び利害関係人の秘密、信用、名誉、プライバシー等の保護に支障が生じない範囲において、その運用実績の概要を職員等に周知する。

（3）協力義務

① 各行政機関の職員は、正当な理由がある場合を除き、通報に関する調査に誠実に協力する。

② 各行政機関及びその職員は、本ガイドラインに定める通報について、他の行政機関その他公の機関から調査等の協力を求められたときは、正当な理由がある場合を除き、必要な協力を行う。

（4）通報対応の評価及び改善

① 内部公益通報対応体制の運用状況についての透明性を高めるとともに、客観的な評価を行うことを可能とするため、各行政機関は、通報に関する秘密保持及び個人情報の保護並びに適正な業務の遂行及び利害関係人の秘密、信用、名誉、プライバシー等の保護に支障が生じない範囲において、当該行政機関における内部公益通報対応体制等の運用状況に関する情報（例えば、通報受付件数、通報事案の概要、通報事案の調査結果の概要、調査の結果とった措置、調査対応状況の概要、通報対応に要した期間等）を、定期的に公表する。

② 各行政機関は、内部公益通報対応体制等の運用状況について、職員等及び中立的な第三者の意見等を踏まえて定期的に評価及び点検を行うとと

8

348 第3編 資　料

もに、指針の解説や事業者による先進的な取組事例等も参考にした上で、必要に応じて、内部公益通報対応体制を継続的に改善する。

（5）消費者庁の役割等

① 消費者庁は、国の行政機関における内部公益通報対応体制の適切な整備及び運用を図るため、又は個別の通報事案に対する適切な対応を確保するために必要があると認めるときは、通報に関する秘密保持及び個人情報の保護に留意しつつ、各行政機関に対し、資料の提出、説明その他必要な協力を求めることができる。

② 消費者庁は、法の施行状況を把握するため、国の行政機関における内部公益通報受付窓口の設置及び運用状況、通報への対応状況、職員等への研修の実施状況等について調査を行い、その結果を公表する。

③ 消費者庁は、内部公益通報対応体制の適切な整備及び運用に関して、各行政機関の職員への周知、研修等を実施するとともに、各行政機関が当該行政機関の職員等に対して同様の取組を行うに際して、資料の提供、説明その他必要な協力を行う。

資料7　公益通報者保護法を踏まえた地方公共団体の通報対応に関するガイドライン（外部の労働者等からの通報）　349

資料7　公益通報者保護法を踏まえた地方公共団体の通報対応に関するガイドライン（外部の労働者等からの通報）

令和4年6月1日
消　費　者　庁

1．本ガイドラインの意義及び目的

　「公益通報者保護法の一部を改正する法律」（令和2年法律第51号）により改正された公益通報者保護法（平成16年法律第122号。以下「法」という。）では、通報対象事実について処分又は勧告等をする権限を有する行政機関に対し、外部通報に応じ、適切に対応するために必要な体制の整備その他の必要な措置をとることを義務付けている（法第13条第2項）。

　地方公共団体が国の行政機関との連携を図りつつ、外部の労働者等からの通報に対応する仕組みを整備し、これを適切に運用することは、事業者に対する行政の監督機能の強化並びにそれを契機とした事業者における内部通報制度の整備及び改善に向けた自主的な取組の促進に寄与するなど、事業者の法令遵守の確保につながるものである。

　また、外部の労働者等からの通報を積極的に活用した情報の早期把握を通じて、地方公共団体が適切な法執行を行っていくことは、地域住民の生活の安定及び社会経済の健全な発展にも資するものである。

　本ガイドラインは、以上の意義も踏まえて、地方公共団体において、外部の労働者等からの法に基づく公益通報及びその他の法令違反等に関する通報を適切に取り扱うため、各地方公共団体において取り組むことが求められる基本的事項等を定め、もって通報者の保護を図るとともに、事業者の法令遵守を推進することを目的とし、各地方公共団体においては、本ガイドラインを踏まえながら、各地方公共団体の実情等も勘案し、法が求める措置を講ずる必要がある。

　なお、本ガイドラインは、地方自治法（昭和22年法律第67号）第245条の4第1項の規定に基づく技術的な助言として位置付けられるものであり、各地方公共団体において一層充実した通報対応の仕組みを整備及び運用すること、又は各地方公共団体の規模等の実情に応じた適切な取組を行うことを妨げるものではない。

　また、本ガイドラインにおいて「法令」とは、各地方公共団体が制定する条例、規則その他の規程を含むものとする。

2．通報対応の在り方

（1）通報対応の仕組みの整備及び運用

350 第3編 資　料

① 　各地方公共団体は、外部の労働者等からの通報事案への対応を、通報に関する秘密保持及び個人情報の保護に留意しつつ、迅速かつ適切に行うため、その幹部を責任者とし、部署間横断的に通報に対応する仕組みを整備し、これを適切に運用する。

② 　各地方公共団体は、通報対応の仕組みについて、内部規程（条例を含む。）を作成し公表する。

③ 　支庁、地方事務所、支所、出張所等（以下「出先機関等」という。）を置いている地方公共団体にあっては、当該通報対応の仕組みの下で、各出先機関等においても適切に通報対応を行うための周知、体制整備その他必要な措置をとる。

（2）通報受付窓口の設置

① 　各地方公共団体は、外部の労働者等からの通報を受け付ける窓口（以下「通報窓口」という。）及び通報に関連する相談に応じる窓口（以下「相談窓口」という。）を、通報者及び相談者（以下「通報者等」という。）に明確になるよう設置する。

② 　人員、予算等の制約により専用の通報窓口又は相談窓口を設置することが困難な地方公共団体にあっては、通報に関する秘密保持及び個人情報の保護に留意した上で、当該地方公共団体に設置された総合窓口、公聴窓口、消費生活センター又は消費生活相談窓口等を通報窓口又は相談窓口として活用することができる。

③ 　人員、予算等の制約により単独で通報窓口又は相談窓口を設置することが困難な地方公共団体にあっては、通報に関する秘密保持及び個人情報の保護に留意した上で、他の地方公共団体と連携及び協力して事務を行う仕組み（例えば、協議会の設置、機関等の共同設置、事務の委託又は代替執行等）を活用して通報窓口又は相談窓口を設置することができる。

④ 　通報を受け付ける部局と通報に基づく調査や法令に基づく措置をとる部局等が異なるときは、通報者との連絡が円滑に行われるような措置をとる。

（3）担当者の配置及び育成

　各地方公共団体は、当該地方公共団体の関係する部局に、通報対応に必要な適性及び能力を有する担当者を配置（当該部局の職員を担当者として指定することを含む。）し、所要の知識及び技能の向上を図るための教育、研修等を十分に行う。

資料7 公益通報者保護法を踏まえた地方公共団体の通報対応に関するガイドライン（外部の労働者等からの通報）　351

（4）秘密保持及び個人情報保護の徹底

① 通報又は相談への対応に関与した者（通報又は相談への対応に付随する職務等を通じて、通報又は相談に関する秘密を知り得た者を含む。以下同じ。）は、通報又は相談に関する秘密を漏らしてはならない。

② 通報又は相談への対応に関与した者は、知り得た個人情報の内容をみだりに他人に知らせ、又は不当な目的に利用してはならない。

③ 各地方公共団体は、通報又は相談に関する秘密保持及び個人情報保護の徹底を図るため、通報対応の各段階（3．に規定するもののほか、相談及び通報対応終了後の段階を含む。以下同じ。）において遵守すべき事項をあらかじめ取り決めて、通報又は相談への対応に関与する者に対して十分に周知する。この場合、以下に掲げる事項については、特に十分な措置をとる。
ア．情報を共有する範囲及び共有する情報の範囲を必要最小限に限定すること

イ．通報者等の特定につながり得る情報（通報者等の氏名、所属等の個人情報のほか、調査が通報を端緒としたものであること、通報者等しか知り得ない情報等を含む。以下同じ。）については、調査等の対象となる事業者に対して開示しないこと（通報対応を適切に行う上で真に必要な最小限の情報を、ウ．に規定する同意を取得して開示する場合を除く。）

ウ．通報者等の特定につながり得る情報を、情報共有が許される範囲外に開示する場合には、通報者等の書面、電子メール等による明示の同意を取得すること

エ．ウ．に規定する同意を取得する際には、開示する目的及び情報の範囲並びに当該情報を開示することによって生じ得る不利益について、明確に説明すること

オ．通報者等本人からの情報流出によって通報者等が特定されることを防ぐため、通報者等に対して、情報管理の重要性について十分に理解させること

（5）利益相反関係の排除

① 各地方公共団体の職員は、自らが関係する通報事案への対応に関与してはならない。

352　第３編　資　料

②　各地方公共団体は、通報対応の各段階において、通報事案への対応に関与する者が当該通報事案に利益相反関係を有していないかどうかを確認する。

（６）通報対象の範囲

通報窓口では、法第２条第３項に規定する通報対象事実（以下「通報対象事実」という。）が生じ、又はまさに生じようとしている場合における通報のほか、（８）に規定する通報を受け付ける。

（７）通報者の範囲

通報窓口では、通報対象事実又はその他の法令違反等の事実に関係する事業者に雇用されている労働者又は通報の日前１年以内に当該労働者であった者、当該事業者を派遣先とする派遣労働者又は通報の日前１年以内に当該派遣労働者であった者、当該事業者の取引先の労働者又は通報の日前１年以内に当該労働者であった者、当該事業者の役員のほか、当該事業者の法令遵守を確保する上で必要と認められるその他の者からの通報を受け付ける。

（８）公益通報以外の通報の取扱い

①　各地方公共団体は、法に基づく公益通報以外の通報であっても、以下に掲げる場合には、法に基づく公益通報に準ずる通報として、法第13条第１項に規定する必要な調査を行い、通報対象事実又はその他の法令違反の事実があると認めるときは、法令に基づく措置その他適当な措置をとる。
ア．（７）に掲げる事業者の法令遵守を確保する上で必要と認められるその他の者が、通報対象事実が生じ、又はまさに生じようとしている旨を、当該通報対象事実について処分又は勧告等をする権限を有する地方公共団体に対し、法第３条第２号に掲げる要件（（ⅰ）通報対象事実が生じ、若しくはまさに生じようとしていると信ずるに足りる相当の理由がある場合（以下「真実相当性の要件」という。）、又は（ⅱ）通報対象事実が生じ、若しくはまさに生じようとしていると思料し、かつ、法第３条第２号イからニまでに掲げる事項を記載した書面を提出する場合（以下、（ⅰ）と（ⅱ）を併せて「保護要件」という。））を満たして通報するものである場合

イ．（７）に掲げる者が、通報対象事実以外の法令違反の事実が生じ、又はまさに生じようとしている旨を、当該法令違反の事実について処分又は勧告等をする権限を有する地方公共団体に対し、保護要件を満たして通報するものである場合

②　①のほか、各地方公共団体は、法令遵守を図るため、法に基づく公益通報以外の通報を受け付けることができる。この場合において、通報対象となる事実や通報者の範囲、通報対応手続その他必要な事項については、法

4

及び本ガイドラインの趣旨を踏まえ、各地方公共団体が別に定める。

（9）匿名による通報の取扱い

　　各地方公共団体は、通報に関する秘密保持及び個人情報保護の徹底を図るとともに、通報対応の実効性を確保するため、匿名による通報についても、可能な限り、実名による通報と同様の取扱いを行うよう努める。この場合、各地方公共団体は、通報者と通報窓口担当者との間で、適切に情報の伝達を行い得る仕組みを整備するよう努める。

３．通報への対応

（1）通報の受付と教示

　①　各地方公共団体に通報があったときは、法及び本ガイドラインの趣旨を踏まえ、誠実かつ公正に通報に対応しなければならず、正当な理由なく通報の受付又は受理を拒んではならない。

　②　各地方公共団体において通報を受け付けたときは、通報に関する秘密保持及び個人情報の保護に留意しつつ、通報者の氏名及び連絡先（匿名による通報の場合を除く。）、通報の内容となる事実等を把握するとともに、通報に関する秘密は保持されること、個人情報は保護されること、通報受付後の手続の流れ等を、通報者に対し説明する。ただし、通報者が説明を望まない場合、匿名による通報であるため通報者への説明が困難である場合その他やむを得ない理由がある場合はこの限りでない（以下、（1）③及び⑤、（2）④、（5）①及び②に規定する通知、（1）④に規定する教示、（3）に規定する教示及び資料の提供においても、同様とする。）。

　③　②において、書面、電子メール等、通報者が通報の到着を確認できない方法によって通報がなされた場合には、速やかに通報者に対して通報を受領した旨を通知するよう努める。

　④　通報内容となる事実について、当該地方公共団体が権限を有しないときは、権限を有する行政機関を、通報者に対し、遅滞なく教示する。

　⑤　各地方公共団体において通報を受け付けた後は、法及び本ガイドラインの趣旨並びに当該地方公共団体が有する法令上の権限及び所掌事務を踏まえて当該通報に対応する必要性について十分に検討し、これを法に基づく公益通報又はそれに準ずる通報等として受理したときは受理した旨を、受理しないとき（情報提供として受け付けることを含む。）は受理しない旨及びその理由を、通報者に対し、遅滞なく通知する。

354　第3編　資　料

⑥　⑤において、通報への対応の必要性について検討するに当たっては、真
実相当性の要件については、通報内容を裏付ける内部資料、関係者による
供述等の存在のみならず、通報者本人による供述内容の具体性、迫真性等
によっても認められ得ることを十分に踏まえ、柔軟かつ適切に対応する。
　　また、通報が真実相当性の要件を満たしているかどうかが直ちに明らか
でない場合においても、個人の生命、身体、財産その他の利益に重大な影
響を及ぼす可能性が認められる場合には、同様に対応する。

（2）調査の実施

①　各地方公共団体において通報を受理した後は、必要な調査を行う。

②　調査の実施に当たっては、通報に関する秘密を保持するとともに、個人
情報を保護するため、通報者が特定されないよう十分に留意しつつ、遅滞
なく、必要かつ相当と認められる方法で行う。

③　調査の方法、内容等の適正性を確保するとともに、調査の適切な進捗を
図るため、通報対応の仕組みの整備及び運用に責任を有する幹部等が調査
について適宜確認を行う等の方法により、通報事案を適切に管理する。

④　適切な法執行の確保及び利害関係人の営業秘密、信用、名誉、プライバ
シー等の保護に支障がある場合を除き、調査中は、調査の進捗状況につい
て、通報者に対し、適宜通知するとともに、調査結果は可及的速やかに取
りまとめ、その結果を、遅滞なく通知する。

（3）受理後の教示

通報事案の受理後において、当該地方公共団体ではなく他の行政機関が処分
又は勧告等をする権限を有することが明らかになったときは、権限を有する行
政機関を、通報者に対し、遅滞なく教示する。この場合において、当該教示を
行う地方公共団体は、適切な法執行の確保及び利害関係人の営業秘密、信用、
名誉、プライバシー等の保護に支障がない範囲において、自ら作成した当該通
報事案に係る資料を通報者に提供する。

（4）調査結果に基づく措置の実施

各地方公共団体は、調査の結果、通報対象事実又はその他の法令違反等の事
実があると認めるときは、速やかに、法令に基づく措置その他適当な措置（以
下「措置」という。）をとる。

（5）通報者への措置の通知

①　各地方公共団体が措置をとったときは、その内容を、適切な法執行の確
保及び利害関係人の営業秘密、信用、名誉、プライバシー等の保護に支障

6

がない範囲において、通報者に対し、遅滞なく通知する。

② 各地方公共団体は、通報の受理から通報対応の終了までに要する標準的な期間を定め、又は必要と見込まれる期間を、通報者に対し、遅滞なく通知するよう努める。

（6）意見又は苦情への対応

各地方公共団体は、通報対応に関して通報者等から意見又は苦情の申出を受けたときは、迅速かつ適切に対応するよう努める。

4. 通報者等の保護

（1）通報者等の保護

各地方公共団体は、正当な理由なく、通報又は相談に関する秘密を漏らした職員及び知り得た個人情報の内容をみだりに他人に知らせ、又は不当な目的に利用した職員に対し、懲戒処分その他適切な措置をとる。

（2）通報者のフォローアップ

各地方公共団体は、通報対応の終了後においても、通報者からの相談等に適切に対応するとともに、通報者が、通報したことを理由として、事業者から解雇その他不利益な取扱いを受けていることが明らかになった場合には、消費者庁の公益通報者保護制度相談ダイヤル等を紹介するなど、通報者保護に係る必要なフォローアップを行うよう努める。

5. その他

（1）通報関連資料の管理

各地方公共団体は、各通報事案への対応に係る記録及び関係資料について、適切な保存期間を定めた上で、通報に関する秘密保持及び個人情報の保護に留意して、適切な方法で管理する。

（2）職員への周知

各地方公共団体は、幹部職員等のリーダーシップの下、職員に対する定期的な研修の実施、説明会の開催その他適切な方法により、法及び本ガイドラインの内容、当該地方公共団体における通報対応の仕組み等について、全ての職員に対し、十分に周知する。

（3）事業者及び労働者等への周知等

① 各地方公共団体は、当該地方公共団体の区域内の事業者及び労働者等に対する広報の実施、説明会の開催その他適切な方法により、法、「公益通

356 第3編 資 料

報者保護法第 11 条第 1 項及び第 2 項の規定に基づき事業者がとるべき措置に関して、その適切かつ有効な実施を図るために必要な指針」（令和 3 年 8 月 20 日内閣府告示第 118 号。以下「指針」という。）及び「公益通報者保護法に基づく指針（令和 3 年内閣府告示第 118 号）の解説」（令和 3 年 10 月 13 日消費者庁。以下「指針の解説」という。）の内容並びに当該地方公共団体における通報窓口、通報対応の仕組み等について、周知するよう努める。

② 各地方公共団体は、当該地方公共団体の契約の相手方又は補助金等の交付先（以下「相手方事業者」という。）における法令遵守及び不正防止を図るために必要と認められる場合（過去に不正が発生し同種の事案の再発防止の必要性が高い場合、事業者の専門性に大きく依存する事業など外部からの監督だけでは不正の発見が困難な場合、不正が発生すると個人の生命、身体、財産その他の利益が侵害されるおそれがある場合など。）には、相手方事業者に対して、法、指針及び指針の解説に基づく取組の実施を求めることなどに努める。

（4）協力義務等

① 各地方公共団体及び職員は、本ガイドラインに定める通報について、他の行政機関その他公の機関から調査等の協力を求められたときは、正当な理由がある場合を除き、必要な協力を行う。

② 各地方公共団体は、通報対象事実又はその他の法令違反の事実に関し、処分又は勧告等をする権限を有する行政機関が複数ある場合においては、連携して調査を行い、措置をとるなど、相互に緊密に連絡し協力する。

③ 各地方公共団体は、法令に違反する事実について処分又は勧告等をする権限を他の行政機関に委任等をしている場合において、当該法令違反の事実に関する通報がなされたときは、通報に関する秘密保持及び個人情報の保護に留意しつつ、当該他の行政機関と通報及び通報への対応状況に関する情報を共有し、通報対応への助言を行うなど、適切な法執行を確保するために必要な協力、支援等（委任庁が受任庁に対して指揮監督権限を有する場合においては、当該権限の適切な行使も含む。）を行う。

（5）通報対応の評価及び改善

① 通報対応の仕組みの運用状況についての透明性を高めるとともに、客観的な評価を行うことを可能とするため、各地方公共団体は、通報に関する秘密保持及び個人情報の保護並びに適切な法執行の確保及び利害関係人の営業秘密、信用、名誉、プライバシー等の保護に支障がない範囲において、当該地方公共団体における通報対応の仕組みの運用状況に関する情報（例えば、通報受付件数、通報事案の概要、通報事案の調査結果の概要、

8

資料 7　公益通報者保護法を踏まえた地方公共団体の通報対応に関するガイドライン（外部の労働者等からの通報）　　357

調査の結果とった措置、調査対応状況の概要、通報対応に要した期間等）を、定期的に公表する。

② 各地方公共団体は、通報対応の仕組みの運用状況について、職員及び中立的な第三者の意見等を踏まえて定期的に評価及び点検を行うとともに、他の行政機関による先進的な取組事例等も参考にした上で、通報対応の仕組みを継続的に改善するよう努める。

（6）消費者庁の役割

① 消費者庁は、地方公共団体における通報対応の仕組みの適切な整備及び運用並びに個別の通報事案に対する適切な対応を確保するため、各地方公共団体に対して必要な助言、協力、情報の提供その他の援助を行う。

② 消費者庁は、法の施行状況を把握するため、各地方公共団体における通報窓口の設置及び運用状況、通報への対応状況、職員への研修の実施状況等について調査を行い、その結果を公表する。

③ 消費者庁は、通報対応の仕組みの適切な整備及び運用に関して、各地方公共団体の職員への周知、研修等並びに事業者及び労働者等への広報、説明会等を実施するとともに、各地方公共団体が当該地方公共団体の職員並びにその区域内の事業者及び労働者等に対して同様の取組を行うに際して、資料の提供、説明その他必要な協力を行う。

（7）都道府県の役割

各都道府県は、当該都道府県の区域内の市区町村における通報対応の仕組みの適切な整備及び運用並びに個別の通報事案に対する適切な対応を確保するため、当該市区町村相互間の連絡調整及び当該市区町村に対する必要な助言、協力、情報の提供その他の援助を行うよう努める。

9

358 第3編 資 料

資料8 公益通報者保護法を踏まえた地方公共団体の通報対応に関するガイドライン（内部の職員等からの通報）

令和4年6月1日
消 費 者 庁

1．本ガイドラインの意義等

（1）本ガイドライン改正の経緯と内容

　公益通報者保護法（平成16年法律第122号。以下「法」という。）は、令和2年改正前においては、事業者（地方公共団体を含む。以下同じ。）に対し、内部公益通報への対応体制整備を義務付けてはいなかったところ、地方公共団体における内部通報への対応体制については、地方自治法（昭和22年法律第67号）第245条の4第1項の規定に基づく技術的な助言として「公益通報者保護法を踏まえた地方公共団体の通報対応に関するガイドライン（内部の職員等からの通報）」（平成29年7月31日。以下「地公体向けガイドライン（内部通報用）」という。）を作成し、各地方公共団体は、同ガイドラインを踏まえて内部公益通報への対応体制等を含む通報への対応の在り方を定めてきた。

　令和2年6月に成立した「公益通報者保護法の一部を改正する法律」（令和2年法律第51号）により改正された法において、公益通報対応業務従事者を定めること（法第11条第1項）及び事業者内部における公益通報に応じ、適切に対応するために必要な体制の整備その他の必要な措置をとること（法第11条第2項）を事業者に義務付けており（常時使用する労働者の数が300人以下の事業者については努力義務）、さらに、その適切かつ有効な実施を図るために必要な事項を定めた「公益通報者保護法第11条第1項及び第2項の規定に基づき事業者がとるべき措置に関して、その適切かつ有効な実施を図るために必要な指針」（令和3年内閣府告示第118号。以下「指針」という。）が策定された。

　指針は、事業者における内部公益通報対応体制等の具体的な内容について定めており、地公体向けガイドライン（内部通報用）が定める事項と重複しているため、同ガイドラインに指針により新たに義務付けられた事項を付記する等、指針との整合性を確保するために必要最小限の修正を行い、その他の事項については同ガイドラインの規定をそのまま維持している。

　地方公共団体は、本ガイドラインを踏まえながら、各地方公共団体の実情等も勘案し、法及び指針が求める措置を講ずる必要がある。また、指針が求める事項の検討に当たっては「公益通報者保護法に基づく指針（令和3年内閣府告示第118号）の解説」（令和3年10月13日消費者庁。以下「指針の解説」という。）も踏まえる必要がある。

1

資料 8　公益通報者保護法を踏まえた地方公共団体の通報対応に関するガイドライン（内部の職員等からの通報）　359

（2）内部公益通報制度の意義

　地方公共団体が職員等（法第2条第1項に定める役務提供先等への通報が内部通報となり得る者。以下同じ。）からの通報に対応する仕組みを整備し、これを適切に運用することは、内部監査機能の強化及び組織の自浄作用の向上に寄与するなど、地方公共団体の法令遵守の確保につながるものである。

　また、職員等からの通報を積極的に活用したリスク管理等を通じて、地方公共団体が適切に行政事務を遂行していくことは、地方自治に対する住民の信頼の確保並びに地域住民の生活の安定及び社会経済の健全な発展にも資するものである。

　以上の意義も踏まえ、地方公共団体において、職員等からの法令違反等に関する通報を適切に取り扱い、通報者の保護を図るとともに、地方公共団体の法令遵守を推進することが求められる。

　なお、本ガイドラインは、地方自治法第245条の4第1項の規定に基づく技術的な助言として位置付けられるものであり、各地方公共団体において一層充実した通報対応の仕組みを整備及び運用すること、又は各地方公共団体の規模等の実情に応じた適切な取組を行うことを妨げるものではない。

　また、本ガイドラインにおいて「法令」とは、各地方公共団体が制定する条例、規則その他の規程を含むものとし、その他本ガイドラインにおいて使用されている用語は、本ガイドラインにおいて定義されている用語を除き、指針及び指針の解説の例による。

２．通報対応の在り方

（1）内部公益通報対応体制の整備及び運用

　①　各地方公共団体は、内部公益通報を部署間横断的に受け付ける窓口（以下「内部公益通報受付窓口」という。）を設置し、当該窓口に寄せられる内部公益通報を受け、調査をし、是正に必要な措置をとる部署及び責任者を明確に定める。なお、責任者は幹部とする。

　②　各地方公共団体は、法、指針及び本ガイドラインにおいて求められる事項について、内部規程（条例を含む。）を作成し、また、当該規程の定めに従って運用する。

　③　支庁、地方事務所、支所、出張所等（以下「出先機関等」という。）を置いている地方公共団体にあっては、当該地方公共団体が定める内部公益通報対応体制の下で、各出先機関等においても適切に通報対応を行うための周知、体制整備その他必要な措置をとる。

　④　内部公益通報体制の整備及び運用に当たっては、指針の解説に掲げる事

2

360　第3編　資　料

項も踏まえた上で、各地方公共団体の実情に応じて最も適切と考えられる
方法により行う。

（2）総合的な窓口の設置

① 各地方公共団体は、内部公益通報受付窓口を、全部局の総合調整を行う
部局又はコンプライアンスを所掌する部局等に設置する。この場合、各地
方公共団体は、当該地方公共団体内部の内部公益通報受付窓口に加えて、
外部に弁護士等を配置した内部公益通報受付窓口を設けるよう努める。

② 各地方公共団体は、職員等から寄せられる、内部公益通報対応体制の仕
組みや不利益な取扱い（通報又は相談をしたことを理由として行われる懲
戒処分その他不利益な取扱い（嫌がらせ等の事実上の行為を含む。）をい
う。以下同じ。）、その他通報に関連する質問・相談に応じる窓口（以下「相
談窓口」という。）を設置し、これらに対応する。

③ 各地方公共団体は、内部公益通報受付窓口において受け付ける内部公益
通報に係る公益通報対応業務に関して、組織の長その他幹部に関係する事
案については、これらの者からの独立性を確保する措置をとる。

④ 人員、予算等の制約により専用の内部公益通報受付窓口又は相談窓口を
設置することが困難な地方公共団体にあっては、通報に関する秘密保持及
び個人情報の保護に留意した上で、他の類似した目的のために当該地方公
共団体に設置された窓口（例えば、職員の職務に係る倫理の保持、適切な
労務環境の確保を目的とするもの等）を内部公益通報受付窓口又は相談窓
口として活用することができる。

⑤ 人員、予算等の制約により単独で内部公益通報受付窓口又は相談窓口を
設置することが困難な地方公共団体にあっては、通報に関する秘密保持及
び個人情報の保護に留意した上で、他の地方公共団体と連携及び協力して
事務を行う仕組み（例えば、協議会の設置、機関等の共同設置、事務の委
託又は代替執行等）を活用して内部公益通報受付窓口又は相談窓口を設置
することができる。

（3）公益通報対応業務従事者の配置及び育成

① 各地方公共団体は、内部公益通報受付窓口において受け付ける内部公益
通報に関して公益通報対応業務を行う者であり、かつ、当該業務に関して
公益通報者を特定させる事項を伝達される者を、公益通報対応業務従事者
（以下「従事者」という。）として定める。

② 各地方公共団体は、従事者を定める際には、書面により指定をするなど、

従事者の地位に就くことが従事者となる者自身に明らかとなる方法により定める。

③　各地方公共団体は、公益通報対応業務に必要な適性及び能力を有する者を従事者として定める。

④　各地方公共団体は、従事者に対し、所要の知識及び技能の向上を図るための教育、研修等を十分に行い、公益通報者を特定させる事項の取扱いについては特に十分に教育を行う。

（4）範囲外共有等の防止、秘密保持及び個人情報保護の徹底

①　各地方公共団体は、職員等（法第2条第1項に定める「代理人その他の者」を含み、退職者は除く。②においても同じ。）が公益通報者を特定させる事項を必要最小限の範囲を超えて共有すること（以下「範囲外共有」という。）を防ぐための措置をとり、範囲外共有が行われた場合には、適切な救済・回復の措置をとる。

②　各地方公共団体は、職員等が、公益通報者を特定した上でなければ必要性の高い調査が実施できないなどのやむを得ない場合を除いて、公益通報者を特定しようとする行為（以下「通報者の探索」という。）を行うことを防ぐ措置をとる。

③　①及び②に加え、各地方公共団体は、秘密保持及び個人情報の保護のために次の事項を徹底する。
　ア．通報又は相談への対応に関与した者（通報又は相談への対応に付随する職務等を通じて、通報又は相談に関する秘密を知り得た者を含む。以下同じ。）は、通報又は相談に関する秘密を漏らしてはならないこと。

　イ．通報又は相談への対応に関与した者は、知り得た個人情報の内容をみだりに他人に知らせ、又は不当な目的に利用してはならないこと。

④　各地方公共団体は、通報又は相談に関する秘密保持及び個人情報保護の徹底を図るため、通報対応の各段階（3．に規定するもののほか、相談及び通報対応終了後の段階を含む。以下同じ。）において遵守すべき事項をあらかじめ取り決めて、通報又は相談への対応に関与する者に対して十分に周知する。

（5）利益相反関係の排除

①　各地方公共団体は、内部公益通報受付窓口において受け付ける内部公益通報に関し行われる公益通報対応業務について、事案に関係する者を公益

362 第3編 資 料

通報対応業務に関与させない措置をとる。

② 各地方公共団体は、通報対応の各段階において、公益通報対応業務に関与する者が通報事案に利益相反関係を有していないかどうかを確認する。

（6）通報対象の範囲

各地方公共団体が設置した内部公益通報受付窓口では、以下の通報を受け付ける。

ア．当該地方公共団体（当該地方公共団体の事業に従事する場合における職員等（法第2条第1項に定める「代理人その他の者」を含み、退職者は除く。））についての法令違反行為（当該法令違反行為が生ずるおそれを含む。）

イ．ア．のほか適正な業務の推進のために各地方公共団体において定める事実

（7）通報者の範囲

① 内部公益通報受付窓口では、職員等のほか、当該地方公共団体の法令遵守を確保する上で必要と認められるその他の者からの通報を受け付ける。

② 各地方公共団体が設置した内部公益通報受付窓口では、①に掲げる者のほか、当該地方公共団体の住民等からの通報も受け付けることができる。この場合の通報対応の手続については、法、指針及び本ガイドラインの趣旨を踏まえ、当該地方公共団体が別に定める。

（8）匿名による通報の取扱い

各地方公共団体は、通報に関する秘密保持及び個人情報保護の徹底を図るとともに、通報対応の実効性を確保するため、匿名による通報についても、実名による通報と同様の取扱いを行う。この場合、各地方公共団体は、通報者との間で、適切に情報の伝達を行い得る仕組みを整備する。

3．通報への対応

（1）通報の受付

① 各地方公共団体に通報があったときは、法、指針及び本ガイドラインを踏まえ、誠実かつ公正に通報に対応しなければならず、通報の受付を拒んではならない。

② 各地方公共団体において通報を受け付けたときは、通報に関する秘密保持及び個人情報の保護に留意しつつ、通報者の氏名及び連絡先（匿名による通報の場合を除く。）、通報の内容となる事実等を把握するとともに、通

報者に対して不利益な取扱いは行われないこと、通報に関する秘密は保持されること、個人情報は保護されること、通報受付後の手続の流れ等を、通報者に対し説明する。ただし、通報者が説明を望まない場合、匿名による通報であるため通報者への説明が困難である場合その他やむを得ない理由がある場合はこの限りでない（以下、（1）③及び④、（2）①及び④、（4）①及び②に規定する通知においても、同様とする。）。

③　②において、書面、電子メール等、通報者が通報の到着を確認できない方法によって通報がなされた場合には、速やかに通報者に対して通報を受け付けた旨を通知するよう努める。

④　各地方公共団体において通報を受け付けた後は、法、指針及び本ガイドラインを踏まえて当該通報に対応する必要性について十分に検討し、これを受理したときは受理した旨を、受理しないときは受理しない旨及びその理由を、通報者に対し、遅滞なく通知する。

（2）調査の実施

①　各地方公共団体において通報を受理した後は、調査の必要性を十分に検討し、指針第4．1（3）に定める正当な理由がある場合を除いて、必要な調査を実施する。また、適正な業務の遂行及び利害関係人の秘密、信用、名誉、プライバシー等の保護に支障がある場合を除き、調査を行う場合はその旨及び着手の時期を、調査を行わない場合はその旨及び理由を、通報者に対し、遅滞なく通知する。

②　調査の実施に当たっては、通報に関する秘密を保持するとともに、個人情報を保護するため、通報者が特定されないよう十分に留意しつつ、遅滞なく、必要かつ相当と認められる方法で行う。

③　調査の方法、内容等の適正性を確保するとともに、調査の適切な進捗を図るため、内部公益通報対応体制の整備及び運用に責任を有する幹部等が調査について適宜確認を行う等の方法により、通報事案を適切に管理する。

④　適正な業務の遂行及び利害関係人の秘密、信用、名誉、プライバシー等の保護に支障がある場合を除き、調査中は、調査の進捗状況について、通報者に対し、適宜通知するとともに、調査結果は可及的速やかに取りまとめ、その結果を、遅滞なく通知する。

（3）調査結果に基づく措置の実施等

各地方公共団体は、調査の結果、法令違反等の事実が明らかになったときは、速やかに是正措置、再発防止策等（以下「是正措置等」という。）をとるとと

364   第3編　資　　料

もに、必要があるときは、関係者の処分を行う。

（4）通報者への是正措置等の通知

①　各地方公共団体が是正措置等をとったときはその内容を、内部公益通報に係る通報対象事実がないときはその旨を、適正な業務の遂行及び利害関係人の秘密、信用、名誉、プライバシー等の保護に支障がない範囲において、通報者に対し、速やかに通知する。

②　各地方公共団体は、通報の受理から通報対応の終了までに要する標準的な期間を定め、又は必要と見込まれる期間を、通報者に対し、遅滞なく通知するよう努める。

（5）関係事項の公表

各地方公共団体は、必要と認める事項を、適宜公表する。

（6）是正措置等の実効性評価

各地方公共団体は、通報対応終了後、是正措置等が当該地方公共団体において十分に機能していることを適切な時期に確認し、必要があると認めるときは、新たな是正措置その他の改善を行う。

（7）意見又は苦情への対応

各地方公共団体は、通報対応に関して通報者又は相談者（以下「通報者等」という。）から意見又は苦情の申出を受けたときは、迅速かつ適切に対応するよう努める。

４．通報者等の保護

（1）通報者等の保護

①　各地方公共団体は、職員等（法第2条第1項に定める「代理人その他の者」を含み、退職者は除く。②においても同じ。）が、通報者等に対し、不利益な取扱いを行うことを防ぐ措置をとる。

②　各地方公共団体は、通報者等に対し不利益な取扱いを行った者に対し、行為態様、被害の程度、その他情状等の諸般の事情を考慮して、懲戒処分その他適切な措置をとる。範囲外共有や通報者の探索を行った職員等、正当な理由なく、通報又は相談に関する秘密を漏らした職員等及び知り得た個人情報の内容をみだりに他人に知らせ、又は不当な目的に利用した職員等についても同様とする。

（2）通報者のフォローアップ

7

各地方公共団体は、通報対応の終了後、通報者に対し、不利益な取扱いが行われていないかを適宜確認するなど、通報者保護に係る十分なフォローアップを行う。その結果、不利益な取扱いが認められる場合には、適切な救済・回復の措置をとる。

（3）職員への救済制度の周知

各地方公共団体は、職員が、不利益な取扱いの内容等に応じて、人事委員会又は公平委員会に対する不利益処分についての審査請求（地方公務員法（昭和２５年法律第２６１号）第４９条の２）、勤務条件に関する措置の要求（同法第４６条）、苦情相談制度等を利用することができる旨を周知する。

５．その他

（1）通報関連資料の管理

各地方公共団体は、各通報事案への対応に係る記録及び関係資料を作成し、これらについて、適切な保存期間を定めた上で、通報に関する秘密保持及び個人情報の保護に留意して、適切な方法で管理する。

（2）職員等への周知

① 各地方公共団体は、幹部職員等のリーダーシップの下、職員等に対する定期的な研修の実施、説明会の開催その他適切な方法により、法、指針及び本ガイドラインの内容、当該地方公共団体における内部公益通報受付窓口、内部公益通報対応体制について、全ての職員等に対し、十分に教育・周知する。

② 各地方公共団体は、通報者の上司である職員が通報を受けた場合、当該職員が自ら行える範囲で必要に応じ調査を行うとともに、当該職員の上司への報告、内部公益通報受付窓口への通報その他適切な措置を遅滞なくとるべき旨を周知する。なお、この場合の上司については、必ずしも職制上直接に指揮監督を行う地位にある者であることを要しない。

③ 各地方公共団体は、内部公益通報受付窓口及び内部公益通報対応体制に対する職員等（退職者は除く。本項において同じ。）の信頼性の向上を図るため、通報に関する秘密保持及び個人情報の保護並びに適正な業務の遂行及び利害関係人の秘密、信用、名誉、プライバシー等の保護に支障が生じない範囲において、その運用実績の概要を職員等に周知する。

（3）協力義務

① 各地方公共団体の職員は、正当な理由がある場合を除き、通報に関する調査に誠実に協力する。

366 第3編 資　料

② 各地方公共団体及びその職員は、本ガイドラインに定める通報について、他の行政機関その他公の機関から調査等の協力を求められたときは、正当な理由がある場合を除き、必要な協力を行う。

（4）通報対応の評価及び改善

① 内部公益通報対応体制の運用状況についての透明性を高めるとともに、客観的な評価を行うことを可能とするため、各地方公共団体は、通報に関する秘密保持及び個人情報の保護並びに適正な業務の遂行及び利害関係人の秘密、信用、名誉、プライバシー等の保護に支障が生じない範囲において、当該地方公共団体における内部公益通報対応体制の運用状況に関する情報（例えば、通報受付件数、通報事案の概要、通報事案の調査結果の概要、調査の結果とった措置、調査対応状況の概要、通報対応に要した期間等）を、定期的に公表する。

② 各地方公共団体は、内部公益通報対応体制の運用状況について、職員等及び中立的な第三者の意見等を踏まえて定期的に評価及び点検を行うとともに、指針の解説や行政機関及び事業者による先進的な取組事例等も参考にした上で、必要に応じて、内部公益通報対応体制を継続的に改善する。

（5）消費者庁の役割

① 消費者庁は、地方公共団体における内部公益通報対応体制の適切な整備及び運用並びに個別の通報事案に対する適切な対応を確保するため、各地方公共団体に対して必要な助言、協力、情報の提供その他の援助を行うものとする。

② 消費者庁は、法の施行状況を把握するため、各地方公共団体における内部公益通報受付窓口の設置及び運用状況、通報への対応状況、職員等への研修の実施状況等について調査を行い、その結果を公表する。

③ 消費者庁は、内部公益通報対応体制の適切な整備及び運用に関して、各地方公共団体の職員への周知、研修等を実施するとともに、各地方公共団体が当該地方公共団体の職員等に対して同様の取組を行うに際して、資料の提供、説明その他必要な協力を行う。

（6）都道府県の役割

各都道府県は、当該都道府県の区域内の市区町村における内部公益通報対応体制の適切な整備及び運用並びに個別の通報事案に対する適切な対応を確保するため、当該市区町村相互間の連絡調整及び当該市区町村に対する必要な助言、協力、情報の提供その他の援助を行うよう努める。

9

資料9　対象法律一覧　367

資料9　対象法律一覧

【五十音順】
通報対象となる法律一覧(493本)

(令和4年6月1日現在)

	法　律　名
あ	愛玩動物看護師法（令和元年法律第五十号）
	愛がん動物用飼料の安全性の確保に関する法律（平成二十年法律第八十三号）
	空家等対策の推進に関する特別措置法（平成二十六年法律第百二十七号）
	悪臭防止法（昭和四十六年法律第九十一号）
	あへん法（昭和二十九年法律第七十一号）
	奄美群島振興開発特別措置法（昭和二十九年法律第百八十九号）
	アルコール事業法（平成十二年法律第三十六号）
	安全な血液製剤の安定供給の確保等に関する法律（昭和三十一年法律第百六十号）
	あん摩マツサージ指圧師、はり師、きゆう師等に関する法律（昭和二十二年法律第二百十七号）
い	育児休業、介護休業等育児又は家族介護を行う労働者の福祉に関する法律（平成三年法律第七十六号）
	遺失物法（平成十八年法律第七十三号）
	医師法（昭和二十三年法律第二百一号）
	意匠法（昭和三十四年法律第百二十五号）
	移植に用いる造血幹細胞の適切な提供の推進に関する法律（平成二十四年法律第九十号）
	石綿による健康被害の救済に関する法律（平成十八年法律第四号）
	一般社団法人及び一般財団法人に関する法律（平成十八年法律第四十八号）
	遺伝子組換え生物等の使用等の規制による生物の多様性の確保に関する法律（平成十五年法律第九十七号）
	医薬品、医療機器等の品質、有効性及び安全性の確保等に関する法律（昭和三十五年法律第百四十五号）
	医療分野の研究開発に資するための匿名加工医療情報に関する法律（平成二十九年法律第二十八号）
	医療法（昭和二十三年法律第二百五号）
	インターネット異性紹介事業を利用して児童を誘引する行為の規制等に関する法律（平成十五年法律第八十三号）
う	牛の個体識別のための情報の管理及び伝達に関する特別措置法（平成十五年法律第七十二号）
え	栄養士法（昭和二十二年法律第二百四十五号）
	液化石油ガスの保安の確保及び取引の適正化に関する法律（昭和四十二年法律第百四十九号）
	エコツーリズム推進法（平成十九年法律第百五号）
お	小笠原諸島振興開発特別措置法（昭和四十四年法律第七十九号）
	卸売市場法（昭和四十六年法律第三十五号）
	温泉法（昭和二十三年法律第百二十五号）
か	外国医師等が行う臨床修練等に係る医師法第十七条等の特例等に関する法律（昭和六十二年法律第二十九号）
	外国為替及び外国貿易法（昭和二十四年法律第二百二十八号）
	外国人漁業の規制に関する法律（昭和四十二年法律第六十号）
	外国人の技能実習の適正な実施及び技能実習生の保護に関する法律（平成二十八年法律第八十九号）

368　第3編　資　料

【五十音順】

通報対象となる法律一覧(493本)

(令和4年6月1日現在)

法　律　名
外国船舶製造事業者による船舶の不当廉価建造契約の防止に関する法律（平成八年法律第七十一号）
外国倒産処理手続の承認援助に関する法律（平成十二年法律第百二十九号）
外国弁護士による法律事務の取扱いに関する特別措置法（昭和六十一年法律第六十六号）
介護保険法（平成九年法律第百二十三号）
介護労働者の雇用管理の改善等に関する法律（平成四年法律第六十三号）
会社更生法（平成十四年法律第百五十四号）
会社法（平成十七年法律第八十六号）
海上運送法（昭和二十四年法律第百八十七号）
海上交通安全法（昭和四十七年法律第百十五号）
海賊行為の処罰及び海賊行為への対処に関する法律（平成二十一年法律第五十五号）
海洋汚染等及び海上災害の防止に関する法律（昭和四十五年法律第百三十六号）
海洋構築物等に係る安全水域の設定等に関する法律　（平成十九年法律第三十四号）
化学物質の審査及び製造等の規制に関する法律（昭和四十八年法律第百十七号）
化学兵器の禁止及び特定物質の規制等に関する法律（平成七年法律第六十五号）
核原料物質、核燃料物質及び原子炉の規制に関する法律（昭和三十二年法律第百六十六号）
覚醒剤取締法（昭和二十六年法律第二百五十二号）
確定給付企業年金法（平成十三年法律第五十号）
確定拠出年金法（平成十三年法律第八十八号）
貸金業法（昭和五十八年法律第三十二号）
ガス事業法（昭和二十九年法律第五十一号）
化製場等に関する法律（昭和二十三年法律第百四十号）
家畜遺伝資源に係る不正競争の防止に関する法律（令和二年法律第二十二号）
家畜改良増殖法（昭和二十五年法律第二百九号）
家畜伝染病予防法（昭和二十六年法律第百六十六号）
家畜取引法（昭和三十一年法律第百二十三号）
家畜排せつ物の管理の適正化及び利用の促進に関する法律（平成十一年法律第百十二号）
学校教育法（昭和二十二年法律第二十六号）
割賦販売法（昭和三十六年法律第百五十九号）
家庭用品品質表示法（昭和三十七年法律第百四号）
家内労働法（昭和四十五年法律第六十号）
株式会社商工組合中央金庫法（平成十九年法律第七十四号）
貨物自動車運送事業法（平成元年法律第八十三号）
貨物利用運送事業法（平成元年法律第八十二号）
火薬類取締法（昭和二十五年法律第百四十九号）
簡易郵便局法（昭和二十四年法律第二百十三号）
観光圏の整備による観光旅客の来訪及び滞在の促進に関する法律（平成二十年法律第三十九号）
看護師等の人材確保の促進に関する法律（平成四年法律第八十六号）

資料9　対象法律一覧　369

【五十音順】
通報対象となる法律一覧(493本)

(令和4年6月1日現在)

法 律 名
感染症の予防及び感染症の患者に対する医療に関する法律（平成十年法律第百十四号）
幹線道路の沿道の整備に関する法律（昭和五十五年法律第三十四号）
がん登録等の推進に関する法律（平成二十五年法律第百十一号）
き　義肢装具士法（昭和六十二年法律第六十一号）
技術研究組合法（昭和三十六年法律第八十一号）
技術士法（昭和五十八年法律第二十五号）
気象業務法（昭和二十七年法律第百六十五号）
軌道法（大正十年法律第七十六号）
揮発油等の品質の確保等に関する法律（昭和五十一年法律第八十八号）
救急救命士法（平成三年法律第三十六号）
急傾斜地の崩壊による災害の防止に関する法律（昭和四十四年法律第五十七号）
教育職員免許法（昭和二十四年法律第百四十七号）
狂犬病予防法（昭和二十五年法律第二百四十七号）
行政書士法（昭和二十六年法律第四号）
行政手続における特定の個人を識別するための番号の利用等に関する法律（平成二十五年法律第二十七号）
協同組合による金融事業に関する法律（昭和二十四年法律第百八十三号）
協同組織金融機関の優先出資に関する法律（平成五年法律第四十四号）
漁業災害補償法（昭和三十九年法律第百五十八号）
漁業法（昭和二十四年法律第二百六十七号）
漁船損害等補償法（昭和二十七年法律第二十八号）
漁船法（昭和二十五年法律第百七十八号）
銀行法（昭和五十六年法律第五十九号）
金属鉱業等鉱害対策特別措置法（昭和四十八年法律第二十六号）
金融機関等の更生手続の特例等に関する法律（平成八年法律第九十五号）
金融機関の合併及び転換に関する法律（昭和四十三年法律第八十六号）
金融機関の信託業務の兼営等に関する法律（昭和十八年法律第四十三号）
金融機能の再生のための緊急措置に関する法律（平成十年法律第百三十二号）
金融業者の貸付業務のための社債の発行等に関する法律（平成十一年法律第三十二号）
金融サービスの提供に関する法律（平成十二年法律第百一号）
金融商品取引法（昭和二十三年法律第二十五号）
勤労者財産形成促進法（昭和四十六年法律第九十二号）
く　空港法（昭和三十一年法律第八十号）
クラスター弾等の製造の禁止及び所持の規制等に関する法律（平成二十一年法律第八十五号）
クリーニング業法（昭和二十五年法律第二百七号）
け　携帯音声通信事業者による契約者等の本人確認等及び携帯音声通信役務の不正な利用の防止に関する法律（平成十七年法律第三十一号）
警備業法（昭和四十七年法律第百十七号）
刑法（明治四十年法律第四十五号）
計量法（平成四年法律第五十一号）
下水道法（昭和三十三年法律第七十九号）
検疫法（昭和二十六年法律第二百一号）

370　第3編 資　料

【五十音順】

通報対象となる法律一覧(493本)

(令和4年6月1日現在)

法　律　名
健康増進法（平成十四年法律第百三号）
健康保険法（大正十一年法律第七十号）
言語聴覚士法（平成九年法律第百三十二号）
原子爆弾被爆者に対する援護に関する法律（平成六年法律第百十七号）
原子力災害対策特別措置法（平成十一年法律第百五十六号）
原子力損害の賠償に関する法律（昭和三十六年法律第百四十七号）
建設業法（昭和二十四年法律第百号）
建設工事に係る資材の再資源化等に関する法律（平成十二年法律第百四号）
建設労働者の雇用の改善等に関する法律（昭和五十一年法律第三十三号）
建築基準法（昭和二十五年法律第二百一号）
建築士法（昭和二十五年法律第二百二号）
建築物における衛生的環境の確保に関する法律（昭和四十五年法律第二十号）
建築物用地下水の採取の規制に関する法律（昭和三十七年法律第百号）
高圧ガス保安法（昭和二十六年法律第二百四号）
公益社団法人及び公益財団法人の認定等に関する法律（平成十八年法律第四十九号）
公益通報者保護法（平成十六年法律第百二十二号）
興行場法（昭和二十三年法律第百三十七号）
工業所有権に関する手続等の特例に関する法律（平成二年法律第三十号）
鉱業法（昭和二十五年法律第二百八十九号）
工業用水道事業法（昭和三十三年法律第八十四号）
工業用水法（昭和三十一年法律第百四十六号）
公共用飛行場周辺における航空機騒音による障害の防止等に関する法律（昭和四十二年法律第百十号）
航空機製造事業法（昭和二十七年法律第二百三十七号）
航空法（昭和二十七年法律第二百三十一号）
鉱山保安法（昭和二十四年法律第七十号）
公衆等脅迫目的の犯罪行為のための資金等の提供等の処罰に関する法律（平成十四年法律第六十七号）
公衆浴場法（昭和二十三年法律第百三十九号）
厚生年金保険法（昭和二十九年法律第百十五号）
更生保護事業法（平成七年法律第八十六号）
高速自動車国道法（昭和三十二年法律第七十九号）
港則法（昭和二十三年法律第百七十四号）
公認会計士法（昭和二十三年法律第百三号）
公認心理師法（平成二十七年法律第六十八号）
小売商業調整特別措置法（昭和三十四年法律第百五十五号）
高齢者、障害者等の移動等の円滑化の促進に関する法律（平成十八年法律第九十一号）
高齢者の医療の確保に関する法律（昭和五十七年八月十七日法律第八十号）
航路標識法（昭和二十四年法律第九十九号）
港湾運送事業法（昭和二十六年法律第百六十一号）
港湾労働法（昭和六十三年法律第四十号）
小型船造船業法（昭和四十一年法律第百十九号）

こ

資料9 対象法律一覧 371

【五十音順】
通報対象となる法律一覧(493本)

(令和4年6月1日現在)

法 律 名
国際航海船舶及び国際港湾施設の保安の確保等に関する法律（平成十六年法律第三十一号）
国際人道法の重大な違反行為の処罰に関する法律（平成十六年法律第百十五号）
国際的な協力の下に規制薬物に係る不正行為を助長する行為等の防止を図るための麻薬及び向精神薬取締法等の特例等に関する法律（平成三年法律第九十四号）
国民健康保険法（昭和三十三年法律第百九十二号）
国民生活安定緊急措置法（昭和四十八年法律第百二十一号）
国民年金法（昭和三十四年法律第百四十一号）
湖沼水質保全特別措置法（昭和五十九年法律第六十一号）
個人情報の保護に関する法律（平成十五年法律第五十七号）
子ども・子育て支援法（平成二十四年法律第六十五号）
古物営業法（昭和二十四年法律第百八号）
雇用の分野における男女の均等な機会及び待遇の確保等に関する法律（昭和四十七年法律第百十三号）
雇用保険法（昭和四十九年法律第百十六号）
ゴルフ場等に係る会員契約の適正化に関する法律（平成四年法律第五十三号）

	法 律 名
さ	災害救助法（昭和二十二年法律第百十八号）
	災害対策基本法（昭和三十六年法律第二百二十三号）
	細菌兵器（生物兵器）及び毒素兵器の開発、生産及び貯蔵の禁止並びに廃棄に関する条約等の実施に関する法律（昭和五十七年法律第六十一号）
	債権管理回収業に関する特別措置法（平成十年法律第百二十六号）
	再生医療等の安全性の確保等に関する法律（平成二十五年法律第八十五号）
	採石法（昭和二十五年法律第二百九十一号）
	最低賃金法（昭和三十四年法律第百三十七号）
	作業環境測定法（昭和五十年法律第二十八号）
	サリン等による人身被害の防止に関する法律（平成七年法律第七十八号）
	産業標準化法（昭和二十四年法律第百八十五号）
し	塩事業法（平成八年法律第三十九号）
	歯科医師法（昭和二十三年法律第二百二号）
	歯科衛生士法（昭和二十三年法律第二百四号）
	歯科技工士法（昭和三十年法律第百六十八号）
	資金決済に関する法律（平成二十一年法律第五十九号）
	資源の有効な利用の促進に関する法律（平成三年法律第四十八号）
	資産の流動化に関する法律（平成十年法律第百五号）
	私事性的画像記録の提供等による被害の防止に関する法律（平成二十六年法律第百二十八号）
	自然環境保全法（昭和四十七年法律第八十五号）
	自然公園法（昭和三十二年法律第百六十一号）
	持続的養殖生産確保法（平成十一年法律第五十一号）
	下請代金支払遅延等防止法（昭和三十一年法律第百二十号）
	質屋営業法（昭和二十五年法律第百五十八号）
	実用新案法（昭和三十四年法律第百二十三号）
	私的独占の禁止及び公正取引の確保に関する法律（昭和二十二年法律第五十四号）
	児童虐待の防止等に関する法律（平成十二年法律第八十二号）

372　第3編 資　料

【五十音順】
通報対象となる法律一覧(493本)

(令和4年6月1日現在)

法　律　名
自動車運転代行業の業務の適正化に関する法律（平成十三年法律第五十七号）
自動車から排出される窒素酸化物及び粒子状物質の特定地域における総量の削減等に関する特別措置法（平成四年法律第七十号）
自動車損害賠償保障法（昭和三十年法律第九十七号）
自動車ターミナル法（昭和三十四年法律第百三十六号）
自動車の運転により人を死傷させる行為等の処罰に関する法律（平成二十五年十一月二十七日法律第八十六号）
自動車の保管場所の確保等に関する法律（昭和三十七年法律第百四十五号）
児童買春、児童ポルノに係る行為等の規制及び処罰並びに児童の保護等に関する法律（平成十一年法律第五十二号）
児童福祉法（昭和二十二年法律第百六十四号）
視能訓練士法（昭和四十六年法律第六十四号）
司法書士法（昭和二十五年法律第百九十七号）
社会福祉士及び介護福祉士法（昭和六十二年法律第三十号）
社会福祉施設職員等退職手当共済法（昭和三十六年法律第百五十五号）
社会福祉法（昭和二十六年法律第四十五号）
社会保険労務士法（昭和四十三年法律第八十九号）
社債、株式等の振替に関する法律（平成十三年法律第七十五号）
獣医師法（昭和二十四年法律第百八十六号）
獣医療法（平成四年法律第四十六号）
就学前の子どもに関する教育、保育等の総合的な提供の推進に関する法律（平成十八年法律第七十七号）
住宅宿泊事業法（平成二十九年法律第六十五号）
住宅の品質確保の促進等に関する法律（平成十一年法律第八十一号）
柔道整復師法（昭和四十五年法律第十九号）
銃砲刀剣類所持等取締法（昭和三十三年法律第六号）
集落地域整備法（昭和六十二年法律第六十三号）
酒税の保全及び酒類業組合等に関する法律（昭和二十八年法律第七号）
出資の受入れ、預り金及び金利等の取締りに関する法律（昭和二十九年法律第百九十五号）
種苗法（平成十年法律第八十三号）
主要食糧の需給及び価格の安定に関する法律（平成六年法律第百十三号）
障害者の雇用の促進等に関する法律（昭和三十五年法律第百二十三号）
障害者の日常生活及び社会生活を総合的に支援するための法律（平成十七年法律第百二十三号）
障害を理由とする差別の解消の推進に関する法律（平成二十五年法律第六十五号）
浄化槽法（昭和五十八年法律第四十三号）
使用済小型電子機器等の再資源化の促進に関する法律（平成二十四年法律第五十七号）
使用済自動車の再資源化等に関する法律（平成十四年法律第八十七号）
商店街振興組合法（昭和三十七年法律第百四十一号）
消費者安全法（平成二十一年法律第五十号）
消費者契約法（平成十二年法律第六十一号）

資料9　対象法律一覧　　373

【五十音順】

通報対象となる法律一覧(493本)

(令和4年6月1日現在)

法　律　名
消費者の財産的被害の集団的な回復のための民事の裁判手続の特例に関する法律（平成二十五年法律第九十六号）
消費生活協同組合法（昭和二十三年法律第二百号）
消費生活用製品安全法（昭和四十八年法律第三十一号）
商標法（昭和三十四年法律第百二十七号）
商品先物取引法（昭和二十五年八月五日法律第二百三十九号）
商品投資に係る事業の規制に関する法律（平成三年法律第六十六号）
消防法（昭和二十三年法律第百八十六号）
職業安定法（昭和二十二年法律第百四十一号）
職業訓練の実施等による特定求職者の就職の支援に関する法律（平成二十三年法律第四十七号）
職業能力開発促進法（昭和四十四年法律第六十四号）
食鳥処理の事業の規制及び食鳥検査に関する法律（平成二年法律第七十号）
食品衛生法（昭和二十二年法律第二百三十三号）
食品循環資源の再生利用等の促進に関する法律（平成十二年法律第百十六号）
食品表示法（平成二十五年法律第七十号）
植物防疫法（昭和二十五年法律第百五十一号）
女性の職業生活における活躍の推進に関する法律（平成二十七年法律第六十四号）
私立学校法（昭和二十四年法律第二百七十号）
飼料の安全性の確保及び品質の改善に関する法律（昭和二十八年法律第三十五号）
新型インフルエンザ等対策特別措置法（平成二十四年法律第三十一号）
人工衛星等の打上げ及び人工衛星の管理に関する法律（平成二十八年法律第七十六号）
心神喪失等の状態で重大な他害行為を行った者の医療及び観察等に関する法律（平成十五年法律第百十号）
信託業法（平成十六年法律第百五十四号）
信託法（平成十八年法律第百八号）
振動規制法（昭和五十一年法律第六十四号）
じん肺法（昭和三十五年法律第三十号）
信用金庫法（昭和二十六年法律第二百三十八号）
信用保証協会法（昭和二十八年法律第百九十六号）
診療放射線技師法（昭和二十六年法律第二百二十六号）
森林組合法（昭和五十三年法律第三十六号）
森林病害虫等防除法（昭和二十五年法律第五十三号）
森林保険法（昭和十二年法律第二十五号）
水銀による環境の汚染の防止に関する法律（平成二十七年法律第四十二号）
水産業協同組合法（昭和二十三年法律第二百四十二号）
水産資源保護法（昭和二十六年法律第三百十三号）
水質汚濁防止法（昭和四十五年法律第百三十八号）
水洗炭業に関する法律（昭和三十三年法律第百三十四号）
水道法（昭和三十二年法律第百七十七号）
水防法（昭和二十四年法律第百九十三号）
スパイクタイヤ粉じんの発生の防止に関する法律（平成二年法律第五十五号）

す

374　第3編　資　料

【五十音順】

通報対象となる法律一覧(493本)

(令和4年6月1日現在)

	法　律　名
せ	製菓衛生師法（昭和四十一年法律第百十五号）
	生活衛生関係営業の運営の適正化及び振興に関する法律（昭和三十二年法律第百六十四号）
	生活関連物資等の買占め及び売惜しみに対する緊急措置に関する法律（昭和四十八年法律第四十八号）
	生活困窮者自立支援法（平成二十五年法律第百五号）
	生活保護法（昭和二十五年法律第百四十四号）
	青少年の雇用の促進等に関する法律（昭和四十五年法律第九十八号）
	精神保健及び精神障害者福祉に関する法律（昭和二十五年法律第百二十三号）
	精神保健福祉士法（平成九年法律第百三十一号）
	税理士法（昭和二十六年法律第二百三十七号）
	石油コンビナート等災害防止法（昭和五十年法律第八十四号）
	石油需給適正化法（昭和四十八年法律第百二十二号）
	石油の備蓄の確保等に関する法律（昭和五十年法律第九十六号）
	石油パイプライン事業法（昭和四十七年法律第百五号）
	絶滅のおそれのある野生動植物の種の保存に関する法律（平成四年法律第七十五号）
	瀬戸内海環境保全特別措置法（昭和四十八年法律第百十号）
	船員災害防止活動の促進に関する法律（昭和四十二年法律第六十一号）
	船員職業安定法（昭和二十三年法律第三十号）
	船員法（昭和二十二年法律第百号）
	船員保険法（昭和十四年法律第七十三号）
	船主相互保険組合法（昭和二十五年法律第百七十七号）
	船舶安全法（昭和八年法律第十一号）
	船舶職員及び小型船舶操縦者法（昭和二十六年法律第百四十九号）
	船舶の再資源化解体の適正な実施に関する法律（平成三十年法律第六十一号）
	船舶油濁等損害賠償保障法（昭和五十年法律第九十五号）
そ	騒音規制法（昭和四十三年法律第九十八号）
	臓器の移植に関する法律（平成九年法律第百四号）
	倉庫業法（昭和三十一年法律第百二十一号）
	造船法（昭和二十五年法律第百二十九号）
	測量法（昭和二十四年法律第百八十八号）
	組織的な犯罪の処罰及び犯罪収益の規制等に関する法律（平成十一年法律第百三十六号）
た	ダイオキシン類対策特別措置法（平成十一年法律第百五号）
	大気汚染防止法（昭和四十三年六月十日法律第九十七号）
	大規模小売店舗立地法（平成十年法律第九十一号）
	大規模災害からの復興に関する法律（平成二十五年法律第五十五号）
	大規模地震対策特別措置法（昭和五十三年法律第七十三号）
	対人地雷の製造の禁止及び所持の規制等に関する法律（平成十年法律第百十六号）
	大麻取締法（昭和二十三年法律第百二十四号）
	タクシー業務適正化特別措置法（昭和四十五年法律第七十五号）
	宅地造成等規制法（昭和三十六年法律第百九十一号）
	宅地建物取引業法（昭和二十七年法律第百七十六号）

資料9　対象法律一覧　　375

【五十音順】

通報対象となる法律一覧(493本)

(令和4年6月1日現在)

法　律　名
たばこ事業法（昭和五十九年法律第六十八号）
炭鉱災害による一酸化炭素中毒症に関する特別措置法（昭和四十二年法律第九十二号）
短時間労働者及び有期雇用労働者の雇用管理の改善等に関する法律（平成五年法律第七十六号）
探偵業の業務の適正化に関する法律（平成十八年法律第六十号）
担保付社債信託法（明治三十八年法律第五十二号）
地域雇用開発促進法（昭和六十二年法律二十三号）
地域における一般乗合旅客自動車運送事業及び銀行業に係る基盤的なサービスの提供の維持を図るための私的独占の禁止及び公正取引の確保に関する法律の特例に関する法律（令和二年法律第三十二号）
地域における歴史的風致の維持及び向上に関する法律（平成二十年法律第四十号）
駐車場法（昭和三十二年法律第百六号）
中小企業退職金共済法（昭和三十四年法律第百六十号）
中小企業団体の組織に関する法律（昭和三十二年法律第百八十五号）
中小企業等協同組合法（昭和二十四年法律第百八十一号）
中小企業における労働力の確保及び良好な雇用の機会の創出のための雇用管理の改善の促進に関する法律（平成三年法律第五十七号）
中小企業の事業活動の機会の確保のための大企業者の事業活動の調整に関する法律（昭和五十二年法律第七十四号）
中小漁業融資保証法（昭和二十七年法律第三百四十六号）
聴覚障害者等による電話の利用の円滑化に関する法律（令和二年法律第五十三号）
長期信用銀行法（昭和二十七年法律第百八十七号）
鳥獣の保護及び管理並びに狩猟の適正化に関する法律（平成十四年法律第八十八号）
調理師法（昭和三十三年法律第百四十七号）
著作権等管理事業法（平成十二年法律第百三十一号）
著作権法（昭和四十五年法律第四十八号）
地力増進法（昭和五十九年法律第三十四号）
賃金の支払の確保等に関する法律（昭和五十一年法律第三十四号）
賃貸住宅の管理業務等の適正化に関する法律（令和二年法律第六十号）
通関業法（昭和四十二年法律第百二十二号）
通訳案内士法（昭和二十四年法律第二百十号）
津波防災地域づくりに関する法律（平成二十三年法律第百二十三号）
積立式宅地建物販売業法（昭和四十六年法律第百十一号）
鉄道営業法（明治二十二年法律第六十五号）
鉄道事業法（昭和六十一年法律第九十二号）
電気工事業の業務の適正化に関する法律（昭和四十五年法律第九十六号）
電気工事士法（昭和三十五年法律第百三十九号）
電気事業法（昭和三十九年法律第百七十号）
電気通信事業法（昭和五十九年法律第八十六号）
電気用品安全法（昭和三十六年法律第二百三十四号）
電子記録債権法（平成十九年法律第百二号）
電子署名及び認証業務に関する法律（平成十二年法律第百二号）
電波法（昭和二十五年法律第百三十一号）

376 第3編 資 料

【五十音順】

通報対象となる法律一覧(493本)

(令和4年6月1日現在)

	法 律 名
と	統計法（平成十九年法律第五十三号）
	投資事業有限責任組合契約に関する法律（平成十年法律第九十号）
	投資信託及び投資法人に関する法律（昭和二十六年法律第百九十八号）
	動物の愛護及び管理に関する法律（昭和四十八年法律第百五号）
	道路運送車両法（昭和二十六年法律第百八十五号）
	道路運送法（昭和二十六年法律第百八十三号）
	道路交通法（昭和三十五年法律第百五号）
	道路整備特別措置法（昭和三十一年法律第七号）
	道路法（昭和二十七年法律第百八十号）
	特殊開錠用具の所持の禁止等に関する法律（平成十五年法律第六十五号）
	特定外来生物による生態系等に係る被害の防止に関する法律（平成十六年法律第七十八号）
	特定ガス消費機器の設置工事の監督に関する法律（昭和五十四年法律第三十三号）
	特定家庭用機器再商品化法（平成十年法律第九十七号）
	特定機器に係る適合性評価手続の結果の外国との相互承認の実施に関する法律（平成十三年法律第百十一号）
	特定空港周辺航空機騒音対策特別措置法（昭和五十三年法律第二十六号）
	特定興行入場券の不正転売の禁止等による興行入場券の適正な流通の確保に関する法律（平成三十年法律第百三号）
	特定工場における公害防止組織の整備に関する法律（昭和四十六年法律第百七号）
	特定住宅瑕疵担保責任の履行の確保等に関する法律（平成十九年法律第六十六号）
	特定住宅金融専門会社の債権債務の処理の促進等に関する特別措置法（平成八年法律第九十三号）
	特定商取引に関する法律（昭和五十一年法律第五十七号）
	特定商品等の預託等取引契約に関する法律（昭和六十一年法律第六十二号）
	特定水道利水障害の防止のための水道水源水域の水質の保全に関する特別措置法（平成六年法律第九号）
	特定デジタルプラットフォームの透明性及び公正性の向上に関する法律（令和二年法律第三十八号）
	特定電子メールの送信の適正化等に関する法律（平成十四年法律第二十六号）
	特定特殊自動車排出ガスの規制等に関する法律（平成十七年法律第五十一号）
	特定農林水産物等の名称の保護に関する法律（平成二十六年法律第八十四号）
	特定B型肝炎ウイルス感染者給付金等の支給に関する特別措置法（平成二十三年法律第二十六号）
	特定複合観光施設区域整備法（平成三十年法律第八十号）
	特定物質等の規制等によるオゾン層の保護に関する法律（昭和六十三年法律第五十三号）
	特定有害廃棄物等の輸出入等の規制に関する法律（平成四年法律第百八号）
	毒物及び劇物取締法（昭和二十五年法律第三百三号）
	都市計画法（昭和四十三年法律第百号）
	都市の低炭素化の促進に関する法律（平成二十四年法律第八十四号）

資料9　対象法律一覧　377

【五十音順】

通報対象となる法律一覧(493本)

(令和4年6月1日現在)

	法　律　名
	土砂災害警戒区域等における土砂災害防止対策の推進に関する法律（平成十二年法律第五十七号）
	土砂等を運搬する大型自動車による交通事故の防止等に関する特別措置法（昭和四十二年法律第百三十一号）
	土壌汚染対策法（平成十四年法律第五十三号）
	土地家屋調査士法（昭和二十五年法律第二百二十八号）
	と畜場法（昭和二十八年法律第百十四号）
	特許法（昭和三十四年法律第百二十一号）
な	内航海運業法（昭和二十七年法律第百五十一号）
	内水面漁業の振興に関する法律（平成二十六年法律第百三号）
	成田国際空港の安全確保に関する緊急措置法（昭和五十三年法律第四十二号）
	難病の患者に対する医療等に関する法律（平成二十六年法律第五十号）
に	二十歳未満ノ者ノ飲酒ノ禁止ニ関スル法律（大正十一年法律第二十号）
	二十歳未満ノ者ノ喫煙ノ禁止ニ関スル法律（明治三十三年法律第三十三号）
	日刊新聞紙の発行を目的とする株式会社の株式の譲渡の制限等に関する法律（昭和二十六年法律第二百十二号）
	日本農林規格等に関する法律（昭和二十五年法律第百七十五号）
	入札談合等関与行為の排除及び防止並びに職員による入札等の公正を害すべき行為の処罰に関する法律（平成十四年法律第百一号）
ね	熱供給事業法（昭和四十七年法律第八十八号）
の	農業協同組合法（昭和二十二年法律第百三十二号）
	農業信用保証保険法（昭和三十六年法律第二百四号）
	農業保険法（昭和二十二年法律第百八十五号）
	農産物検査法（昭和二十六年法律第百四十四号）
	農住組合法（昭和五十五年法律第八十六号）
	農水産業協同組合貯金保険法（昭和四十八年法律第五十三号）
	納税貯蓄組合法（昭和二十六年法律第百四十五号）
	農薬取締法（昭和二十三年法律第八十二号）
	農用地の土壌の汚染防止等に関する法律（昭和四十五年法律第百三十九号）
	農林中央金庫法（平成十三年法律第九十三号）
は	廃棄物の処理及び清掃に関する法律（昭和四十五年法律第百三十七号）
	売春防止法（昭和三十一年法律第百十八号）
	排他的経済水域における漁業等に関する主権的権利の行使等に関する法律（平成八年法律第七十六号）
	破壊活動防止法（昭和二十七年法律第二百四十号）
	爆発物取締罰則（明治十七年太政官布告第三十二号）
	破産法（平成十六年法律第七十五号）
	犯罪捜査のための通信傍受に関する法律（平成十一年法律第百三十七号）
	犯罪による収益の移転防止に関する法律（平成十九年法律第二十二号）
	犯罪被害者等給付金の支給等による犯罪被害者等の支援に関する法律（昭和五十五年法律第三十六号）
	犯罪利用預金口座等に係る資金による被害回復分配金の支払等に関する法律（平成十九年法律第百三十三号）
	半導体集積回路の回路配置に関する法律（昭和六十年法律第四十三号）
ひ	東日本大震災復興特別区域法（平成二十三年法律第百二十二号）

【五十音順】

通報対象となる法律一覧(493本)

(令和4年6月1日現在)

	法　律　名
	被災市街地復興特別措置法（平成七年法律第十四号）
	ＰＴＡ・青少年教育団体共済法（平成二十二年六月二日法律第四十二号）
	人質による強要行為等の処罰に関する法律（昭和五十三年法律第四十八号）
	ヒトに関するクローン技術等の規制に関する法律（平成十二年法律第百四十六号）
	人の健康に係る公害犯罪の処罰に関する法律（昭和四十五年法律第百四十二号）
	美容師法（昭和三十二年法律第百六十三号）
	肥料の品質の確保等に関する法律（昭和二十五年法律第百二十七号）
ふ	風俗営業等の規制及び業務の適正化等に関する法律（昭和二十三年法律第百二十二号）
	武器等製造法（昭和二十八年法律第百四十五号）
	不正アクセス行為の禁止等に関する法律（平成十一年法律第百二十八号）
	不正競争防止法（平成五年法律第四十七号）
	物価統制令（昭和二十一年勅令第百十八号）
	不当景品類及び不当表示防止法（昭和三十七年法律第百三十四号）
	不動産特定共同事業法（平成六年法律第七十七号）
	不動産の鑑定評価に関する法律（昭和三十八年法律第百五十二号）
	プラスチックに係る資源循環の促進等に関する法律（令和三年法律第六十号）
	武力攻撃事態等における国民の保護のための措置に関する法律（平成十六年法律第百十二号）
	武力紛争の際の文化財の保護に関する法律（平成十九年法律第三十二号）
	プログラムの著作物に係る登録の特例に関する法律（昭和六十一年法律第六十五号）
	フロン類の使用の合理化及び管理の適正化に関する法律（平成十三年法律第六十四号）
	文化財保護法（昭和二十五年法律第二百十四号）
へ	米穀等の取引等に係る情報の記録及び産地情報の伝達に関する法律（平成二十一年法律第二十六号）
	平成二十三年三月十一日に発生した東北地方太平洋沖地震に伴う原子力発電所の事故により放出された放射性物質による環境の汚染への対処に関する特別措置法（平成二十三年法律第百十号）
	弁護士法（昭和二十四年法律第二百五号）
	弁理士法（平成十二年法律第四十九号）
ほ	放射性同位元素等の規制に関する法律（昭和三十二年法律第百六十七号）
	放射線を発散させて人の生命等に危険を生じさせる行為等の処罰に関する法律（平成十九年法律第三十八号）
	放送法（昭和二十五年法律第百三十二号）
	暴力行為等処罰に関する法律（大正十五年法律第六十号）
	暴力団員による不当な行為の防止等に関する法律（平成三年法律第七十七号）
	保険業法（平成七年法律第百五号）
	保健師助産師看護師法（昭和二十三年法律第二百三号）
	母体保護法（昭和二十三年法律第百五十六号）
	墓地、埋葬等に関する法律（昭和二十三年法律第四十八号）
	ポリ塩化ビフェニル廃棄物の適正な処理の推進に関する特別措置法（平成十三年法律第六十五号）

資料9　対象法律一覧　　379

【五十音順】

通報対象となる法律一覧(493本)

(令和4年6月1日現在)

	法　律　名
ま	麻薬及び向精神薬取締法（昭和二十八年法律第十四号）
	マンションの管理の適正化の推進に関する法律（平成十二年法律第百四十九号）
	マンションの建替え等の円滑化に関する法律（平成十四年法律第七十八号）
み	水先法（昭和二十四年法律第百二十一号）
	密集市街地における防災街区の整備の促進に関する法律（平成九年法律第四十九号）
	民間あっせん機関による養子縁組のあっせんに係る児童の保護等に関する法律（平成二十八年法律第百十号）
	民間公益活動を促進するための休眠預金等に係る資金の活用に関する法律（平成二十八年法律第百一号）
	民間事業者による信書の送達に関する法律（平成十四年法律第九十九号）
	民事再生法（平成十一年法律第二百二十五号）
む	無限連鎖講の防止に関する法律（昭和五十三年法律第百一号）
	無差別大量殺人行為を行った団体の規制に関する法律（平成十一年法律第百四十七号）
	無尽業法（昭和六年法律第四十二号）
や	薬剤師法（昭和三十五年法律第百四十六号）
ゆ	有害物質を含有する家庭用品の規制に関する法律（昭和四十八年法律第百十二号）
	遊漁船業の適正化に関する法律（昭和六十三年法律第九十九号）
	有限責任事業組合契約に関する法律（平成十七年法律第四十号）
	有線電気通信法（昭和二十八年法律第九十六号）
	郵便切手類販売所等に関する法律（昭和二十四年法律第九十一号）
	郵便物運送委託法（昭和二十四年法律第二百八十四号）
	郵便法（昭和二十二年法律第百六十五号）
	輸出入取引法（昭和二十七年法律第二百九十九号）
よ	容器包装に係る分別収集及び再商品化の促進等に関する法律（平成七年法律第百十二号）
	養鶏振興法（昭和三十五年法律第四十九号）
	養蜂振興法（昭和三十年法律第百八十号）
	預金等に係る不当契約の取締に関する法律（昭和三十二年法律第百三十六号）
	預金保険法（昭和四十六年法律第三十四号）
り	理学療法士及び作業療法士法（昭和四十年法律第百三十七号）
	流通食品への毒物の混入等の防止等に関する特別措置法（昭和六十二年法律第百三号）
	理容師法（昭和二十二年法律第二百三十四号）
	旅館業法（昭和二十三年法律第百三十八号）
	旅行業法（昭和二十七年法律第二百三十九号）
	林業種苗法（昭和四十五年法律第八十九号）
	林業労働力の確保の促進に関する法律（平成八年法律第四十五号）
	臨床研究法（平成二十九年法律第十六号）
	臨床検査技師等に関する法律（昭和三十三年法律第七十六号）
	臨床工学技士法（昭和六十二年法律第六十号）
ろ	老人福祉法（昭和三十八年法律第百三十三号）
	労働安全衛生法（昭和四十七年法律第五十七号）

380 第3編 資 料

【五十音順】

通報対象となる法律一覧(493本)

(令和4年6月1日現在)

法 律 名
労働関係調整法（昭和二十一年法律第二十五号）
労働基準法（昭和二十二年法律第四十九号）
労働金庫法（昭和二十八年法律第二百二十七号）
労働組合法（昭和二十四年法律第百七十四号）
労働施策の総合的な推進並びに労働者の雇用の安定及び職業生活の充実等に関する法律（昭和四十一年法律第百三十二号）
労働者災害補償保険法（昭和二十二年法律第五十号）
労働者派遣事業の適正な運営の確保及び派遣労働者の保護等に関する法律（昭和六十年法律第八十八号）
労働保険の保険料の徴収等に関する法律(昭和四十四年法律第八十四号)

※ 公益通報者保護法別表第八号の法律を定める政令第二百八十一号「労働者派遣事業の適正な運営の確保及び派遣労働者の保護等に関する法律」(昭和六十年法律第八十八号)については、「労働者派遣事業の適正な運営の確保及び派遣労働者の保護等に関する法律等の一部を改正する法律の施行に伴う関係政令の整備及び経過措置に関する政令」(平成二十七年政令第三百四十号)第五条により、「労働者派遣事業の適正な運営の確保及び派遣労働者の保護等に関する法律の一部を改正する法律」(平成二十七年法律第七十三号)が含まれる。

●事項索引

◆ 数字

1 号通報 ················ 110, 118, 163
2 号通報 ················ 110, 122, 164
3 号通報 ················ 110, 130, 168

◆ あ行

著しく多数の個人における多額の損
　害 ··· 145
インターネット ························· 78
請負契約その他の契約 ··············· 67
役務提供先 ······························· 65
役務提供先等 ··········· 70, 118, 163

◆ か行

解雇の無効 ······························ 110
回復することができない損害 ········ 145
家事使用人 ······························· 48
過料の理由とされている事実 ········ 101
関係行政機関への照会等 ············· 255
勧告 ······································· 249
教示 ······································· 246
行政機関 ································· 105
行政機関がとるべき措置 ············· 238
国の行政機関 ··························· 105
経過措置 ·························· 272, 274
権限の委任 ······························ 260
権限を有する行政機関等　72, 122, 163
公益通報 ·································· 45
公益通報者 ······························· 83
公益通報者を特定させるもの ·· 137, 234
公益通報対応業務従事者 ·· 222, 228, 232
公益通報対応業務に関して知り得た
　事項 ······························· 234
公共の利益 ······························ 215
公表 ······································· 254
公務員 ····································· 47

告発 ······························ 127, 209
個人の生命・身体に危害又は個人の
　財産に回復不能な損害等が発生
　··································· 143, 164, 170

◆ さ行

事業 ······································· 64
事業者 ····································· 64
事業者がとるべき措置 ················ 218
事業に従事する場合 ··················· 67
事業を行う個人 ························· 65
指針の解説 ······························ 230
下請事業者 ······························· 57
指導 ······································· 249
生じ、又はまさに生じようとしてい
　る ······························· 68, 118, 163
情報の収集、整理及び提供 ·········· 256
条例 ······································· 95
助言 ······································· 249
処分の理由とされている事実 ········ 101
書面により ······························ 141
書面を提出 ······························ 124
思料する場合 ··················· 119, 163
信ずるに足りる相当の理由
　··································· 123, 164, 168, 170
正当な理由 ················ 137, 140, 236
施行期日 ·························· 266, 271
船員 ······································· 50
相談 ······································· 79
その他の外部通報先 ······ 74, 130, 167
損害賠償の制限 ························· 173

◆ た行

対象法律 ································· 88
退職者 ····································· 54
代理人 ····································· 58
他人の正当な利益 ····················· 215

382 事項索引

他の法令の規定 ……………………… 188
地方公共団体の機関 ……………… 109
調査是正措置 ………………… 164, 168
調査を行う旨の通知 ……………… 142
通報 ……………………………………… 79
通報対象事実 …………………… 68, 84
適用除外 ……………………………… 262
同居の親族のみを使用する事業 …… 48
匿名通報 ……………………………… 81
取引先事業者 ………………………… 57
努力義務 ……………………………… 223

◆ な行

内部公益通報 …………………… 118, 163
内部公益通報対応体制 …………… 222
認識 …………………………………… 234

◆ は行

派遣労働者 …………………………… 53
罰則 …………………………………… 264
犯罪行為の事実 …………………… 101

秘密 …………………………………… 208
不正の目的 …………………………… 59
不利益な取扱い …………………… 153
報告の徴収 ………………………… 248
法人 …………………………………… 64
法人その他の団体 …………………… 64
法定指針 ………………………… 225, 229
報道機関 ……………………………… 76
保護要件 ……………………………… 110

◆ ま行

漏らす ……………………………… 137, 235

◆ や行

役員 …………………………………… 55, 160
役員の解任 ………………………… 160

◆ ら行

立証責任 ……………………………… 82
労働者 ………………………………… 46
労働者派遣契約の解除の無効 …… 150

逐条解説　公益通報者保護法〔第2版〕

2016年4月15日　初　版第1刷発行
2023年4月30日　第2版第1刷発行

編　　者　消費者庁参事官
　　　　　（公益通報・協働担当）室

発行者　石　川　雅　規

発行所　株式会社 商　事　法　務
〒103-0027 東京都中央区日本橋 3-6-2
TEL 03-6262-6756・FAX 03-6262-6804〔営業〕
TEL 03-6262-6769〔編集〕
https://www.shojihomu.co.jp/

落丁・乱丁本はお取り替えいたします。　　　印刷／広研印刷㈱
© 2023 消費者庁参事官　　　　　　　　　　Printed in Japan
　　　（公益通報・協働担当）室
　　　　　　　　　　Shojihomu Co., Ltd.
ISBN978-4-7857-3029-1
＊定価はカバーに表示してあります。

JCOPY ＜出版者著作権管理機構　委託出版物＞
本書の無断複製は著作権法上での例外を除き禁じられています。
複製される場合は、そのつど事前に、出版者著作権管理機構
（電話 03-5244-5088、FAX 03-5244-5089、e-mail: info@jcopy.or.jp）
の許諾を得てください。